HÜHNER-ENZYKLOPÄDIE

Esther Verhoef · Aad Rijs

HÜHNER-
ENZYKLOPÄDIE

Alles, was Sie über die Pflege,
Unterbringung, Zucht und
Fütterung von Hühnern wissen müssen –
mit ausführlichen Beschreibungen
von über 100 Rassen.

DÖRFLER
FAUNA & FLORA

© 2001 Rebo International b.v.
Internet: www.rebo-publishers.com
e-mail: info@rebo-publishers.com
Text: Esther Verhoef und Aad Rijs
Fotografie: Esther Verhoef
Redaktion: Renate Hagenouw

© der deutschsprachigen Ausgabe: Edition DÖRFLER
im NEBEL VERLAG GmbH, Eggolsheim

Übertragung aus dem Holländischen: Dr. Michael Meyer
Umschlaggestaltung: Andreas Dorn

ISBN 3-89555-024-8

3 4 5   6 5 4 3

Inhalt

Vorwort   7

1. Allgemeines   9

1. Geschichte   11
2. Was man vorher bedenken sollte …   15
3. Der Kauf   29
4. Die Unterbringung   39
5. Die Pflege   51
6. Die Ernährung   57
7. Die Eiablage   65
8. Krankheiten, Missbildungen und Parasiten   73
9. Die Fortpflanzung   95
10. Anatomie und Gefieder   99
11. Farben und Zeichnungsmuster   107
12. Ausstellungen   117

2. Großhühnerrassen   121

1. Legerassen   123
2. Fleischrassen   171
3. Mehrzweck- oder Zwierassen   189
4. Kampfhühner   199
5. Zier- und Langschwanzrassen   211

3. Zwerghühner und Zwergformen   233

1. Legerassen   235
2. Fleischrassen   265
3. Mehrzweck- oder Zwierassen   273
4. Kampfhühner   283
5. Zier- und Langschwanzrassen   295

Register   331
Adressen & Fachzeitschriften   335
Bildnachweise & Danksagungen   336

Vorwort

Diese Enzyklopädie richtet sich in erster Linie an solche Hühnerliebhaber, die erst wenig Erfahrung mit der Hühnerhaltung gemacht haben. Diesem großen Personenkreis stellen sich häufig Fragen zu Fütterung, Unterbringung, Verhalten und vielen anderen Aspekten. Entsprechende Anfragen, die Anfänger in den letzten Jahren an erfahrene Hühnerhalter richteten, bilden den Ausgangspunkt für das Konzept des Allgemeinen Teils unseres Buches.

Im Rassenteil finden Sie eine große Auswahl von Rassen, die jeweils ausführlich beschrieben werden. Weltweit gibt es natürlich noch viel mehr davon: unsere Enzyklopädie stellt nicht den Anspruch, sie alle zu berücksichtigen, sondern will ein Bild von der Vielfalt der Rassen bieten, wobei auf ihre Erscheinungsformen, ihre Geschichte und ihre Leistungsmerkmale eingegangen werden soll. Berücksichtigt wurden natürlich die bekanntesten Rassen, aber auch ausgesprochen seltene. Wir haben uns nach Kräften bemüht, ihre jeweiligen Eigentümlichkeiten herauszuarbeiten, damit Sie die zu Ihnen passende Rasse (oder eine ähnliche) auswählen können. Wenn die Ansprüche einer Hühnerrasse und die Wünsche des künftigen Besitzers zur Deckung kommen, ist eine gute Ausgangsbasis vorhanden. Deshalb waren wir immer bestrebt, unseren Lesern möglichst viele praxisnahe Informationen zu bieten.

Daneben möchten natürlich viele Menschen wissen, in welchen Farbschlägen eine bestimmte Rasse vorkommt, und in welchem Maße die gekauften Tiere diesen Standards entsprechen. Daher behandeln wir ausführlich die Farben und sonstigen typischen Merkmale aller in unserem Buch behandelten Rassen. Die meisten von ihnen kommen in zwei „Formaten" vor: als „Großrasse" und als Zwerghuhn. In einigen Fällen behandeln wir lediglich die erstere, in anderen nur die Zwergform. Falls unser Buch gegebenenfalls nicht auf beide Formen eingeht, wird dies ausdrücklich vermerkt.

Praktisch alle von uns beschriebenen Rassen werden in vielen Ländern gezüchtet. Deshalb können Sie schon bei Züchtern, die nur wenige Stunden von Ihrem Wohnort leben, nicht nur gängige, sondern auch ausgesprochen exotische Rassen finden. Kontakt zu diesen Leuten können Sie leicht über landesweite und lokale (Fach-)Zeitschriften, entsprechende Vereine oder Ausstellungskataloge aufnehmen. Vor allem Züchter von wenig bekannten (und daher zu Unrecht noch nicht sonderlich populären) Rassen werden immer erfreut sein, wenn Sie sich als Anfänger gerade für ihre Tiere interessieren. Deshalb sind sie in der Regel gern bereit, Ihre Fragen zu beantworten und Ihnen bei den „ersten Schritten" zu helfen, wenn Sie sich für die Zucht der betreffenden Rasse entscheiden. Hühnerrassen haben nämlich heute häufig nicht mehr den gleichen Nutzwert wie früher: Lege- und Fleischhybriden sind an ihre Stelle getreten. All die Hunderte von anderen Hühnerrassen, an denen unsere Welt so reich ist, wären längst ausgestorben, wenn sich nicht Liebhaber Generation um Generation diesen Tieren zugewandt hätten. Wenn Sie nur zum Vergnügen ein paar Hühner halten wollen, sollten Sie anstelle von auf Legeleistung getrimmten Kreuzungen aus dem Großhandel lieber Vertreter seltener Rassen wählen. Falls Ihnen dann auch noch die Nachzucht gelingt, können Sie ihr Scherflein zum Überleben dieser Rasse beitragen und sie künftigen Generationen erhalten.

Die vielen hundert Hühnerrassen werden weltweit nach unterschiedlichen Kriterien eingeteilt: jedes dieser Schemata hat seine Anhänger und Gegner. In unserem Buch gliedern wir die Rassen nach ihrer ursprünglichen Funktion, also in Fleisch- und Legerassen. Sie alle sind nach dem Aufkommen von Hybriden mehr oder minder zu „ausstellungswürdigen" Formen entwickelt worden, deren äußere Merkmale dabei häufig als wichtigste Kriterien gelten. Allerdings besitzen Hühnerrassen viele erbliche Eigenschaften, die auch den heutigen Erscheinungsformen noch nachdrücklich ihren Stempel aufprägen. Eine Einteilung nach ihrem ursprünglichen Nutzwert ist deshalb nach wie vor sinnvoll.

Die Standards bezüglich der Größe, erlaubter Farben und Zeichnungen sowie bestimmter anatomischer Merkmale variieren oft von Land zu Land. Sie sind insofern keine „ewigen Werte", sondern wandeln sich im Laufe der Zeit – je nachdem, ob bestimmte Zuchtformen bevorzugt, neue Farbschläge eingeführt oder bestimmte Farben bzw. Merkmale wegen mangelnder Beliebtheit nicht mehr weitergezüchtet werden. Bisweilen kommt es sogar vor, dass man eine ganze Rasse aus Mangel an Interesse im einen oder anderen Land überhaupt nicht mehr hält, aber nach einiger Zeit erneut schätzen lernt. Deshalb definieren wir in unserem Buch für die einzelnen Rassen keine festen Standards, sondern beschreiben diese eher in allgemeiner Form. Auch im Hinblick auf die Farben sind wir nach Möglichkeit von der weltweiten Situation ausgegangen: einige in unserem Buch abgebildete Farbschläge werden folglich von manchen Vereinen nicht anerkannt, können aber schon im Nachbarland durchaus als ausstellungswürdig gelten.

Wir hoffen mit unserem Buch zur besseren Kenntnis und Pflege und damit zum allgemeinen Wohlergehen der Hühner beitragen zu können, so dass künftige Halter mehr Freunde und Erfolg bei der Haltung und Zucht dieser hübschen und possierlichen Haustiere haben.

Esther Verhoef
Aad Rijs

ANMERKUNG: Die in diesem Buch aufgeführten Hühnerrassen sind zu einem kleinen Teil in Deutschland nicht anerkannt und besitzen daher keinen amtlichen deutschen Namen. Im Rassenteil wird den betreffenden Hühnern jeweils das Kürzel (NA) für „nicht anerkannt" nachgestellt.
Die Schreibweisen der Farbschläge sind in der deutschen Fachliteratur oft unterschiedlich. So werden z. B. neben „blaugesperbert" auch die Begriffe „blau gesperbert" oder „gesperbert blau" verwendet und anstelle von „wildfarbig" häufig auch die Begriffe „rebhuhnfarbig" oder „rebhuhnfarben".

Teil 1:
Allgemeines

1 Geschichte

Herkunft

Aller Wahrscheinlichkeit nach stammen unsere Haushühner vom Bankiva- oder Buschhuhn (Gallus gallus) ab, dessen Wildform heute noch in Südostasien vorkommt. Der mögliche Anteil anderer Wildhuhnarten lässt sich nicht eindeutig bestimmen, doch steht mittlerweile fest, dass das Bankiva-Huhn der wichtigste Vorfahre des Haushuhns ist. Wie der Domestikationsprozess genau verlief, wissen wir nicht. Fest steht indes, dass man schon um 3200 v. Chr. in Asien (vor allem Indien) Haushühner gehalten hat. Auch Marco Polo erwähnt in seinem Reisebericht zahme „schwarzhäutige" Seidenhühner. Indizien deuten darauf hin, dass die Ägypter und Chinesen bereits seit 1400 v. Chr. Hühner hielten.

Die ersten domestizierten „Europäer" gab es etwa um 700 v. Chr. in Südeuropa. Ähnlich wie viele andere Haustiere wurden sie zunächst hauptsächlich in Klöstern gepflegt und

gezüchtet: die Mönche hielten sie als Fleisch- und Eierlieferanten.

Hahnenkämpfe

Mit großer Wahrscheinlichkeit schätzte man die ersten domestizierten Hühner weniger wegen des Fleisches und der Eier, sondern zog sie für Hahnenkämpfe. Darauf weisen Ausgrabungsfunde hin. Hahnenkämpfe waren von alters her im (Fernen) Osten beliebt, später auch im Westen. Zwar ist dieser „Sport" heute in den meisten westlichen Ländern verboten, doch wird er weiterhin im Verborgenen betrieben. In vielen Staaten Ostasiens – v. a. auf den Philippinen – ist seine Popularität ungebrochen. Dort gehört er zum Grundstock einer alten Kultur. Im Westen hält man Kampfhühner heute vor allem wegen ihrer Gestalt; sie werden für Ausstellungen „auf Schönheit" gezüchtet. Das Asil-Huhn, eine indische Rasse, ist eines der ältesten Kampfhühner (wenn nicht gar

Bankiva-Huhn (Gallus gallus)

11

das älteste). Mit dem Begriff „Asil" („edel") bezeichnet man übrigens eine große Gruppe
asiatischer Kampfhühner, zu der verschiedene
Rassen gehören, u. a. Madras-Asil und Rajah-
Asil.

Hühner in Europa

Jahrhunderte lang wurden Hühner auf europäischen Bauernhöfen freilaufend gehalten: sie
mussten stets selbstständig nach Nahrung
suchen und erhielten bestenfalls etwas Beifutter. Die Übernachtung erfolgte in Scheunen
und Ställen oder auf Bäumen. Die Eier wurden
von den Bauern zur Selbstversorgung einge-
sammelt; blieben sie unentdeckt, konnten da-

raus neue Küken schlüpfen. Überzählige Tiere
wurden für den Eigenverbrauch geschlachtet.
Infolge der isolierten Lage vieler ländlicher
Gegenden kam es nur selten zum Austausch
von Zuchttieren. Die unvermeidliche Inzucht
innerhalb der Bestände führte schließlich zur
Entstehung vieler sogenannter „Landhuhnrassen".
Erst gegen Ende des neunzehnten Jahrhun-

Drenther-Hühner

derts begann man den wirtschaftlichen Wert des Huhns höher einzuschätzen, und die Tiere wurden fortan in Ställen untergebracht, welche hundert und mehr dieser Vögel aufnehmen konnten. Tagsüber hatten die Tiere freien Auslauf auf der Weide. Alle notwendigen Arbeitsgänge (etwa das Einsammeln der Eier und die Fütterung) erfolgten noch von Hand. Die genannten Verbesserungen bei Unterbringung und Fütterung führten zwar zu höheren Eiererträgen, doch erwiesen sich die „alten" Rassen in kommerzieller Hinsicht als wenig ergiebig.

Die „Mittelmeerrassen" waren schon damals dafür bekannt, dass sie viele große Eier legten, und so kam es zu umfangreichen Importen. Vor allem die Leghorn-Hühner haben beträchtlich zum Aufschwung der Geflügelhaltung beigetragen. Als der Markt zunehmend mehr nach Hühnerfleisch und braunen Eiern verlangte (auch in den Wintermonaten), wurden sie auch häufig mit asiatischen Rassen gekreuzt. Aus der Mischung von importierten und bereits einheimischen Hühnern entstanden viele neue Rassen, die ursprünglich ausschließlich wegen ihres Nutzwerts geschätzt wurden. Dazu gehören zum Beispiel die New Hampshire-, Noord-Holland-, Barnevelder- und Welsumer-Hühner. Diese Rassen haben Jahrzehnte lang ihren Zweck erfüllt, mussten aber am Ende den modernen Hybriden weichen. Als Liebhabertiere blieben diese oft hübschen Rassen (und ihre vielen nützlichen Eigenschaften) glücklicherweise erhalten.

Mit dem Aufkommen der hybriden „Produktionshühner" hatte auch die Stunde der kleinen Hühnerhöfe geschlagen: nun begann die Ära der in Legebatterien und Großraumzuchtanlagen „kasernierten" Hühner.

Ausstellungen

Rassehühner kennt man schon seit dem 16. Jahrhundert. Auf Gemälden dieser Epoche sieht man auch heute noch existierende Rassen wie etwa Chabos. Im Allgemeinen interessierte man sich aber erst seit dem 18. Jahrhundert für reinrassige Tiere. Oft hielt man diese Rassehühner als Schautiere in den Lustgärten

Chabos sind eine sehr alte Zierhuhnrasse

wohlhabender Personen. Hübsche Zierhühner aus wenig bekannten ausländischen Rassen waren ein Mittel, den eigenen Reichtum zur Schau zu stellen. Ähnliche Motive führten auch zur Anpflanzung exotischer Pflanzen und Bäume in den genannten Lustgärten.

Aus dem Besitz solcher Hühner entstand schließlich das Bedürfnis, bestimmte Rassenmerkmale in Zuchtstämmen festzulegen und die Tiere kritisch zu vergleichen. Auf diese Art bildeten sich im Laufe der Zeit die verschiedenen Rassestandards heraus, welche das Aussehen des idealen Vertreters einer Rasse definieren. Anhand dieser Standards wurden die Tiere auf Ausstellungen von Preisrichtern bewertet. Die ersten seriösen Ausstellungen fanden wohl erst im 19. Jahrhundert statt; wirklich populär wurden sie nach 1850. In dieser Periode entstanden auch die ersten Züchterverbände. Heute sind Haltung und Zucht von Hühnern Hobbys, die von Menschen fast in aller Welt ausgeübt werden.

2 Was man im voraus bedenken sollte...

Bedenken Sie, worauf Sie sich einlassen!

Wenn Sie die Absicht haben, sich Hühner anzuschaffen, sollten Sie erst gründlich überlegen, ob Sie Zeit und Lust haben, diesen Tieren die nötige Sorgfalt zu widmen.

Hühner sind zwar anspruchsloser als die meisten anderen Haustiere, brauchen aber täglich Futter und Wasser, und auch ihr Stall muss regelmäßig gereinigt werden. Wenn Sie ein paar Tage verreisen wollen, können Sie die Tiere nicht einfach sich selbst überlassen: Für solche Fälle brauchen sie einen zuverlässigen Stellvertreter.

Im Allgemeinen ist die Hühnerhaltung – vor allem bei kleinen Beständen – keine besonders teure Angelegenheit. Auf jeden Fall müssen Sie die Baukosten für einen anständigen Hühnerstall in Rechnung stellen, die stets etwas höher ausfallen als man denkt. Außerdem können Ihre Hühner krank werden, so dass ein Tierarzt konsultiert werden muss. Obwohl das recht teuer werden kann, sollte man den Tieren die Behandlung keineswegs aus Kostengründen versagen.

Da Hühner außerdem 15 Jahre und älter werden können, sollten Sie das Für und Wider einer Anschaffung im Voraus gründlich abwägen. Bedenken Sie außerdem, dass die Tiere nicht aus freien Stücken bei Ihnen leben und ihr ganzes Wohl und Wehe von Ihnen abhängt! Es kann auch durchaus vorkommen, dass Ihre Kommune die Hühnerhaltung in Wohngebieten verbietet, oder dass sie Ihre Tiere aufgrund von nachbarlichen Beschwerden abschaffen müssen. Deshalb sollten Sie vorher die Rechtslage genau erkunden.

Ob sie züchten wollen oder nicht: ein Hühnerstall ist unbedingt erforderlich!

Hühner ohne eindeutige Rassenzuordnung sind vom Charakter her „Überraschungspakete".

Indisches Kampfhuhn: eine von Natur aus friedliche und neugierige Rasse.

Warum Rassetiere?

Viele Menschen halten Hühner, die sie auf Märkten oder im örtlichen Fachhandel erworben haben. Dabei handelt es sich meist um Kreuzungsprodukte mehrerer Rassen (meist weiße, schwarze oder braune „Legehühner"). Häufig ist man von seinen Tieren enttäuscht, weil diese dauernd in fremde Gärten laufen, anhaltend krähen, schlecht legen oder auch bei größter Mühe nicht zahm werden wollen. Das ist der große Nachteil „rasseloser" Tiere: man kann kaum voraussehen, wie sich ihr Verhalten und ihre Eigenschaften entwickeln werden (oder auch nicht).

Dieses Risiko besteht bei Rassehühnern kaum: hier sind nämlich nicht nur äußere Eigenschaften wie Körperbau, Befiederung und Farbe festgelegt, sondern auch „innere" wie der Bruttrieb sowie Zahl, Farbe und mittlere Größe der Eier.

Hinzu kommen andere Eigenschaften, die man am besten mit „Charakter" umschreiben kann: zu diesen Rassen kann der Eigentümer durch gute Behandlung allmählich ein Vertrauensverhältnis aufbauen, so dass ihm die Tiere wie Hunde nachlaufen oder sich auf seinen Schoß setzen. Solche Hühner reagieren auf Menschen weder scheu noch aggressiv.

Daneben gibt es Rassen, die gute oder schlechte Flieger sind, oder deren Hähne melodisch bzw. misstönend krähen. Die Festlegung bestimmter Eigenschaften ist für Käufer mit festen Vorstellungen vom Aussehen ihrer neuen Haustiere ein großer Vorteil.

Manche Leute halten Hühner nur als Zier- oder Schauobjekte: sie verfügen über große Auslaufflächen und nehmen keinen Anstoß daran, dass die Tiere nicht zahm werden.

Andere besitzen nur einen Kleingarten hinter dem Haus, erwarten aber dennoch, dass die Hühner weder durch die Hecken schlüpfen noch übermäßig in den Beeten herumscharren.

Wieder andere haben nur wenige Quadratmeter große Balkons, auf denen sie dennoch ein paar Zwerghühner halten wollen. Das kann durchaus klappen, doch sind die Erfolgschancen bei Rassen, deren Ansprüche mit den jeweiligen Verhältnissen harmonieren, viel größer.

„Rasselose" Hühner sind übrigens nicht robuster als Rassetiere: zwar sind letztere manchmal anfälliger gegen bestimmte Parasiten oder Krankheiten, doch kann man dem meist durch entsprechende Haltungsbedingungen vorbeugen. Die meisten Rassen können als sehr vital gelten.

Auf nassem Rasen ist von den prächtigen Schöpfen und „Bärten" bald nicht mehr viel zu sehen.

Das Lakenfelder-Huhn ist eine hübsche und robuste Rasse.

Äußeres und Pflege

Wenn die Entscheidung für eine bestimmte Hühnerrasse ansteht, sollten Sie vor der Anschaffung einer kleinen Gruppe bedenken, dass jede Rasse besondere Merkmale hat, die spezifische Pflegemaßnahmen erfordern. Wenn Sie bspw. Ihre Hühner frei laufen lassen wollen, sollten Sie besser keine Rassen mit Schöpfen, „Bärten" oder üppiger Fußbefiederung wählen: sie hätten nach mehrtägigem eifrigen Scharren ein Gutteil ihrer Schönheit eingebüßt. Wenn die Hühner im Garten keine großen Schäden anrichten sollen, empfehlen sich Rassen mit stark befie-

Federfüßige Zwerghühner: die Fußbefiederung sorgt dafür, dass Ihr Garten in Ordnung bleibt.

derten Läufen, die weniger eifrig scharren, aber eine trockene Übernachtungsmöglichkeit brauchen, damit ihr Gefieder trocknen kann. Kurzbeinige Tiere wie Chabos kommen im Freiland weniger gut zurecht, genau wie die nässeempfindlichen Krausfederrassen. Wenn man nur wenig Platz hat, sollte man nur Zwerghühner oder sehr ruhige Großrassen anschaffen, die mit wenig Raum zufrieden sind. Wenn Sie nur wenig von Hühnern verstehen und Ihre Kenntnisse nicht vertiefen wollen, empfehlen sich robuste Tiere ohne besondere Ansprüche. Wenn Sie selbst eher klein sein sollten und auch Ihre Kinder am Pflegen und Füttern Gefallen finden, kommen statt großer, schwerer Rassen eher zierliche in Frage.

Bedenken Sie auch: große Hühner produzieren unweigerlich mehr Mist als kleine! Meist bereitet auch die Reinhaltung von Garten und Stall mehr Arbeit, und ähnlich wirkt sich die Größe des Bestandes aus. Jede Rasse hat so ihre Eigentümlichkeiten, die sie für Ihre Zwecke mehr oder weniger geeignet erscheinen lassen.

Rassegebundene Eigenschaften

Es gibt Hühner aller Größen, Gefieder- oder Farbvarianten, aber auch unterschiedlichster Temperamente. So kennt man etwa „lautstarke" Tiere (die gern krähen), ausgesprochen fluglustige (die gern Ausflüge über den Zaun in Nachbars Garten unternehmen), sehr ruhige und notorisch nervöse oder gar aggressive.

Das Araucana-Huhn ist für seine blaugrünen Eier bekannt.

Das Cochin-Huhn ist eine von Natur aus zahme und überaus robuste Rasse.

Wenn Sie selbst lebhaft und umtriebig sind, sollten Sie eine ruhige Rasse auswählen: Ihr Gemütszustand wirkt sich nämlich auf die Tiere aus: temperamentvolle Hühner würden unweigerlich nervös und flögen Ihnen beim Betreten des Stalls unweigerlich „um die Ohren".

Auch die Legeleistung ist sehr unterschiedlich: manche Rassen wurden gezielt daraufhin selektiert und legen sogar im Winter recht große (und vor allem zahlreiche) Eier, andere nur sehr wenige. Deshalb sind die Hennen mancher Rassen praktisch ständig brutbereit, andere hingegen nicht.

Wenn Sie an Hühnern vor allem die Eier schätzen, ist das ständige „Glucken" nachteilig, da die Hennen in dieser Zeit nicht legen. Dann sollten Sie besser eine Rasse

Zwerg-Friesen-Huhn: quicklebendig und kaum zu zähmen.

wählen, die gut legt und selten bis gar nicht in Brutstimmung kommt.

Da äußere und innere Eigenschaften der einzelnen Rassen weitgehend festgelegt sind, sollten Sie Hühner nicht leichtfertig wegen ihrer Schönheit wählen. Überlegen Sie vorher gründlich, welche Eigenschaften Ihrer neuen Haustiere für Sie wichtig sind, und entscheiden sich dann danach: das erspart manche Enttäuschung.

Bedenken Sie auch, dass Merkmale nicht nur rassen-, sondern sogar bestandsgebunden sein können. Ein Züchter ist durchaus in der Lage, bestimmte Eigenschaften (gezielt oder unbewusst) herauszuselektieren und so in ihrem Zuchtstamm zu „verankern": so kann diese Rasse bei ihm robuster sein als normal (oder auch umgekehrt).

Lärmbelästigung

Die meisten Hühnerrassen brauchen nur wenig Platz und lassen sich daher ohne weiteres im Garten oder sogar auf dem Balkon halten. Wenn man den Stall ordentlich sauber hält und die Hühner stets im eigenen Garten bleiben, sollte es auch keine Probleme mit den Nachbarn geben. Verschmutzte Ställe hingegen ziehen Fliegen und Ungeziefer an, die zu (berechtigten) Klagen der Nachbarn Anlass geben.

Die meisten Leute finden Hühner jedoch sympathisch: ihr eifriges Scharren hat offenbar eine positive Ausstrahlung. Ganz anders verhält es sich, wenn die Nachbarn mit krähenden Hähnen konfrontiert werden: während viele Menschen diese Laute als wohlklingend empfinden, fühlen sich andere empfindlich gestört; deshalb sollte man im-

Manche Hühner eignen sich sogar für Etagenwohnungen, z. B. der Grubbe-Bartzwerg.

Hahnengeschrei ist nicht für jedermanns Ohren Musik (hier ein Vorwerk-Hahn).

mer vorsorglich das Einverständnis der Nachbarn einholen.

Wenn mit Problemen zu rechnen ist, sollte man lieber nur Hennen halten, um Nachbarschaftsstreitigkeiten oder gar gerichtliche Auseinandersetzungen zu vermeiden. Allerdings können auch sie recht laut werden, wenn sie Eier legen oder durch Geräusche erschreckt werden – „stumme" Hühner gibt es nun einmal nicht!

Braucht man einen Hahn?

Wer nicht gerade züchten will, benötigt streng genommen keinen Hahn. Hennen brauchen zum Glücklichsein keinen Partner und haben meist schon mit der eigenen Hackordnung genug Probleme. In der Regel übernimmt dann eine Henne die Rolle des Hahns: sie verhält sich dominant und benimmt sich überhaupt „hahnenmäßig". Besonders dominante Tiere versuchen manchmal sogar zu krähen.

Wer Hähne schön findet und ihnen alles Nötige bieten kann, sollte bedenken, dass

sie die Hennen unfehlbar begatten werden. Solange befruchtete Eier noch nicht angebrütet wurden, kann man sie nicht von anderen unterscheiden. Man kann sie ohne weiteres essen, ohne Geschmacksunterschiede festzustellen. Ganz anders verhält es sich, wenn sie einen Tag oder länger bebrütet worden sind: jetzt läuft die Entwicklung rasend schnell ab. Nach wenigen Tagen hat sich ein Netz von Blutgefäßen gebildet, und am vierten kann man den Embryo deutlich erkennen.

Wenn Sie also aufgrund Ihrer bisherigen Erfahrungen abschätzen können, dass Sie das rechtzeitige Einsammeln der Eier voraussichtlich bisweilen versäumen werden, sollten Sie sich daher besser für eine selten oder gar nicht brütende Hühnerrasse entscheiden. Andernfalls besteht die Gefahr, dass Sie ein angebrütetes Ei in die Pfanne hauen – viele unerfahrene Hühnerhalter wissen davon ein Lied zu singen...

Brakel-Zuchtstamm

Problemvorbeugung

Wenn Sie gern mit den eigenen Tieren züchten wollen, müssen Sie einen oder mehrere Hähne anschaffen. In diesem Fall ist es gut zu wissen, dass Lärmbelästigungen weitgehend vermeidbar sind: die meisten Menschen nehmen hauptsächlich daran Anstoß, dass der Hahn den jungen Tag so früh begrüßt. Normalerweise krähen Hähne am Morgen. Abgeblendete, geschlossene und schallisolierte Ställe halten die Geräuschbelästigung während der frühen Morgenstunden in Grenzen. Die Isolierung lässt allerdings nur wenig Frischluft in den Stall dringen, welche die Hühner dringend zu ihrem Wohlbefinden benötigen; vertretbar ist sie allenfalls in großen Ställen mit geringem Besatz. Es kommt durchaus vor, dass ein Hahn mitten in der Nacht laut wird: schon das Zuschlagen einer Tür oder das Starten eines Motors können dazu führen, dass er ein- oder mehrmals kräht. Sie besitzen damit eine preiswerte „Alarmanlage", doch Ihre Nachbarn werden die Sache wohl anders beurteilen ...

Hähne krähen, um Konkurrenten ihre Revieransprüche anzukündigen.

Der Alt-Englische Zwergkämpfer ist für seine relativ leise Stimme bekannt.

Echte Kampfhühner wie diese „Malaien" leben häufig monogam.

Alternativ kann man die Hähne vor dem abendlichen Aufbaumen auch in einen Karton oder einen abgesonderten, gut isolierten Stall in der Scheune oder im Hausinneren sperren. Ab neun Uhr morgens kann man sie dann wieder zu den Hennen gesellen.

Bei einigen Rassen krähen die Hähne übrigens nachweislich leiser oder seltener als der Durchschnitt. Dazu gehört etwa der Altenglische Kämpfer. Doch egal was man tut: als angeborenes Verhalten lässt sich das Krähen nie ganz unterbinden. Das Tier zeigt damit seinen Standort an und warnt Konkurrenten um sein Territorium. Es kann Wunder wirken, wenn Sie Ihren Nachbarn ab und zu ein Körbchen Eier schenken: so leiden diese nicht ausschließlich unter Ihrem Hobby, sondern profitieren sogar davon, dass Sie Hühner halten!

Das Zahlenverhältnis zwischen Hennen und Hähnen

Wie viele Hennen und Hähne man halten kann, hängt davon ab, welche Pläne ma

hat, wie viel Platz verfügbar ist und welche Rasse gewählt wurde. Wenn nur wenige Tiere gepflegt und nicht für Ausstellungszwecke gezüchtet werden sollen, spielt es keine Rolle, wenn die Eier nur selten befruchtet werden. Sie brauchen dann nur einen Hahn und zwei bis drei Hennen, möglichst jedoch mehr. Falls alle Eier besamt werden sollen, dürfen auf einen Hahn allenfalls sechs Hennen kommen. Bei leichtgebauten, tempera-

Friesen-Hühner sind sehr aktiv: auf einen Hahn können hier bis zu zwölf Hennen kommen.

21

mentvollen Rassen kann man die Zahl der Hennen auf zehn bis zwölf erhöhen, während bei großen, schweren wie dem Brahma- und Cochin-Huhn drei bis fünf ausreichen. Außerdem gibt es „naturbelassene" Rassen, die nahezu monogam leben: dazu gehören vor allem die asiatischen Kampfhühner.

Gemeinsame Haltung mehrerer Hähne

Wenn Sie professionell züchten wollen, müssen Sie mehrere Hähne halten. Dabei kann es zu Problemen kommen, da jeder seinen eigenen Harem beansprucht. Es gibt ruhige Rassen, wo sich die Hähne gut vertragen, doch häufig kommt es unweigerlich zum Streit, der vor allem bei temperamentvollen Rassen oft bis zum Tode des Schwächeren ausgetragen wird – besonders in kleinen, geschlossenen Gehegen, wo es keine Ausweich- und Fluchtmöglichkeiten gibt. Wenn es rund um Ihr Haus genug Auslauf gibt, kommt es unter den Hähnen nur selten oder gar nicht zu Aggressionen: die Tiere können einander ausweichen, und die Hennen haben die Möglichkeit, sich dem Harem des „sympathischsten" Hahns anzuschließen.

Eine Ausnahme bilden gezielt auf Aggressivität hin selektierte Rassen, also echte Kampfhühner. Hier kann man nur je einen Hahn halten, selbst wenn es Platz für meh-

Nur wenige Hähne können gemeinsam gehalten werden: meist kommt es unweigerlich zum Kampf.

Bei Kampfhuhnrassen – hier ein Shamo-Hahn – müssen die Hähne unbedingt von einander getrennt bleiben.

rere gibt, da sie unweigerlich zu kämpfen beginnen. Diese Rassen pflegt man am besten paarweise, da Hahn und Henne einander meist ihr Leben lang treu sind. Wenn nicht genug Platz für freien Auslauf vorhanden ist (oder Sie dies nicht wollen), können Sie auch für jede Zuchtgruppe ein eigenes Gehege mit Stall einrichten. Aber wie Sie sich auch entscheiden: Hühner sind von Natur aus keine Einzelgänger – schaffen Sie also pro Hahn ein bis zwei Hennen an, damit die Tiere Gesellschaft haben.

Wie viel Platz benötigt man?

Die meisten Hühnerrassen brauchen zu ihrem Wohlergehen nur wenig Platz. Großen, mittelschweren und leichten Rassen genügen meist 1,5 x 1,5 m „Lebensraum" pro Tier. Zwergformen und -rassen kommen meist mit der halben Fläche zurecht. Dies sind allerdings nur Mindestmaße, und jeder zusätzliche Quadratmeter kommt den Tieren zugute: Lebensfreude und Vitalität werden so gesteigert, und es fällt weniger Arbeit

Wenn die Tiere tagsüber genug Auslauf haben, braucht der Stall nicht allzu groß zu sein.

an, wenn man wenige Hühner auf einer größeren Fläche hält. Die Seuchengefahr ist

Wenige Hühner auf einer großen Fläche vermindern den Arbeitsaufwand (und umgekehrt!).

am größten, wenn man zu viele Tiere auf begrenztem Raum pflegt. Bemessen Sie also Hühnerstall und Auslauf möglichst großzügig. Größeren Gruppen braucht man oft weniger Platz zu bieten als streng genommen erforderlich wäre: eine solche Gruppe braucht nämlich pro Huhn weniger Raum, da alle Tiere die Gesamtfläche nutzen können. In einem vier Quadratmeter großen Gehege ließen sich rechnerisch nur fünf Zwerghühner halten, doch bei optimaler Pflege reicht es sogar für eine größere Zahl. Viele Liebhaber halten ihre Tiere sogar in relativ kleinen Ställen, bieten ihnen aber täglich mehrere Stunden Auslauf im Garten. Wenn letzteres gegeben ist, braucht der Stall nicht allzu groß sein.

Junge oder „einjährige" Hühner?

Will man Hühner zur Zucht anschaffen, sollte man statt junger Tiere besser im Vorjahr geschlüpfte wählen (in Geflügelzüchterkreisen bezeichnet man diese als „überjährig"; es handelt sich also keineswegs um „steinalte" Tiere oder solche, die keine Eier mehr legen). Man sollte ihnen stets den Vorzug geben, da sich in diesem Alter schon abschätzen lässt, wie schön die Tiere ausgewachsen aussehen werden. Junge Hühner können gute Anlagen haben, aber ob sich diese auch ausprägen, lässt sich äußerlich noch nicht beurteilen. Allerdings sollte man auch keine allzu alten Tiere erwerben. Ein Hahn ist bspw. etwa mit sechs Monaten im-

Zuchtgruppe aus weißen Rheinländer-Hühnern.

Schwere Rassen wie dieses Brahma-Huhn werden oft früher unfruchtbar als leichte.

Ein Hahn muss wenigstens sechs Monate alt sein, bevor er zur Zucht verwendet wird.

stande Hennen zu begatten. Wie lange er das bleibt, hängt von Rasse und Kondition ab. Schwere, ruhige Rassen, die leicht Fett ansetzen, werden auch schnell unfruchtbar, während leicht gebaute länger zeugungsfähig bleiben. Im Durchschnitt bleibt ein Hahn etwa bis zum Alter von sechs Jahren fruchtbar. Hennen können bereits mit fünf bis sechs Monaten zu legen beginnen, doch brüten sie dann bei den meisten Rassen noch nicht: das ist in der Regel erst nach weiteren sechs Monaten oder später der Fall (je nach Rasse, Ernährung und Witterung). Normalerweise legen über fünf Jahre alte Hennen nicht mehr, doch gibt es Ausnahmen. Manchmal bleiben sie lebenslang fruchtbar: man kennt zahlreiche über zehn Jahre alte Tiere, die noch hin und wieder Eier legten. Die meisten Hühnerrassen können zehn bis fünfzehn Jahre alt werden. Ihre tatsächliche Lebenserwartung hängt von verschiedenen Faktoren ab (etwa Futter, Stress und Unterbringung), ist aber rasse- oder typengebunden. Schwere, ursprünglich als Fleischtiere gezüchtete Rassen werden meist nicht so alt wie leichte „Landhühner".

Hühner und andere Haustiere

Neben Hühnern halten Sie vielleicht auch andere Haustiere, die Sie damit vergesellschaften wollen. Im Allgemeinen geht das problemlos, doch sollte man die Tiere stets im Auge behalten. Manche Tierarten passen einfach nicht zu einander.

KATZEN UND HUNDE

Katzen und Hühner vertragen sich oft hervorragend. Zwar scheuchen Katzen Hühner hin und wieder etwas umher, doch fügen sie ihnen kaum je ernsthafte Verletzungen zu. Ihre eigenen Katzen werden Ihre Hühner normalerweise als Mitglieder des Haushaltes akzeptieren, während gegenüber fremden manchmal ihr Jagdinstinkt zum Durchbruch kommt. Wenn man Küken oder sehr junge Hühner hält, sollte man diese aber besser in gut verschlossenen Gehegen oder Ställen unterbringen, die für Katzen unzugänglich sind.

Hunde reagieren auf Hühner unterschiedlich: Einige scheren sich nicht um sie oder beschützen sie sogar notfalls, während an-

Nach kurzer Anleitung harmonieren auch Hühner und Hunde perfekt.

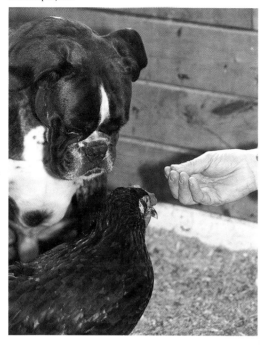

dere ihnen gern nachjagen, ins Gehege einzudringen versuchen und die Tiere sogar töten, wenn sie diese zu fassen bekommen. Selbstverständlich können Sie Hühner ohne weiteres freilaufend halten, wenn ihr Hund in dieser Hinsicht absolut zuverlässig ist; andernfalls müssen Auslauf und Stall so sicher angelegt sein, dass der Hund nicht eindringen kann.

Viele Schäferhundrassen betätigen sich gern als „Hühnerwächter".

KANINCHEN, MEERSCHWEINCHEN UND ANDERE HEIMTIERE

Manche Leute würden neben Hühnern gern auch andere Heimtiere wie Kaninchen oder Meerschweinchen halten. Auf Kinderbauernhöfen oder in Zoos gelingt dies in der Regel ganz gut, vor allem, wenn es genug Platz und ausreichende Fluchtmöglichkeiten gibt. Hühner neigen nämlich manchmal dazu, nach diesen Tieren zu picken. Oft geschieht das aus purer Neugierde, manchmal aber auch in wirklich böser Absicht. Kaninchen – vor allem Zwergrassen und Jungtiere – und Meerschweinchen können sich kaum wehren, und das bekommen sie zu spüren. In einem nur wenige Quadratmeter großen Hühnergehege sollte man daher besser keine Kaninchen oder Meerschweinchen halten. Aus dem gleichen Grund sollte man auch andere empfindliche Arten wie kleine Fasanen, Wachteln, kleine Enten oder auch Schildkröten nicht mit Hühnern vergesellschaften.

Übrigens unterscheiden sich auch die diversen Hühnerrassen hinsichtlich ihrer „Hackfreudigkeit" gegenüber Artgenossen und anderen Tieren ganz erheblich: aktive, temperamentvolle Rassen wie Friesenhühner und Kraienköppe bereiten in dieser Hinsicht mehr Probleme als ruhige, phlegmatische Sorten (etwa Wyandotten und Seidenhühner). In großen Gehegen kann man den Hühnern ruhig ein Kaninchen zugesellen: sein Hüpfen und Laufen sorgt immer für Ablenkung; das kann auch dazu führen, dass die Tiere weniger nach einander picken. Selbstverständlich wird man – schon dem Tier zuliebe – niemals ein Kaninchen zu sehr temperamentvollen Hühnerrassen setzen; das Gleiche gilt sinngemäß für Zwergkaninchen und große, schwere Hühner. Kontrollieren Sie das Verhältnis zwischen den verschiedenen Tierarten aufmerksam, damit Sie rechtzeitig eingreifen können! Manchmal geht die Aggressivität auch nicht von den Hühnern, sondern von den anderen Tieren aus: es gibt z.B. einige Fasanenarten, vor denen die Hühner – zumindest während der Brutzeit – ihres Lebens nicht sicher sind. Wenn genug Platz vorhan-

den ist, lassen sich Hühner auch sehr gut mit vielen Enten, den meisten Gänsen und Puten oder sogar mit Ziegen, Schafen, Schweinen, Pferden und Hirschen vergesellschaften.

Bleiben Sie aber immer wachsam! Wer ernsthaft Hühner züchten will, wird sie stets von anderen Tieren getrennt halten. In Gesellschaftsgehegen lässt es sich nämlich nicht vermeiden, dass die verschiedenen

Hahn und Hennen genießen die Frühlingssonne

Die Groninger Möwe, eine recht seltene niederländische Rasse.

Holländer Haubenhuhn-Henne

Tiergruppen früher oder später auch an das Futter der anderen Insassen gehen und möglicherweise daran mehr Geschmack als an dem für sie selbst gedachten finden. Wenn dieser Fall eintritt, besteht die Gefahr, dass die einzelnen Arten (also gegebenenfalls auch die Hühner) nicht immer optimal ausgewogenes Futter bekommen.

3 Der Kauf

Wo sollte man Hühner kaufen?

Sobald Sie sich für eine bestimmte Rasse entschieden haben, müssen Sie nach einem Liebhaber suchen, der diese züchtet und zum Kauf anbietet. Viele Züchter inserieren in Vereins- oder Fachzeitschriften. Manche davon erhält man auch an Kiosken, während andere nur im Abonnement bezogen werden können. Entsprechende Anzeigen findet man allerdings auch häufig in regionalen Tages- oder Wochenzeitungen oder Anzeigenblättern. Zahllose „Hühnerseiten" findet man ferner im Internet, wo man (meist gratis) nach Tieren suchen oder solche zum Kauf anbieten kann. Die meisten Rassezüchtervereinigungen sind dort ebenfalls vertreten. Außer Informationen über Rassen und Ausstellungen findet man dort häufig auch Adressen, die verlässliche Bezugsquellen für die einzelnen Rassen bieten. Die Adressen von Spezialclubs kann man auch bei den regionalen oder nationalen Geflügelzüchterverbänden erfragen. Dort bekommt man oft auch die Telefonnummern von Verbänden oder Züchtern in der Nachbarschaft.

In jeder Region gibt es Geflügelzuchterverbände oder Vereine, in denen sich die örtlichen Geflügel-, Tauben und Kaninchenzüchter zusammengeschlossen haben. Häufig stehen diese auch im Branchenbuch. Man kann sich auch erkundigen, wann Ausstellungen in der Nähe oder auf internationaler Ebene stattfinden. Erstere werden während der Ausstellungssaison (Oktober bis Mitte Januar) meist landesweit wöchentlich abgehalten. Auf größeren Ausstellungen trifft man in der Regel viel mehr Tiere (und auch Rassen) als auf lokalen. Wenn Sie eine seltene Rasse suchen, empfiehlt sich der Besuch einer großen internationalen Ausstellung. Weitverbreitete Rassen wie Wyandotte- und Barnevelder-Hühner sieht man meist auch auf lokalen Börsen. Auf derartigen Veranstaltungen können Sie die Tiere kennen lernen und Kontakt zu den Züchtern aufnehmen. Meist werden dort auch Hühner zum Kauf angeboten.

Wo sollte man Hühner NICHT kaufen?

In letzter Zeit werden auf Wochen- und Jahrmärkten immer seltener Tiere angeboten. Der Kauf von lebenden Tieren auf derartigen Veranstaltungen birgt übrigens einige Risiken: Wenn man die Hühner beim Züchter selbst in Augenschein nimmt, kann man beurteilen, unter welchen Bedingungen sie aufgezogen werden und sich nach den Pflege- und Futteransprüchen der betreffenden Rasse erkundigen. Seriöse Züchter werden Sie auch nicht im Stich lassen, wenn Sie später noch Fragen haben sollten. Wenn Sie die Tiere hingegen auf Märkten kaufen, ist nicht unbedingt damit zu rechnen. Viele Markthändler kaufen bei Züchtern u.ä. Hühner zur Schlachtung oder zum Weiterverkauf auf, so dass die Herkunft der Tiere meist nur überprüfbar ist, wenn sie beringt sind. In diesem Fall können Sie selbst feststellen, wann der Schlupf erfolgte – an-

Wer seltene Rassen wie Zwerg-Ardenner erwerben will, muss lange danach suchen

Federfüßige Zwerghühner sind so beliebt, dass man leicht in der näheren Umgebung einen Züchter findet.

Federfüßige Zwerghühner sind so beliebt, dass man leicht in der näheren Umgebung einen Züchter findet.

dernfalls bleibt nur Raten. Bisweilen stammen die auf Märkten angebotenen Hühner auch aus Zuchtstämmen, die schlecht legen bzw. brüten oder sonstige Mängel aufweisen (der Züchter wird sie nicht grundlos an Händler verkauft haben, denn diese zahlen deutlich weniger als Liebhaber).

Ein weiterer Nachteil von Börsen und Märkten besteht darin, dass Tiere aus verschiedenen Züchtereien rücksichtslos vermischt werden. Dabei können leicht Krankheiten übertragen werden. Hiermit soll aber nicht gesagt werden, dass man dort gar keine vitalen, gesunden Tiere erwerben kann. Um sicher zu gehen, sollte man Hühner aber grundsätzlich bei seriösen Züchtern kaufen. Wer es dennoch auf dem Markt tun will, sollte junge Tiere verlangen. Machen Sie auch deutlich, dass Sie Hennen haben wollen: wer bloß nach „Hühnern" fragt, macht keinen Unterschied zwischen Hähnen und Hennen – was der Verkäufer ausnutzen kann, um Ihnen Hähne oder alte Tiere unterzujubeln. Den Händler können Sie später kaum zur Verantwortung ziehen, da Sie ihn ja bloß nach „Hühnern" gefragt haben.

„Geheimsprachen"

Wenn Sie in Anzeigenblättern oder im Internet Züchteranzeigen studieren, scheinen diese oft in einer „Geheimsprache" abgefasst zu sein:

sie lauten bspw. „Orpington gr.gelb 0–7 + Wyandotte zw.schw 1–2 br. 02" – was bedeutet, dass der Inserent große Orpingtons vom Farbschlag „gelb" und schwarze Zwerg-Wyandotten anbietet. Bei den Orpingtons handelt es sich um sieben Hennen, bei den Wyandotten um einen Hahn und zwei Hennen. Alle angebotenen Tiere sind 2002 geschlüpft.

Anschaffung einer Zuchtgruppe

Wenn Sie sich schon für selten gepflegte Rassen interessieren, warum besuchen Sie dann mit den gezüchteten Tieren nicht selbst Ausstellungen? In diesem Fall sollten Sie sich unbedingt über die gewählte Rasse informieren, bevor Sie die Tiere bei einem Züchter erwerben. Sie können etwa Ausstellungen besuchen und sich dort mit anderen Liebhabern dieser Rasse unterhalten. So lernen Sie deren Eigenheiten kennen und erfahren, worauf beim Anschaffen eines Zuchtstamms zu achten ist. Im Internet finden Sie zahlreiche, vielfältige Informationen. Wenn Sie keinen Internetzugang

Niederländer Eulenbart-Henne, silberlack

besitzen, können Sie direkt Kontakt mit einem Züchterverband aufnehmen. Solche Vereine geben meist ein Mitteilungsblatt heraus, das sie Ihnen auf Anfrage zusenden. Sie veranstalten auch regelmäßig Treffen, auf denen Neulinge willkommen sind. So erhalten sie Informationen aus erster Hand und können Ihre Hühner ruhigen Gewissens bei bekannten Züchtern kaufen, sogar in der gewünschten Farbe oder Variante. Bei Zuchttieren sollten Sie darauf achten, dass sie nicht zu nah verwandt sind. Obwohl sich Inzucht gut zum Herauszüchten bestimmter Merkmale eignet, schwächt sie auf die Dauer die Vitalität einer Rasse. Wenn Sie mit sehr nah verwandten Hühnern anfangen, brauchen Sie schon bald fremde Tiere („frisches Blut"), um Inzuchtfolgen zu vermeiden.

Gesunde Hühner: worauf Sie achten müssen

Wenn Sie einen seriösen Züchter aufsuchen, werden Sie kaum je mit kranken oder sonst

Die kahlen Stellen auf den Rücken dieser Hennen stammen von den Tritten eines aktiven Hahns.

mangelhaften Hühnern nach Hause gehen. Der Züchter wird Ihnen in der Regel kerngesunde Tiere mit kleineren Schönheitsfehlern verkaufen: ernsthafte Züchter arbeiten nämlich stets an der Verbesserung ihrer Rassen und senden regelmäßig Tiere auf Ausstellungen: deshalb halten sie die vielversprechendsten Kandidaten für sich zurück.

Gesunde Hühner erkennt man so: Vitale Tiere sind immer in Bewegung, indem sie z. B. nach Futter suchen, Sandbäder nehmen, in der Erde

Diese Zwerg-Orloff-Hennen nehmen ein ausgiebiges Sandbad.

Gestreifte Zwerg-Wyandotte-Hennen

Gestreifte Zwerg-Wyandotte-Hennen

Gesunde Hühner wie diese Zwerg-Orpingtons sind ständig aktiv.

scharren oder ihr Gefieder putzen. Sie reagieren nicht hektisch auf die Annäherung von Menschen, wirken aber auch nicht apathisch. Panikartige Reaktionen können allerdings genetisch bedingt sein, da manche Rassen nun einmal sehr scheu sind und ängstlich werden, wenn Unbekannte um den Stall herumstreichen.

Um die Tiere auf Parasitenbefall zu überprüfen, sollte man unter das Gefieder schauen. Das Gefieder rund um die Kloake muss stets sauber sein, der Kot im Stall oder Gehege fest und teilweise weiß-gelblich.

Kamm und Kopflappen sind bei gesunden, ausgewachsenen Vertretern der meisten Rassen, die nicht gerade brüten, in der Regel gut durchblutet und daher rot. „Blasse" Kämme deuten oft auf eine schlechte Verfassung. Die Augen müssen klar sein, und das Gefieder sollte stets glänzen und fest anliegen (ohne kahle Stellen oder Beschädigungen). Aller-

dings sind kleinere Schäden auf Rücken und Nacken bei Hennen während der Brutsaison mehr oder minder normal, da der Hahn sie oft recht ungestüm besteigt.

Beim Hochheben muss sich der Körper des Huhns fest anfühlen; wenn man das Brustbein ertasten kann, ist das Tier zu mager – entweder wegen mangelhafter Pflege oder aufgrund von Verdauungsstörungen.

Diese Ausführungen gelten nur für erwachsene Tiere: wenn man junge oder mausernde Hühner kauft, bietet sich ein ganz anderes Bild. Letztere fühlen sich einfach nicht wohl in ihrer Haut und wirken zerzaust; außerdem wirken Kamm und Kinnlappen in dieser Phase oft verschrumpelt und recht blass. Halbwüchsige Tiere sind häufig gerade in der Mauser und besitzen erst sehr kleine Kämme.

Verschiedene Zuchtstämme

Wer sich Rassehühner anschafft, weiß ungefähr, mit welchen äußeren Merkmalen und Charaktereigenschaften er bei den betreffenden Tieren zu rechnen hat. Charakter ist nämlich sozusagen erblich. Auch Aggressivität, Federpicken und stiefmütterliche Behandlung der Küken können genetisch festgelegt werden, doch wird niemand seine Zuchttiere daraufhin selektieren.

Allerdings schlüpfen bei manchen Rassen hin und wieder Tiere, deren Eigenschaften deutlich von der Regel abweichen. Falls es sich bei den Vertretern der neuen Generation um sehr schöne Exemplare handelt, wird gezielt weiter gekreuzt, und die neuen Eigenschaften können sich gegebenenfalls in den Nachkommen verankern.

Wenn ein Züchter etwa eine friedfertige Rassehenne mit einem aggressiven Hahn kreuzt, ist es recht wahrscheinlich, dass ein Teil ihrer Nachkommenschaft ebenfalls unverträglich sein wird. Auch umgekehrt kann es klappen: ein Züchter vermag durch Selektion wahre Wunder zu bewirken, wenn er ruhige Tiere mit einer von Natur aus scheuen und furchtsamen Rasse kreuzt. Es kann also nicht schaden, beim Züchter Ohren und Augen offen zu halten.

Eigenschaften sind nicht ausschließlich rasse-, sondern auch bestandsgebunden und können so auch vom Eigentümer beeinflusst werden.

Der Heimtransport

VORBEREITUNG

Bevor Sie Ihre Tiere abholen, sollten Sie alles Nötige vorbereiten und im Stall frischen Grit und Streu verteilen.

Fragen Sie den Verkäufer auch, womit man die Hühner während der ersten Tage am besten füttern sollte. Auf diese Weise können Sie die Tiere allmählich an Ihre eigene Futtermischung gewöhnen.

Ein altertümlicher Transportkorb für Hühner.

Transportkisten für Hühner: es gibt auch solche ohne Gazeflächen, in denen die Tiere ruhiger bleiben.

TRANSPORTBEHÄLTER

Transportieren Sie Hühner am besten in speziellen Transportkörben oder -kisten. Wenn Sie noch keine haben, lassen sich die Tiere auch in Kartons befördern. Selbige müssen gut schließen (damit die Hühner nicht entweichen), aber auch genug Belüftungsschlitze besitzen.

Um Transportverletzungen zu vermeiden, sollte man in jeden Karton nur ein Tier setzen und ihn gut mit Heu oder Stroh auspolstern. Auf den Boden legt man noch eine Lage Zeitungen, um die Feuchtigkeit aufzusaugen. Solche Kartons brauchen nicht viel größer als die Hühner zu sein. In zu großen Behältern rutschen die Tiere beim Transport leicht hin und her, so dass sie unter Stress leiden.

Hühner sind relativ unempfindlich gegen Kälte, vertragen aber Hitze weniger gut. Das sollten Sie bedenken, wenn Sie Tiere im Sommer versenden wollen: lassen Sie die Hühner nie im Kofferraum, und stellen Sie die Behälter niemals in die pralle Sonne!

Falls es sehr heiß ist und die Fahrt länger als eine Stunde dauert, sollten Sie unterwegs eine Pause machen und die Tiere mit lauwarmem Wasser tränken. An wirklich heißen Sommertagen verzichtet man daher am besten grundsätzlich auf alle Transporte. Wenn es sich jedoch absolut nicht vermeiden lässt, muss man die Fahrten in die frühen Morgen- oder Abendstunden verlegen (also in einen Zeitraum, zu dem die Luft noch kühl ist oder sich nach Sonnenuntergang bereits wieder etwas abgekühlt hat).

Akklimatisierung

Lassen Sie die Hühner im Stall frei und geben Sie ihnen die Chance, sich nach der Reise allmählich an die neue Umgebung zu gewöhnen. Wenn an den Stall kein Gehege, sondern nur

Hühner sind während der ersten Tage im neuen Zuhause oft etwas ungehalten und lautstark.

Neuankömmlinge werden bereitwilliger akzeptiert, wenn man sie abends zu den Alteingesessenen setzt.

ein freier Auslauf im Garten grenzt, sollten Sie die Tiere einige Tage im Stall lassen. Das reicht meist aus, damit sie ihn als „Standquartier" akzeptieren. Am dritten Tag kann man ihn aufsperren, doch sollten die Hühner selbst ins Freie finden. Es macht nichts, wenn sie dazu mehrere Stunden brauchen: um so leichter werden sie später den Rückweg finden.

Quarantäne

Wenn Sie schon andere Hühner besitzen, sollten die Neuankömmlinge eine Zeitlang separat untergebracht werden. Vielleicht beherbergen sie Bakterien oder Ungeziefer, welche die „alten" infizieren könnten.

Lassen Sie die Exkremente der Neulinge während der zweiwöchigen Quarantäne darauf untersuchen. Ihr Tierarzt ist vielleicht selbst dazu in der Lage; sonst muss man sie zu einem Labor schicken. Es handelt sich dabei um eine Routineuntersuchung, die in der Regel nur we-

nig kostet. Manchmal scheinen „ein paar Hühner" soviel Mühe nicht wert zu sein, aber bedenken Sie, dass es besser ist, vorher ein wenig Zeit, Mühe und Geld zu investieren, als später möglicherweise alle Hühner behandeln zu müssen.

Brabanter Bauernhuhn (Hahn)

Die Einführung der Neuen

Wenn Sie bereits einige Hühner halten und Neulinge dazu setzen wollen, tun Sie das am besten abends, wenn die Tiere bereits auf den Sitzstangen hocken und es dunkel ist. Tagsüber sollte man besser keine neuen Hühner in eine bestehende Gruppe einbringen. Die „Alteingesessenen" betrachten die Neuen nämlich als Eindringlinge und gehen auf sie los – oft mit fatalen Folgen für die Neuankömmlinge. Nach Einbruch der Dunkelheit hingegen sind Hühner weniger aktiv und sie akzeptieren Neuzugänge viel bereitwilliger.

Obwohl Hühner als solche keinen besonders gut entwickelten Geruchssinn besitzen, vermögen Sie Stallgenossen doch an ihrem Geruch zu erkennen. Deshalb kann es hilfreich sein, dem gesamten Bestand denselben Geruch zu verpassen: dazu braucht man nur etwas Essigwasser mit einer Pflanzenspritze über die auf den Sitzstangen schlafenden Tiere zerstäuben. Wenn es dann wieder hell wird, haben sich die Hühner bereits an den neuen Geruch gewöhnt, doch sollte man in der ersten Zeit vorsorglich noch ein wachsames Auge auf die Tiere werfen: kleinere Scharmützel innerhalb der Gruppe sind unvermeidlich, weil die soziale Rangordnung gestört worden ist. Es dauert in der Regel meist einige Tage, bis sie sich wieder stabilisiert hat.

Wie die Kämpfe unter den Tieren im Einzelfall ablaufen, hängt vom Charakter der betroffenen Rasse ab. In geschlossenen Gehegen sollte man vorsorglich immer für „Fluchtmöglichkeiten" sorgen. Umgedrehte Eimer oder Kartons, auf die sich die Tiere zurückziehen können, reichen dazu völlig aus. Es ist übrigens besser, eine ganze Gruppe in einen alten Be-

Rheinländer-Hahn

stand einzubringen, als einzelne Tiere. Einzelne Neulinge finden oft nur schwer Anschluss oder werden vom „Altbestand" nicht akzeptiert.

Schwarz-weiß-geperltes Nackthalshuhn (Henne)

Wie man Hühner zahm macht

Manche Rassen lassen sich viel leichter als andere zähmen. Manchmal hilft es, wenn man die Küken scheuer Rassen von jung auf an Radio-Geräusche gewöhnt: sie erschrecken dann später nicht so leicht vor anderem Lärm. Außerdem kann man ihnen von Hand Leckereien anbieten. Wenn man das ruhig tut und stets in der gleichen Stimmlage spricht, gewöhnen sie sich rasch an den Pfleger und fressen ihm später sogar aus der Hand, sobald sie die vertrauten Laute hören.

Einige Rassen leben sich rasch ein, fressen am ersten Tag Futter aus der Hand, setzen sich auf Ihren Schoß und lassen sich gar kraulen, während andere argwöhnisch bleiben und nie handzahm werden. Fassen Sie die Tiere ruhig öfters an, um sie daran zu gewöhnen (vgl. Kap. 5). Verhalten Sie sich im Gehege stets ruhig, damit die Hühner Zutrauen fassen können. Scheuchen Sie die Tiere niemals umher!

Einige Rassen werden sehr zahm und eignen sich auch für Kinder.

Diese Noord-Holland-Hühner haben rasch gelernt, aus der Hand zu fressen.

Zwerg-Minorka-Henne

Leghorn-Henne vom amerikanischen Typ

4 Die Unterbringung

Der Hühnerstall

Welche Rasse Sie auch auswählen und was immer Sie planen: Hühner brauchen einen Stall, in den sie sich zum Schlafen zurückziehen können und der Schutz vor Kälte, Wind und Regen bietet.

DIE LAGE DES STALLS

Beim Bau sind verschiedene Gesichtspunkte zu beachten: die Frontseite sollte stets nach Südosten weisen: so können die Hühner die Abendsonne genießen, und das Gebäude steht während der heißesten Tageszeit im Schatten. Keinesfalls darf sie ganztägig der prallen Sonne ausgesetzt sein: Hühner können Hitze nur schlecht ertragen.

Auch Zugluft ist zu vermeiden: errichten Sie den Stall daher in windgeschützter Lage. Bevor Sie mit dem Bau beginnen, sollten Sie sich bei Ihrer Kommune erkundigen: kleine Ställe erfordern meist keine Baugenehmigung; oft braucht man den Bau nur anzumelden,

Ställe wie der abgebildete erfordern keine Baugenehmigung, können aber nur wenige Tiere aufnehmen.

Für jeden Hühnertyp gibt es gebrauchsfertige Ställe mit angeschlossenem Verschlag zu kaufen.

Die Belüftung spielt eine sehr wichtige Rolle: der Erbauer dieses Stalles hat das berücksichtigt.

und selbst das ist nicht überall nötig. Größere Gebäude kommen allerdings nicht „ohne" aus.

MATERIALWAHL

Die meisten Hühnerställe bestehen aus Holz, aber wenn Sie handwerklich begabt sind, oder ein Verwandter Maurer ist, sollten Sie Stein bevorzugen. Er ist dauerhafter und im Unterhalt deutlich billiger. Verputzen Sie das Mauerwerk innen mit Stuck oder Zement. Nach dem Austrocknen lässt sich der Putz leicht mit heller Betonfarbe anstreichen.

Als Boden hat sich eine glatte Betonfläche bewährt. Denken Sie schon beim Bau daran, dass Sie den Stall regelmäßig zum Reinigen, Füttern und Tränken betreten müssen: sie sollten aufrecht darin stehen und sich ungehindert bewegen können.

Bei großen Ställen planen Sie am besten eine breite, mannshohe Tür ein. Sie können dann mit einer Schubkarre hineinfahren, was die Säuberung sehr erleichtert. Sorgen Sie auf jeden Fall für eine gute Isolierung, damit den Insassen Frost und Hitze erspart bleiben. Dazu können Sie an der Innenwand eine Isolierschicht aufbringen, die dann mit Fliesen verkleidet wird.

Wenn Sie nur wenige Hühner halten wollen, können Sie auch einen gebrauchsfertigen Stall mit einem „aufgeständerten" Verschlag erwerben. Auch geräumige Kaninchenställe auf hohen Füßen eignen sich hervorragend für kleine Zwerghühner.

BELÜFTUNG

Obwohl der Stall gut isoliert sein muss, spielt die Belüftung eine ebenso wichtige Rolle. Dazu reicht schon eine Klappe aus, die man Tag und Nacht offen stehen lässt und nur bei strenger Kälte schließt. Dahinter bringt man einen mit dichter, stabiler Gaze bespannten Rahmen an, der Ungeziefer abhält. Mehrere Lüftungsklappen können zu Zugluft führen – und das wäre für Hühner fatal. Am besten ordnet man sie unter dem First an, so dass die Luft nicht an den Tieren entlang streicht. Bei kleinen Ställen für drei bis vier Tiere reichen einige Belüftungsschieber aus.

Wenn Sie beim Bau auch auf das Krähen des Hahns Rücksicht nehmen müssen, um die Nachbarn nicht zu verärgern, sollten Sie neben guter Isolierung auch eine andere Belüftungsform erwägen: denkbar wäre eine mechanische Entlüftung des Stalls mittels eines

Hühnerstall mit offener Frontseite.

leistungsstarken Ventilators. Wenn Ihr Garten sehr windgeschützt gelegen ist, brauchen Sie manchmal gar keinen Verschlag einzuplanen: dann reicht eine Art Voliere mit Seitenwänden, Dachflächen und Rückwand aus massivem Material, während die Frontseite aus Gaze besteht. In solchen Ställen mit „offener Frontseite" ist die Belüftung optimal geregelt, was sich gut auf die Vitalität der Tiere auswirkt.

Gegen Frost sind Hühner recht unempfindlich, so dass bei dieser Haltungsform keine Schäden zu befürchten sind. Allerdings muss solch ein Stall sehr geschützt stehen.

AUSFÜHRUNG

Versuchen Sie Ritzen möglichst zu vermeiden, da sich hier leicht Ungeziefer einnistet. Am besten verkleidet man die Innenwände mit glatten Platten. Alternativ kann man sie auch kalken.

Die Außenflächen von Holzställen beizt man, um sie wetterfest zu machen. Selbstverständlich lässt man die Tiere erst in den Stall, wenn sich alle Ausdünstungen verflüchtigt haben. Diese sind nämlich für alle Vögel (also auch Hühner) äußerst giftig.

Das Dach sollte möglichst geneigt sein, um Leckagen vorzubeugen und eine Rinne zur Ableitung des Regenwassers besitzen.

BODENBELAG

Als Bodenbelag wählt man am besten Holzmulch, scharfen Sand oder ein Gemisch aus beidem. Heu eignet sich weniger, da es leicht an den Füßen der Hühner haftet und so zur Gefahr wird: Außerdem verklumpt es bei Berührung mit Mist häufig zu „Kuchen". Verwenden Sie also besser Stroh, das jedoch trocken bleiben muss. Dafür sorgt regelmäßiges Wenden, aber die Hühner können selbst mithelfen: streut man tagsüber ein paar Körner in das Stroh, werden Sie es eifrig durchscharren. Im Allgemeinen stauben Stroh und Holzmulch stärker als Sand.

HEIZUNG UND BELEUCHTUNG

Beim Bau des Stalles muss man tunlichst für einen Stromanschluss sorgen: dann lässt er sich in den Herbst- und Wintermonaten

Mit getrocknetem Mist verklebte Krallen.

künstlich beleuchten. So kann man die Tageslichtdauer verlängern und dafür sorgen, dass die Tiere auch im Winter legen. Außerdem besteht die Möglichkeit zum Anschluss eines sogenannten Schüsselwärmers: darunter versteht man eine kleine Kunststoffplatte, die ein Heizaggregat mit etwa 8 W Leistung enthält. Bei Frost kann man darauf eine Wasserschale aus Kunststoff stellen, so dass das Trinkwasser nie gefriert. Derartige Geräte sind in Zoofachhandlungen oder auf größeren Geflügelausstellungen erhältlich.

Eine Beheizung des Stalls ist nicht zwingend erforderlich: Sie tun den Tieren damit keinen Gefallen: Hühner können Kälte – sogar strengen Frost – sehr gut vertragen, wenn der

Hühnerställe mit offener Frontseite in geschützter Lage: die transparenten Doppelstegplatten lassen mehr Licht in die Volieren fallen.

Zwerg-Brabanter-Hahn

Das Schlupfloch ist hier sehr hoch angeordnet, aber die Treppe verschafft den Tieren einen mühelosen Zugang.

Übernachtungsort nur trocken und windgeschützt ist. Nachts stecken die Tiere den Kopf zum Schutz ins Gefieder; außerdem kauern sie sich zusammen, so dass auch die Beine vom Federkleid geschützt werden. Zwischen den aufgeplusterten Federn bildet sich nun eine hervorragend isolierende warme Luftschicht. Außerdem drängen sich die Hühner auf den Sitzstangen eng aneinander und halten so den Wärmeverlust in Grenzen.

Wenn der Stall geheizt wird, müssen die Hühner am Morgen aus dem warmen Innenraum in das eiskalte Gehege hinaus: unter diesen Umständen werden sie sich viel leichter erkälten. Außerdem kommt es dann eher zu Erfrierungen an Kämmen und Kehllappen.

DAS SCHLUPFLOCH

Ordnen Sie das Schlupfloch des Stalls am besten 20–60 cm über dem Boden an: dann kann am Boden des Stalles kein Durchzug entstehen. Wie groß die Öffnung sein muss, hängt von der jeweils zu haltenden Rasse ab. Normalerweise sollte sie etwa 30 x 40 cm messen. Bei Haubenhühnern sollte sie etwas höher als bei Rassen vergleichbarer Größe aus-

fallen. Zu niedrige Öffnungen machen ohnehin wenig Sinn, da sich die Tiere dann stets den Rücken scheuern und es so zu merklichen Beschädigungen des Gefieders kommt.

Mit einer von außen (mittels einer Kette oder Schnur) zu bedienenden Schiebetür lässt sich die Öffnung abends verschließen, wenn alle Hühner im Stall sind. Das hat auch den Vorteil, dass nachts kein Ungeziefer eindringen kann. Außerdem verhindert man so, dass Hahn und Hennen schon beim ersten Tageslicht ins Freie laufen und die Nachbarn mit ihren Lauten belästigen. Es gibt auch elektrische Systeme mit Zeitschaltuhr. Sie können bei unregelmäßigen Arbeitszeiten sehr hilfreich sein.

Die Tiere müssen den Stall problemlos betreten und verlassen können. Bauen Sie ihnen dazu eine „Leiter" aus einer stabilen Holzplanke, auf die in Abständen von 10 cm kleine Querleisten genagelt sind. Vermeiden Sie

Schwarzbunter Houdan-Hahn

Schwarzweiß-geperlter Watermaalscher Bartzwerg

dabei Splitter und scharfe Kanten, an denen die Tiere ihre Füße verletzen könnten. Verankern Sie die „Leiter" gut, damit sie sich nicht verschieben lässt.

Die Sitzstangen

Welchen Durchmesser die Sitzstangen haben müssen und in welcher Höhe man sie anordnet, hängt von der jeweils gepflegten Rasse ab. Schwere Hühner benötigen Sitzstangen, die sich höchstens 30 cm über dem Boden befinden, da solche Tiere durchweg schlecht fliegen. Auch kurzbeinige Hühner wie die Chabos benötigen relativ niedrige Sitzstangen: hier wären etwa 15 cm angebracht. Bei anderen Rassen kann man die Stangen in etwa 80 cm Höhe montieren. Ordnen Sie die Stangen aber niemals auf mehreren Ebenen an: Hühner sitzen nämlich gern möglichst hoch, und dann käme es immer zum Streit um die besten Plätze.

Der Abstand zwischen den Stangen und der Wand richtet sich ebenfalls nach der Rasse: wenn die Tiere zu dicht an der Wand sitzen, können sie u.U. ihre Schwanzfedern beschädigen. Meist reicht ein Abstand von etwa 30 cm völlig aus. Wie viele Sitzstangen erforderlich sind, hängt von Größe und Zahl der Hühner ab, die Sie halten.

Normalerweise „passen" auf ein Meter Stange drei bis vier Zwerghühner oder zwei bis drei Vertreter schwererer Rassen. Die Sitzstangen sollen sich auch leicht abmontieren lassen, damit man sie notfalls säubern und desinfizieren kann.

Brauchbare Sitzstangen sind niemals rund, da die Tiere daran zuwenig Halt fänden. Besser wählt man solche mit rechteckigem oder ovalem Querschnitt. Bei größeren Rassen sollte die Breite etwa 6 cm, der Durchmesser hingegen circa 5 cm betragen, während bei Zwergrassen 4 bzw. 3,5 cm ausreichen. Die breitere Seite sollte stets horizontal liegen, damit die Hühner die Stangen gut umklammern können und so festen Halt finden. Achten Sie darauf, dass die Stangen gut geglättet sind und keine Splitter oder scharfen Kanten aufweisen: da die Tiere die ganze Nacht auf ihnen verbringen, könnten sie sich sonst leicht Zehen und Beine verletzen. Übrigens gibt es auch Hühnerrassen, die nur selten „aufbaumen": Seidenhühner schlafen bspw. am liebsten auf dem Boden.

Schließlich empfiehlt es sich, unter den Sitzstangen eine leicht zu entfernende „Mistplanke" anzuordnen, welche die herabfallenden Exkremente aufnimmt. Diese wird zweimal wöchentlich aus dem Stall geholt, um sie gründlich zu säubern und zu desinfizieren, so dass der eigentliche Stallboden sauber bleibt und weniger Arbeit erfordert.

Die Legeboxen

Legeboxen gehören unbedingt in jeden Hühnerstall. Wenn es im Stall eine geeignete Ablagegelegenheit gibt, werden Sie die Eier stets dort finden. Andernfalls suchen die Hen-

Zwerg-Phönix-Hahn

nen selbst eine passende Stelle, und zwar in möglichst abgelegenen und schwer zugänglichen Bereichen.

Die Eiablage nimmt einige Zeit in Anspruch. Meist ist die Henne jeden Tag ein bis zwei Stunden damit beschäftigt. Deshalb sollte sie es in der Legebox möglichst bequem haben. Außerdem bevorzugen die Tiere ruhige, dunkle oder dämmerige Orte: stellen Sie die Boxen deshalb am besten in einem schattigen Winkel des Stalls auf. Sie sollten allseits (bis auf die Vorderseite und den Deckel) geschlossen sein: so entsteht ein „privater" Raum. Wenn Sie dennoch Wert auf ein Dach legen, sorgen Sie für eine starke Neigung: das hindert die Hühner daran, sich darauf zu setzen und es mit ihren Ausscheidungen zu verschmutzen.

Eine 40 cm hohe Legebox mit einer Grundfläche von 30x30 cm reicht für leichtgebaute Rassen aus. Zwerghühner kommen mit etwas kleineren Boxen aus, (mittel)schwere Hühner hingegen brauchen größere.

Wie viele Legeboxen benötigt werden, hängt

Wenn Legeboxen (wie die abgebildete) mit einem stark geneigten Dach versehen sind, können sich die Tiere nicht darauf setzen und so alles verschmutzen.

von der Anzahl Ihrer Hennen ab. Normalerweise reicht eine für jeweils drei Tiere. Der Abstand zum Stallboden sollte etwa 40 cm betragen; falls man mehrere Boxen aufstellt, sollte er bei allen gleich groß sein. Andernfalls werden sich die Hennen um die „beste Lage" streiten, da allzu viele die gleiche Box auswählen. Infolgedessen zerbrechen häufig „verlegte" Eier, was zu einer starken Verschmutzung des Nestes führt; außerdem könnten sich die Hennen daran gewöhnen, frisch gelegte Eier zu fressen.

Als Nistmaterial eignen sich feuchtigkeitsabweisende pflanzliche Substanzen, die möglichst wenig spleißen. In die Legeboxen füllt man am besten auch eine Schicht Grit. Solange die Henne noch legt, kann sie so zusätzlichen Kalk zur Bildung der Eierschalen aufnehmen. Natürlich können Sie auch Heu oder Stroh verwenden, sofern beides regelmäßig erneuert wird.

Futtergefäße

Es gibt viele verschiedene Arten von Futter- und Trinkschalen; sie alle haben ihre Vor- und Nachteile.

Wenn man nur ein paar Hühner hält, reicht eine schwere glasierte Keramikschale, wie man sie auch für Hunde verwendet. Kaufen Sie am besten eine Schale mit nach innen überstehendem Rand und füllen Sie diese nie ganz: Hühner neigen nämlich dazu, im Futter umherzuwühlen und würden es so im ganzen Stall verstreuen. Dadurch wird es nicht nur erheblich verschmutzt, sondern zieht auch Ungeziefer an, etwa Mäuse.

Man kann auch Futterschalen aus anderen Werkstoffen anschaffen, wenn sichergestellt ist, dass sie leicht zu reinigen sind. Leichte Schalen eignen sich nicht, da die Hühner sie umwerfen können.

Hält man mehrere Hühner oder Küken, empfiehlt sich der Kauf einer „professionellen" Füttervorrichtung, etwa längliche „Futtertröge" aus rostfreiem Stahl, die man in verschiedenen Längen erhält. Sie lassen sich mit Desinfektionsmitteln einfach reinigen. Man stellt sie am besten auf eine erhöhte Unter-

Trinkschalen und Futtertröge

„Rundumtränken". Ihr Fassungsvermögen beträgt 0,5 bis 5 l. Sie bestehen aus Kunststoff und lassen sich daher leicht säubern. Der Füllstand muss an das Trinkbedürfnis der Hühner angepasst werden.

Wenn Sie Hühner mit üppigen Kopffedern (Schöpfen oder Bärten) halten, sollten Sie spezielle Futter- und Trinkschalen anschaffen: ihre Konstruktion verhindert, dass Schöpfe und/oder Bärte beim Fressen bzw. Trinken feucht oder schmutzig werden. Solche Schalen sind in Zoo- oder Landwirt-

lage, damit das Futter nicht mit der Bodenstreu des Stalles in Berührung kommt. Alternativ kann man auch ein kleines „Futtersilo" so mitten im Stall aufhängen, dass sich die Hühner weder hinein- noch darauf setzen können. Allerdings muss es für die Tiere bequem erreichbar bleiben.

Für Grünfutter kann man eine metallene „Raufe" anschaffen, die hoch an der Wand aufgehängt wird: man sollte es aus hygienischen Gründen nie einfach auf den Boden streuen. Außerdem sorgt die Raufe dafür, dass die Tiere abgelenkt werden und in Bewegung bleiben. Das ist vor allem der Fall, wenn die Raufe etwas über der Scheitelhöhe der Hühner hängt, so dass sie nach dem Futter springen müssen.

Trinkschalen sollte man ebenfalls nicht direkt auf den Boden stellen, da sie sonst leicht umgeworfen oder durch Exkremente verunreinigt werden. Besser ist es, eine Tränke mitten im Stall aufzuhängen. Man kann die Trinkschale auch auf ein Wandbrett stellen, dessen Höhe der Statur der Hühner entspricht. Besonders gute Trinkschalen sind die sogenannten

Rasseloser Junghahn

Dieser Antwerpener Bartzwerg schnappt täglich ein wenig Luft.

Gelb-schwarzgesäumte Orpington-Henne

Zwerg-Amrocks

schaftsfachhandlungen häufig nicht erhältlich. Auf größeren Ausstellungen hingegen findet man öfters ein paar Stände von Lieferanten solcher Artikel, und auch Anzeigen in Fachzeitschriften können weiterhelfen.

Das Außengehege

Die Gestaltung des Auslaufs ist stets den jeweils gepflegten Rassen anzupassen. Solche mit üppiger Fußbefiederung (etwa Federfüßi-

Doppeltgesäumte Indische Zwergkämpfer-Henne

Brahma-Hahn, columbia

rundum geschlossen sein. Schwere und mittelschwere Hühner, die weniger gut fliegen, sind meist in einer etwa 180 cm hohen Umfriedung gut aufgehoben. Dennoch empfiehlt sich auch hier ein Überdachung, da sonst die Exkremente wilder Vögel hineinfallen und Ihre Hühner mit Würmern und schädlichen Bakterien infizieren könnten. Vollständig geschlossene Volieren rentieren sich auch im Hinblick auf Katzen oder Greifvögel.

Als Auslauf kann auch eine betonierte Fläche dienen; in diesem Fall wird die Umzäunung auf einer wenige Steinlagen hohen Ziegelmauer errichtet. Das Gehege bleibt dann sauberer, und es kann kein Regenwasser hineinrinnen. Anstelle von Beton kann man auch eine Ziegelpflasterung anlegen. Darüber kommt eine Sandschicht, in der die Hühner nach Lust und Laune scharren können; diese sollte allerdings etwa 20 cm hoch sein.

Wenn man keinen derart soliden Bodenbelag vorsieht, muss auf jeden Fall dafür gesorgt sein, dass der Bodengrund gut drainiert wird und möglichst höher als das übrige Grundstück liegt.

Es hat wenig Sinn, das Gehege zu bepflanzen: Hühner sind wahre Meister im „Stutzen" von Sträuchern und anderen Pflanzen – vor allem, wenn sie die einzige Zierde des Geheges bilden. Als „Beschäftigungstherapie" sind ein paar Sträucher willkommen; wählen Sie dazu aber grundsätzlich robuste Arten mit lederartigem Laub oder Koniferen bzw. Nadelbäume aus und ersetzen Sie diese regelmäßig durch neue.

ge Zwerghühner) brauchen ein vollständig überdachtes Gehege, dessen Dach weit vorstehen sollte. So verhindert man, dass es hereinregnet, und der Auslauf bleibt trocken. Das Gleiche gilt für Haubenrassen, und bei guten Fliegern muss das Gehege ohnedies

Sandbäder

Alle Hühner brauchen zum „Baden" Sand. Dazu dient ein wenigstens 20 cm hohes Becken, dessen Volumen sich nach der Größe der Benutzer richtet: für Zwerghühner reichen 55 x 55 cm große Behälter aus, während Großrassen solche mit 75 bis 100 cm Kantenlänge benötigen.

Füllen Sie die „Badewanne" mit sauberem weißem Sand, der regelmäßig ausgetauscht wird. Sie sollte an einem trockenen Platz stehen, damit ihr Inhalt sauber bleibt und nicht verklumpt. Wenn man sie im Außengehege an einer sonnigen Stelle aufstellt, werden die Tiere gern Gebrauch davon machen.

Freilandhaltung

Wenn rund um Ihr Haus genug Platz verfügbar ist, sollten Sie die Hühner freilaufend halten. Das entspricht ihrem natürlichen Verhalten: sie können selbst nach Futter suchen, nach Belieben Sandbäder nehmen und sind den ganzen Tag voll beschäftigt. So bleiben

sie in Form und setzen kein Fett an. Die Hühner können so selbst einen Großteil des nötigen Futters suchen und Insekten, Würmer, Schnecken sowie Wildkräuter kurz halten.

Natürlich lässt man die Tiere nur frei laufen, wenn sie niemandem zur Last fallen, etwa in einem umzäunten Garten. Die Höhe der Umfriedung richtet sich dabei nach der Rasse: für große Brahmas reichen 70 cm völlig aus, während „Leichtgewichte" wie Friesen- oder Brakel-Hühner mühelos zwei bis drei Meter hohe Hindernisse überwinden.

Wenn genug Platz vorhanden ist und die Tie-

Ein Sandbad ist für Hühner eine wahre Wonne.

re nicht unnötig erschreckt oder gar mutwillig umhergescheucht werden, sollten auch „leichtgebaute" Hühnerrassen unter normalen Umständen stets innerhalb der Umfriedung ihres Geheges verbleiben.

Die Freilandhaltung von Hühnern ist allerdings – was an dieser Stelle nicht verschwiegen werden darf – auch mit einigen nicht unbeträchtlichen Nachteilen verbunden: beispielsweise sind die Tiere unter diesen Umständen wesentlich schlechter vor gefährlichen Feinden – wie etwa Greifvögeln oder aggressiven freilaufenden Hunden – geschützt. Auch wenn man Wert auf sorgfältig gepflegte Ziergärten legt, verbietet sich diese Haltungsvariante selbstverständlich von vorn herein: wie jedermann wissen dürfte scharren Hühner von Natur aus gern und ausgiebig im lockeren Erdreich umher. Außerdem nehmen sie unvermeidlicherweise gern ausgiebige Sandbäder in den ach so einladenden Blumenbeeten. Schließlich und endlich lässt es sich schlichtweg nicht vermeiden, dass die Vögel an allen möglichen und unmöglichen Stellen ihre nicht gerade dekorativen Exkremente fallen lassen.

Auch ist es manchmal mit beträchtlichen

Brabanter Bauernhühner

Schwierigkeiten verbunden, die Tiere allabendlich in den Stall zu locken; oft hat es sich jedoch als hilfreich erwiesen, wenn man sie nach dem Kauf zunächst ein paar Tage einsperrt und erst im Anschluss daran ins Freie lässt: sie betrachten den Stall dann als „Heimathafen". Führt man sie dann abends zurück, prägen sie sich den Weg rasch ein. Falls sie den Eingang dennoch nicht spontan finden, streut man am besten etwas Futter auf den Weg.

Diese Bassetten genießen ihren freien Auslauf

5 Die Pflege

Hygiene

Zu den wichtigsten Aspekten der Hühnerhaltung gehört die Hygiene. Wenn man peinlich darauf achtet und nicht zu viele Tiere auf engem Raum hält, braucht man kaum mit Krankheiten oder Parasiten zu rechnen. Beide können sich nur bei zu hoher Besatzdichte und mangelhafter Sauberkeit ausbreiten. Läuse machen da allerdings eine Ausnahme: wie gut man sich auch um seine Hühner kümmert, eine Infektion durch Spatzen oder andere Wildvögel ist nie ganz auszuschließen. Wenn die Tiere nicht frei laufen, sondern sich in einer Voliere aufhalten, sollte die Maschenweite der Gaze andere Vögel am Eindringen hindern.

Faustregel zur Vorbeugung: reinigen Sie den Stall nicht erst, wenn es nötig erscheint, sondern schon *vorher*!

Reinigungsmaßnahmen

Wie oft man saubermachen muss, hängt von der „Belegung" des Stalles ab. Wenige Hühner mit freiem Auslauf machen viel mehr Arbeit als eine größere Anzahl in einem geschlossenen Gehege. Egal wie viele Hühner Sie auch halten: Sie müssen jeden Tag die „Mistplanke" sauber schrubben, die Eier einsammeln und das Trinkwasser erneuern. Außerdem muss die Wasserschale täglich gereinigt werden.

Säubern Sie auch die Sitzstangen – je nach Stärke des Besatzes – alle zwei Tage bis alle zwei Wochen. Die Exkremente im Stall und im Gehege harkt man am besten alle zwei Tage bis einmal monatlich zusammen (zur Frequenz siehe oben). Auch sollte man einmal pro Woche bis einmal im Monat die Sitzstangen gründlich desinfizieren sowie die Futter- und Trinkschalen von Grund auf säubern. Die Legeboxen sind im Sommer monatlich, im Winter alle zwei Monate zu desinfizieren. Wechseln Sie das Stroh und den Grit in den Boxen jeden Monat aus. Die Bodenstreu des Stalls besteht meist aus Sand, Mulch oder einer Mischung aus beidem. Wenn man viele Tiere hält, muss dieser „Bodenbelag" jeden Monat ersetzt werden; bei einem kleinen Bestand fällt diese Maßnahme nur alle vier Monate an. Dann sollte man den Boden auch mit einem geeigneten Mittel desinfizieren. Faustregel: erneuern Sie die Bodenstreu, wenn sie sich nicht mehr trocken anfühlt.

Wenn das Außengehege nicht allzu groß ist, sollte man die obere Bodenschicht etwa alle zwei Jahre abtragen und durch sauberen Sand ersetzen. Den Aushub kann man bedenkenlos im Garten verteilen. Außerdem sollte der Stall jedes Jahr innen neu gekalkt werden.

Belüftung

Eine gute Belüftung ist unerlässlich, wenn ihre Hühner stets gesund bleiben sollen. In einem ausreichend ventilierten Stall mit sauberer, trockener Bodenstreu werden Sie die Tiere niemals riechen können.

Wenn das dennoch einmal der Fall sein sollte, muss das Stallinnere unbedingt öfter gereinigt oder die Belüftung nachhaltig verbessert werden. Dazu kann man etwa einen kleinen Ventilator im Stall installieren. Solche leicht einzubauenden Geräte erhält man z.B. in Baumärkten.

Zwerghühner wie dieses Zwerg-Sulmtaler kann man leicht hochheben.

Aufheben und Tragen

Ancona-Henne

Für unerfahrene Menschen ist das richtige Hantieren mit Hühnern nicht unproblematisch: Am besten legt man zunächst eine Hand auf den Rücken des Tieres, das daraufhin meist stillhält. Üben Sie dabei leichten Druck aus: das Huhn lässt sich dann nieder und ist leichter aufzunehmen. Stecken Sie dann die andere Hand unter das Tier und so um bzw. zwischen dessen Beine, dass je ein Finger außerhalb und die übrigen zwischen den Gliedmaßen liegen. Mit etwas Geschicklichkeit kann man mit der gleichen Hand auch die Flügelspitzen gegen den Körper des Huhnes drücken. Die andere Hand ruht weiterhin auf dem Rücken des Tieres. So lässt sich ein Huhn aufheben und tragen, ohne in Panik zu geraten. Sehr große Rassen können Sie dabei sanft an sich drücken, indem sie die Tiere teilweise mit dem Unterarm umklammern.

Auf Märkten und alten Fotos sieht man häufig, dass Hühner an den Flügelwurzeln gepackt werden. Das ist nicht nachahmenswert, da hierbei das ganze Gewicht des Tieres an den Gelenken hängt. Genau so wenig sollte man Hühner an den Läufen hochheben.

Krallen, Sporen und Schnabel

Die meisten Hühner sind robuste Tiere, die wenig Pflege brauchen. Ein paar Punkte verdienen indes Beachtung: so sollten etwa die Krallen nie zu lang werden. Kontrollieren Sie ihre Länge regelmäßig und kürzen Sie die Krallen soweit wie bei der betreffenden Rasse erforderlich. Wenn Sie sich das selbst nicht zutrauen, überlassen Sie diese Aufgabe am besten einem Tierarzt oder erfahrenen Züchter.

Wenn Ihre Hühner sehr oft zu lange Krallen haben, stimmt im Stall irgend etwas nicht: normalerweise schleifen sich diese Körperteile beim Scharren nach Futter von selbst ab – wenn die Erde fest genug ist. Auf Holzböden gehaltene Hühner leiden folglich oft unter überlangen Krallen. Versehen Sie Ihren Stall also am besten mit einem Beton- oder Ziegelboden.

Hähne tragen in der Regel an der Laufhinterseite „Sporen". Dies sind dornartige Fortsätze der Hornhaut. Bei einigen Tieren werden sie so lang, dass sie sich krümmen und ins Fleisch bohren. Dann sollte man sie rechtzeitig stutzen. Ferner kann es zu einem übermäßigen Vorstehen des Oberschnabels kommen; das wirkt nicht nur unschön, sondern kann das Tier auch beim Fressen behindern. Die Schnabelspitze wird in diesem Fall am

besten regelmäßig gekürzt. Auch diese Maßnahme sollten Sie gegebenenfalls lieber erfahrenen Praktikern oder Tierärzten überlassen.

Bäder

Hühner werden normalerweise nicht gebadet, doch gibt es begründete Ausnahmen: Rassen mit üppiger Fußbefiederung oder Hauben sowie stark verschmutzte oder von Außenparasiten (Läusen) befallene Tiere brauchen fallweise ein Bad. Hobbyzüchter waschen ihre Tiere auch vor Ausstellungen, da auf diesen „Schönheitskonkurrenzen" Vögel mit glänzendem Gefieder günstiger beurteilt werden als an sich gleichwertige Artgenossen mit schmutzigen Füßen und stumpfem Federkleid.

Feuchten Sie ihre Hühner behutsam mit lauwarmem Wasser an, das sorgfältig gegen den Strich einmassiert wird: so wird das Gefieder gründlich durchfeuchtet. Danach werden die Tiere gründlich mit Baby-Shampoo gewaschen (nicht in den Rachen gelangen lassen!). Anschließend spült man das Shampoo – ebenfalls mit lauwarmem Wasser – gründlich aus und fährt mit den Fingern (nun mit dem Strich) gründlich durchs Gefieder, um möglichst viel Wasser zu entfernen. Schließlich wird das Tier mit einem Handtuch gut abgetrocknet. Bevor es zurück in den Stall kommt, muss es unbedingt völlig trocken sein. Das lässt sich mit einem Föhn oder durch mehrstündigen Aufenthalt in einem warmen Karton erreichen.

Blaugezeichneter Zwerg-New-Hampshire-Hahn

Abnormer Krallenwuchs mit „Kalkbeinen".

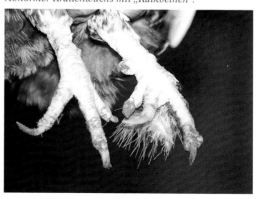

Die Mauser

Die Mauser ist ein jährlich wiederkehrender Prozess, in dem Hühner ihr Federkleid allmählich wechseln. Normalerweise dauert sie einen bis zwei Monate. Wenn eine Henne in der Mauser ist, legt sie meist keine Eier: vor

Noord-Holland-Henne

Sobald das Huhn wieder trocken ist, muss es sich behutsam an die Stalltemperatur gewöhnen können. Setzen Sie es deshalb niemals direkt aus dem Bad oder der warmen Küche in einen ungeheizten Stall: Hühner (erst recht nasse) reagieren nämlich äußerst empfindlich auf Zugluft!

Da die schützende „Imprägnierung" der Federn beim Baden unweigerlich teilweise verloren geht, sollte man die Tiere vorsorglich eine Woche lang bei Regen nicht ins Freie lassen.

Niederländer Eulenbart-Hühner, „weiße Mohrenköpfe".

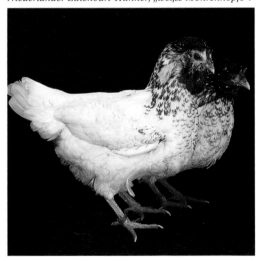

allem gegen Ende der Periode braucht sie ihre ganze Energie zur Bildung des neuen Gefieders. Da es vollständig ausgetauscht wird, kann es danach eine etwas abweichende Zeichnung oder Struktur aufweisen. Für den reibungslosen Ablauf der Mauser ist eine gute Kondition erforderlich. Am besten ist es, wenn ein Huhn schnell viele Federn verliert und sie ebenso rasch erneuert. Dies ist vor allem bei gut legenden Hennen der Fall: langsam mausernde Tiere sind meist auch nicht die besten Legerinnen. Insgesamt ist die Mauser eine schwere Beeinträchtigung: Kamm und Kehllappen schrumpfen und verblassen. Zum Aufbau des neuen Federkleides sind viel Energie und viel Eiweiß erforderlich. Aus die-

Hamburger-Hühner

Weißer Cochin-Hahn

Blaues Holländer Haubenhuhn-Küken

sem Grunde muss man die Tiere während der Mauserperiode anders als in der Legesaison füttern. Mehr zu diesem Thema finden Sie in Kapitel 6.

6 Die Ernährung

Ein Allesfresser

Hühner sind Allesfresser. Wenn sie Auslauf im Freiland haben, fressen sie gleichermaßen Körner, Beeren, Insekten, Würmer, Schnecken und Grünfutter. Je nach Jahreszeit und Nahrungsangebot können sie so alles Nötige auswählen, was im „hausgemachten" Futter fehlt. Hält man sie hingegen in Ställen mit anschließendem Auslauf, wird die Auswahl schon viel enger. Nun muss der Pfleger für eine optimal ausgewogene Zusammenstellung sorgen. Dies gilt nicht nur für das Nahrungsspektrum, sondern auch für die Qualität.

Wilde Hühner wählen von sich aus nie verdorbenes Futter: sie können instinktiv Essbares und Ungenießbares unterscheiden. Unsere domestizierten Tiere haben diesen Instinkt leider weitgehend eingebüßt: Hühner picken manchmal sogar aus Langeweile nach an sich ungeeignetem oder gar schädlichem Futter.

Kauf und Lagerung des Futters

Lagern Sie Körnerfutter und Futtermehl immer in gut abgeschlossenen, kühlen und trockenen Räumen. Lassen Sie das Futterfass nie offen stehen, da es sonst verstaubt, die Vitamine schneller abgebaut werden und Mäuse herankommen können. Diese ungebetenen Gäste treiben nicht nur Ihre Unkosten in die Höhe, sondern verunreinigen das Futter auch stark mit ihrem Urin. Wenn die Hühner es anschließend fressen, kommt es häufig zu Magen-Darm-Beschwerden.

Wenn man nur wenige Tiere hält, sollte man lieber öfters kleinere Futtermengen als ein- bis zweimal jährlich einen großen Sack kaufen. Solche „Großpackungen" sind zwar viel preiswerter, haben aber Nachteile: so kann man dem Futter seinen Vitamingehalt nicht ansehen; je älter es wird, desto stärker sinkt er. Als Faustregel kann gelten, dass das Futter drei Monate nach Kauf aufgebraucht sein sollte.

Kaufen Sie die Körnermischungen und „Legekorn" immer in gutbesuchten Läden und legen Sie Wert auf glänzendes Saatgut; keinesfalls darf es muffig riechen oder staubig sein. Grünfutter darf nicht verwelkt sein, geschweige denn verdorben oder schimmlig.

Vollwertiges Futter

Gebrauchsfertig verpacktes Hühnerfutter gibt es in Korn- oder Mehlform. Geflügel- und Legemehl enthalten die gleichen Substanzen wie Vollkornnahrung: letztere ist bloß nicht in Korn- oder Pelletform gepresst. Das Mehl kann trocken verfüttert werden und hat den Vorteil, dass sich die Tiere viel mehr bewegen müssen, um die gleiche Menge zu sich zu nehmen. Sie müssen also „für ihr Essen arbeiten" und setzen so weniger Fett an. Allerdings kann man es auch mit Wasser vermengen: die so entstehende zähflüssige Masse wird von vielen Hühnern gern und viel gefressen. Selbstverständlich wird man in diesem Fall alle Reste nach ein paar Stunden entfernen, da der Brei schnell sauer wird.

Die Verfütterung von Korn aus Schalen hat den Nachteil, dass es von den Hühnern teilweise daneben gestreut wird; dem lässt sich vorbeugen, indem man die Futterschale nur zur Hälfte füllt und Schalen mit nach innen überstehendem Rand verwendet. Das Verschütten ist auch der Grund dafür, dass man-

Geflügel- oder Legemehl

Geflügel- oder Legepellets

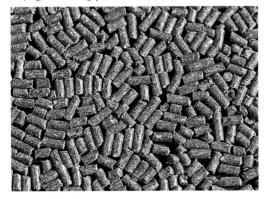

che Liebhaber ihren Hühnern lieber Pellets geben. Deren Vorteil gegenüber Kornmischungen liegt darin, dass die Hühner nicht gezielt die leckersten Sorten herauspicken können: so erhalten sie alle notwendigen Nährstoffe. Für Rassen mit „Bärten" und Hauben eignen sich Pellets besser als Mehl, da letzteres leicht an diesen Gefiederteilen haften bleibt (vor allem, wenn sie nach dem Regen nass sind). Die Stallgenossen werden auf solche „wandelnden Futtertröge" aufmerksam und picken in ihr Gefieder, das dadurch beschädigt wird.

Wenn Sie also Pellets verfüttern, sollte deren Größe stets dem „Fassungsvermögen" Ihrer Hühner angepasst sein. Kleine Zwerghühner können nämlich die „Standardpellets" nur sehr schwer verschlucken. Futterhersteller nehmen mittlerweile Rücksicht auf die unterschiedlichen Größen der einzelnen von Hobbyzüchtern gepflegten Rassen: sie bieten also auch für Zwergrassen geeignete Formate an.

Körnerfutter

Getreidemischungen enthalten in der Regel Weizen, Hafer, Mais und Gerste, manchmal auch kleine Mengen von Sonnenblumenkernen. Reichen Sie letztere als Beifutter, niemals als Grundnahrung. Wenn die Hühner wenig Auslauf und Beschäftigung haben, setzen sie bei übermäßiger Verfütterung von Getreide rasch Fett an.

Glucken, die ihre Gelege auch ausbrüten sollen, kann man reines Getreidefutter geben – wenn sie es denn annehmen. Handelsübliches Hühnerfutter ist kalziumreicher und regt die Eierproduktion an. Von Vorteil ist außerdem, dass die Ausscheidungen brütender Glucken (meist) trockener werden. Auf diese Weise verschmutzt das Gelege nicht so schnell.

Für Zwergrassen schafft man am besten Mischfutter aus geschrotetem Getreide an, da

Getreidemischung für normale und große Rassen

Mischung aus Presslingen und Getreidesorten

ganze Körner oft zu groß für die kleinen Schnäbel wären.

Alle Hühner sind auf Körner versessen. Sie eignen sich deshalb hervorragend, um die Tiere an sich zu gewöhnen und zahm zu machen: die meisten Rassen sollten Ihnen nach ein paar Tagen aus der Hand fressen. Wenn Sie diese Praxis beibehalten, werden die Tiere allmählich recht zahm.

Futter für ältere Küken

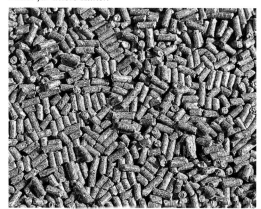

Wie viel Futter?

Wie viel Futter Hühner tatsächlich brauchen, lässt sich nur schwer sagen. Es hängt jeweils von Größe, Beanspruchung (Aktivität, Brüten, Legen) und Umgebungstemperatur ab. Im Winter braucht ein Huhn mehr Futter als im Sommer, um seine Körperwärme stabil zu halten.

Beifutter für Küken

Erwachsene Tiere fressen täglich dreißig bis hundert Gramm. Wenn die Tiere freien Auslauf haben, sollte man nur mäßig beifüttern. Dies geschieht am besten gegen Abend im Stall: so kann man die Tiere auch an ihren Schlafplatz locken.

Zusammenstellung des Futters

Im Wachstum befindliche Hühner brauchen anderes Futter als bereits legende. Reine Eierproduzenten benötigen eine andere Zusammenstellung als Hennen, die ihre Eier ausbrüten sollen: der heranwachsende Embryo muss im Ei alle Nährstoffe optimal vorfinden. Futterhersteller haben deshalb besondere Sorten entwickelt.

Geben Sie Küken speziell für sie hergestelltes vollwertiges Futtermehl bzw. Pellets, dazu et-

Plymouth-Rock-Küken

Geben sie den Tieren nur frisches Futter: Reste sind noch am gleichen Tag zu entfernen – nicht nur der Gesundheit der Hühner zuliebe, sondern auch, um kein Ungeziefer anzulocken.

GEEIGNETE GRÜNFUTTERSORTEN

- Beeren (etwa Brom- und Erdbeeren)
- Gemüse (bspw. Salat, Brokkoli und Karotten); Zwiebel- und Schnittlauch-Laub (in kleinen Mengen)
- Kräuter (etwa Wegerich, junge Brennnesseln, Vogelmiere, Hirtentäschel, Gras, Löwenzahn)
- Obst (bspw. Apfel und Birne)

Eine Gruppe geschwänzter Araucana-Hühner

was Kükensaat. Letztere ist eine Mischung aus verschiedenen Getreidesorten und Samen, die grob gemahlen wurden, damit auch Küken oder kleinere Rassen sie fressen können.

Wenn sie etwa sechs Wochen alt sind, erhalten die mittlerweile befiederten Tiere ein Aufzuchtfutter für größere Küken. Dabei bleibt es, bis die Hennen ihre ersten Eier legen, also im Alter zwischen einem und fünf bis sechs Monaten. Erst danach erhalten sie normales „Legefutter".

Wenn man gezielt züchten will, wählt man entsprechendes Spezialfutter mit einer etwas anderen Zusammensetzung.

Grünfutter

Neben vollwertiger Körnernahrung brauchen Hühner auch etwas frisches Grünfutter. Dieses kann man ihnen täglich reichen, am besten in wechselnder Mischung. Sie können es selbst im Garten anbauen, im Handel kaufen oder in der freien Natur ernten. Achten Sie im letztgenannten Fall darauf, dass es nicht durch Autoabgase, Pflanzenschutzmittel oder Industrieemissionen belastet ist.

Tierisches Eiweiß

Hühner fressen gern täglich etwas tierisches Eiweiß. In geschlossenen Gehegen finden sie meist jedoch nur wenig Kleinlebewesen. In diesem Fall kann man Regenwürmer sammeln oder im Zoohandel Mehlwürmer kaufen.

Letztere sind die Larven bestimmter Schwarzkäfer (Tenebrioniden), die lebend verkauft werden. Sie halten sich sehr lange, wenn man sie kühl und dunkel aufbewahrt. Hochwandige Gefäße benötigen hier keinen Deckel. Ebenso lassen sich Fliegenmaden aufbewahren: die meisten Hühner sind versessen darauf.

Allerdings kommt diese sehr kalorienreiche Nahrung nur als Beifutter infrage.

Grit und „Magenkiesel"

Hühner brauchen außerdem stets Grit: dies sind gebrannte und gemahlene Muschelschalen, deren Kalkbestandteile die Hennen zum Aufbau der Eierschalen benötigen. Außerdem enthält er andere lebenswichtige Mineralien.

Man kann den Grit in die Legebox streuen, damit ihn die Hennen bei Bedarf aufpicken. Falls die Box mit Heu oder Stroh ausgelegt ist, bietet man ihn in einer eigenen Schale an.

Magenkiesel sind kleine Steinchen, scharfkantiger als Grit. Sie spielen eine wichtige Rolle bei der Verdauung: Hühner „kauen" nämlich ihr Futter mit Hilfe dieser Kiesel, die sich nach der Aufnahme im „Speichermagen" sammeln. Dort wirken sie wie Mühlsteine, so dass die zerquetschten Körner verdaulicher werden.

Auch Magenkiesel kann man in separaten Schalen anbieten und dabei eventuell noch mit Grit vermengen. Wenn diese Mischung selbst angerührt wird, sollte man ihr stets noch eine kleine Handvoll fein gemahlener Holzkohle zusetzen: dies beugt wirksam Verdauungsstörungen vor, und die Tiere können sich immer ganz nach ihren Bedürfnissen bedienen.

Auch wenn die Hühner freien Auslauf genießen sollten, empfiehlt es sich grundsätzlich, dass Sie ihnen regelmäßig eine Handvoll Grit mit Magenkieseln geben, da sich beides nicht ohne Weiteres in jedem Garten findet.

Grit und Magenkiesel müssen stets verfügbar sein.

Trinkwasser muss täglich gewechselt werden!

Trinkwasser

Alle Hühner brauchen unbedingt Trinkwasser, besonders während sie legen: Eier bestehen zum größten Teil aus Wasser, das die Hennen zusätzlich zu dem für den eigenen Organismus nötigen Quantum aufnehmen können müssen. Schon ein Tag ohne Wasser kann zu einer längeren Unterbrechung der

Zwerg-Phönix-Hahn

Schwarzes Holländer Haubenhuhn (Henne)

besonders Junghennen – manchmal auch unter „Halsmauser“: dabei beschränkt sich der Federwechsel auf die Halsregion. Nachteilig ist, dass die betroffenen Tiere zu legen aufhören. Ursache dieses Phänomens: die Tiere haben zu früh mit dem Legen begonnen. Ihr Organismus ist noch nicht ausgewachsen und eigentlich noch nicht auf die Eierproduktion eingestellt, so dass er übermäßig beansprucht wird.

Derartige Junghennen haben in aller Regel viel zu früh Legefutter bekommen. Man sollte ihnen deshalb bis zum Beginn der Legeperiode besser spezielles Aufzuchtfutter für Junghennen geben. Wie lange dies der Fall ist, hängt vom Wachstumstempo ab.

Silbern-birkenfarbiger Niederrheiner-Hahn

Legeaktivität führen. Das Trinkwasser muss täglich erneuert werden. Wie viel jeweils benötigt wird, lässt sich nur schwer sagen: es hängt u.a. von der Größe und Aktivität des Tieres ab.

Sie können selbst beobachten, wie viel Ihre Hühner bei jeder Gelegenheit trinken. Sorgen Sie dafür, dass die Wasserschale niemals leer wird.

Fütterung während der Mauser

Die Mauser stellt für das Wohlbefinden des Huhns eine schwere Beeinträchtigung dar. Kamm und Kehllappen verblassen und schrumpfen. Zur Erneuerung des Gefieders werden viel Energie und Eiweiß benötigt. Daher brauchen die Tiere in dieser Phase andere Nahrung. Der Handel bietet sogenanntes „Unterhaltsfutter“ an, das sich für diesen Zeitraum besser eignet.

Neben der üblichen Mauser, die in den Sommer und/oder Herbst fällt, leiden Hühner –

Übergewicht

Die meisten Hühner bevorzugen eiweiß- und fetthaltiges Futter. Wenn sie es unbeschränkt erhalten, verfetten die Tiere schnell, zumal bei Bewegungsmangel. Sie sollten deshalb ständig in Bewegung bleiben. Wenn ruhige Rassen in sehr kleinen Gehegen gehalten werden, gibt man den Tieren statt Pellets besser Geflügelmehl. Hängen sie außerdem eine Raufe mit Grünfutter auf, das die Hühner nur im Sprung erreichen können: so müssen sie sich gehörig anstrengen, und die Nahrungsaufnahme fördert ihre Kondition.

Zu dicke Hennen legen keine Eier mehr. Zu fette Hähne werden vorübergehend oder dauerhaft unfruchtbar. Unerfahrene Halter merken nur schwer, ob ihre Hühner zu mager oder zu fett sind. Beim Aufheben sollte man regelmäßig die Brustbeinregion abtasten. An diesem Knochen muss Fleisch ansetzen, aber nicht zuviel! Wenn er sich scharfkantig anfühlt, ist das Tier zu mager. Es kann durchaus wohlauf sein, aber unter einer Darminfektion oder Würmern leiden. Im Fachhandel oder beim Tierarzt erhält man entsprechende Medikamente.

Zu fette Hühner erkennt man an ihrem ausladenden Hinterleib: wenn man sie sanft kneift, kann man das Fett spüren.

Wenn Ihre Hühner zu dick sind, müssen Sie ihnen mehr Bewegung verschaffen und sparsamer füttern: konsequente Zurückhaltung beim Füttern beugt der Verfettung vor! Die Futterschale braucht nicht den ganzen Tag über randvoll zu sein! Im Idealfall macht man sie am Morgen nur so voll, dass sie abends geleert ist. Die genaue Menge bleibt Erfahrungssache (immer die gleiche Schale verwenden!). Am Anfang muss man noch schätzen, doch nach ein paar Wochen sollte feststehen, wie viel die Tiere tatsächlich brauchen.

7 Die Eiablage

Warum legt ein Huhn Eier?

Hühner, einige Wachteln und manche Hausenten- oder Hausgänserassen zeichnen sich durch eine merkwürdige Eigenschaft aus: wenn sie sich fortpflanzen wollen, legen sie auch dann Eier, wenn kein Männchen vorhanden ist. Außerdem beschränkt sich die Eiablage bei „normalen" Hühnern nicht auf eine ganz bestimmte Jahreszeit. Dieses Phänomen beruht auf einem erblichen Faktor: die Disposition, nur nach einer vorausgegangenen Paarung Eier zu legen, ist im Laufe der Zeit durch gezielte Selektion „fortgezüchtet" worden.

Echte Legerassen – v.a. die in unserem Buch nicht behandelten Hybriden – können pro Jahr dreihundert Eier oder mehr legen. Es gibt aber auch einige dem „Urhuhn" nahestehende altertümliche Rassen, bspw. die Sumatras. Diese legen deutlich weniger Eier, und zwar ausschließlich im Frühjahr und Sommer.

Huhn und Ei

Schon beim Schlupf bergen die Eierstöcke von Hennen die Anlagen für eine bestimmte Anzahl von Eiern (bzw. Dottern). Diese deckt sich exakt mit der Menge, die sie im Laufe ihres Lebens maximal produzieren können. Wann und wie schnell diese „abgerufen" werden, hängt u.a. von Rasse, Futter, Hygiene und Unterbringung ab.

Hennen können oft schon im Alter von vier bis fünf Monaten zu legen beginnen. Hühner dieses Alters bezeichnet man als Jungtiere. Die Kopfanhängsel wachsen und röten sich zunehmend. Außerdem fällt auf, dass die Hühner nun zu „sprechen" beginnen, d.h. sie stoßen leise Laute aus, die an Kinderlallen erinnern. Die meisten Eier legt die Henne während der ersten Legeperiode. Anschließend wechselt sie ihr Gefieder und beginnt erneut zu legen. Die Eier der zweiten Saison sind weniger zahlreich, aber durchweg größer. Rechnet man Eierzahl und -gewicht gegeneinander auf, bleibt das Gesamtergebnis in etwa gleich.

Sobald Hennen älter als fünf bis sechs Jahre sind, legen sie immer weniger und schließlich manchmal gar nicht mehr. Die Eiablage wird also zu einem seltenen Ereignis, das aber bis zum Lebensende vorkommen kann: so kennt man Hennen, die selbst mit über zehn Jahren noch hin und wieder ein bis zwei Eier legten. Sind die Dotteranlagen allerdings aufgebraucht, ist es damit endgültig vorbei. Stimu-

Die Größe der Hennen lässt keine Rückschlüsse auf die Größe der Eier zu: hier das Ei eines Welsumer-Huhns (rechts) neben dem eines Zwerg-Welsumers (links).

Fünf bis sechs Monate alte Hennen „schicken sich zum Legen an".

Orpingtons gehören zu den größten Rassen, legen aber recht kleine Eier.

Die meisten Hühner legen im Winter keine Eier.

liert man die Eiablage durch Kunstlicht auch während des Winters, erschöpft sich der Vorrat noch schneller. Die Zahl der möglichen Legesaisons verringert sich so ebenfalls.

Auffällig ist in diesem Zusammenhang, dass kein festes Verhältnis zwischen der Größe einer Rasse und jener ihrer Eier besteht: so produzieren die eher kleinen „Batterie-Hybriden" unverhältnismäßig große Eier, während jene der Brahma-Rasse – des „Riesen unter den Hühnern" – oft kaum so groß wie die von Zwerghühnern sind. Auch hinsichtlich des Körpergewichts bestehen oft beachtliche Unterschiede zwischen großwüchsigen Rassen und den jeweiligen Zwergvarianten, wogegen bei den Eiern kaum Größendifferenzen zu bemerken sind.

Wie man die Ablage stimuliert

Die meisten Hühner legen den Großteil ihrer Eier im Frühjahr oder Sommer. Echte Legerassen tun es auch im Winter, doch in bescheidenerem Ausmaß. Dies liegt zum Teil an der Umgebungstemperatur, vor allem aber an der kürzeren Tageslichtperiode.

Durch Einsatz von Kunstlicht kann man die Hühner daher auch im Winter zum Legen anregen. Wenn man die „Tageslänge" im Spätherbst allmählich auf wenigstens zehn Stunden bringt, ist auch während der Wintermonate mit Eiern zu rechnen. Auch das Futter übt einen Einfluss aus: sogenannte Legepellets – auch als Vollwert-Geflügelfutter be-

kannt – regen die Legetätigkeit an. Außerdem brauchen die Hennen ganztägig Wasser. Fehlt es auch nur einen Tag lang, besteht Gefahr, dass sie mehrere Tage oder gar eine ganze Woche keine Eier mehr legen.

Die Farbe des Eis

Es gibt nicht nur verschiedene Eiergrößen, sondern auch -farben. Das Spektrum reicht von reinweiß bis dunkelbraun und umfasst alle Schattierungen von beige, braun oder rot, mit oder ohne dunklere Sprenkel. Manche Hennen legen auch hellgrüne, -blaue oder -rosa Eier, zum Beispiel die Araucanas aus Südamerika.

Normalerweise entspricht die Farbe der Eier jener der „Ohren". So legen „Hennen mit weißen Ohrlappen weiße Eier, solche mit roten aber bräunliche. Die Schale erhält ihre Farbe im Eileiter während der Schlussphase der Eierbildung. Der Prozess beginnt mit der Lösung des reifen Dotters vom Eierstock: ihn umgibt bald eine Eiweißschicht, die ihrerseits von einem Häutchen umhüllt wird. Quer durch das Eiweiß verlaufen die „Hagelschnüre", Bindegewebs-Spiralen, die Dotter und Häutchen (an der Schaleninnenseite) verbinden. Sie halten den Dotter an Ort und Stelle. Das Ei dreht sich beim Passieren des Eileiters und erhält so seine Endform. In den letzten Stunden bildet sich die Schale.

Während des Aufbaus der Schale lagern sich überdies Farbstoffe ein. Sie befinden sich in den äußersten Schichten der Eierschale. Dies lässt sich beim Pellen eines dunkelbraunen Eies unschwer nachvollziehen, indem man die Färbung von Außen- und Innenseite seiner Schale vergleicht.

Die Menge der eingelagerten Pigmente variiert allerdings beträchtlich, so dass sich die Schalenfarbe von Ei zu Ei beziehungsweise im Laufe einer Legesaison ändern kann. Wenn eine Henne also zuerst tief dunkelbraune Eier legt, sollte deren Schale während dieses Zeitraumes ein allmählich immer helleres Braun zeigen.

Ein Araucana-Ei: die Schale ist hier grünblau, doch können Farbton und -intensität variieren

Befruchtet oder unbefruchtet?

Wenn Sie auch einen Hahn besitzen, werden die eingesammelten Eier sehr oft befruchtet sein. Falls sie am Tag der Ablage gefunden werden – also noch nicht bebrütet wurden – ist kein Unterschied zwischen befruchteten und unbefruchteten auszumachen. Befruchtete Eier kann man ohne weiteres essen, sogar einige Wochen nach dem Einsammeln. Erst

Marans-Hühner sind für ihre tief braunroten Eier bekannt.

„Geschwänztes" Araucana-Huhn

Welsumer-Hahn

mit Mühe wegnehmen kann. Am besten trennt man sie vom Gelege und quartiert sie

Hamburger-Huhn

wenn sie von der Glucke angebrütet werden, entwickeln sie sich sehr schnell, und auf dem Dotter bilden sich binnen weniger Tage Blutgefäße. Oft findet man in einem Ei ein wenig Blut vor; dies zeugt nicht von einer Befruchtung: das Blut kann beim Platzen einer Ader im Eileiter ausgetreten sein. Da dies auch beim Abstoßen des Dotters vom Eierstock der Fall ist, gelangt sehr oft etwas Blut ins Ei.

Beenden des Gluckens

Brutwillige Hennen bleiben auf dem Gelege hocken und setzen solange mit dem Legen aus. Wenn sie keinen Wert auf das Ausbrüten der Eier legen, sollten sie diesen Prozess stoppen: manche Rassen sind allerdings permanent in Brutstimmung (sogenanntes „Glucken"), andere nicht.

Der Bruttrieb hält in der Regel drei Wochen an, kann aber bei hartnäckigen Tieren länger dauern, wenn aus unbefruchteten Eiern keine Küken schlüpfen.

Während der Brutzeit fressen viele Hennen wenig oder gar nicht. Sie verhalten sich oft sehr aggressiv, so dass man ihnen die Eier nur

einige Tage in einem separaten Raum ohne Nistgelegenheit ein, damit sie „abkühlen". Wenn ihnen auch noch ein Hahn oder andere Hennen Gesellschaft leisten, ist es mit dem „Glucken" meist vorerst vorbei. Geben sie den Tieren in dieser Phase reichlich Wasser

Leghorn-Hahn

ben, kann man sie oft – aber leider nicht immer – mit einem Trick bekehren: Dazu nehmen Sie ein Ei aus dem Nest, blasen es ganz aus und füllen es anschließend wieder mit einer ungenießbaren, doch unschädlichen Substanz, z. B. mit gepfeffertem Senf. Legen Sie es dann zurück ins Nest, damit die Hennen davon kosten – und sich dann vor dem Geschmack grauen.

Manchmal muss man diese Prozedur bis zu eine Woche lang wiederholen, bis die Tiere keinen Geschmack mehr am Aufpicken der Eier finden.

Wenn auch das nicht weiterhelfen sollte, bleiben Ihnen als Alternative schließlich noch die sogenannten „Fallnester", die man kaufen, aber auch selbst anfertigen kann. Es handelt sich bei dieser Konstruktion um Nester mit doppeltem Boden: der obere ist leicht nach hinten geneigt, reicht aber nicht bis zur Rückwand.

Auf diese Weise rollt das frisch gelegte Ei nach hinten und fällt einige Zentimeter hinab: da der Boden der unteren „Etage" mit weichem Material gepolstert ist, kann es dabei nicht beschädigt werden. Solche „Fallnester" sorgen dafür, dass das Ei fortrollt, bevor die Henne es anpicken kann.

und Legepellets. Bei nicht allzu hartnäckigen Hennen sollte es in aller Regel ausreichen, dass man die Tiere ein- bis zweimal täglich behutsam aufhebt, die zwischendurch abgelegten Eier gegebenenfalls entfernt und die Vögel anschließend außerhalb des Legenestes ausgiebig füttert und tränkt.

Das „Anpicken" der Eier

Wenn eine Henne erst einmal von einem Ei gekostet hat, besteht Gefahr, dass sie auf den Geschmack kommt und anschließend alle frisch gelegten Eier anpickt, um sie auszuschlürfen. Das tägliche Einsammeln der Eier verhindert, dass sie zufällig zertreten werden oder aus dem Nest fallen.

Mehrere Nistgelegenheiten auf gleicher Höhe sorgen dafür, dass die Hühner nicht um eine bestimmte Box konkurrieren und so für vermehrten „Bruch" sorgen. Wenn die Tiere schlechte Angewohnheiten angenommen ha-

Brabanter-Henne

Vögel legen zur Fortpflanzung meist mehrere Eier.

Außergewöhnliche Eier

Oft findet man im Stall ein Ei, das sich deutlich von den „normalen" unterscheidet. Oft weist dies auf Futtermängel hin, aber keineswegs immer. Sogenannte Windeier besitzen ein Häutchen, aber keine Kalkschale. Sie stammen oft von an sich noch nicht legebereiten Hennen, aber auch die letzten Eier eines Tieres gehören oft zu dieser Kategorie.

Über vereinzelte ungewöhnlich geformte Eier braucht man sich keine Sorgen zu machen; wenn das aber öfter vorkommt oder eine bereits regelmäßig legende Henne betrifft, kann es verschiedene Gründe haben, beispielsweise Kalkmangel: dann sollte man Grit beifüttern.

Auch Entzündungen des Eileiters können die Ursache sein. Dagegen kann man nichts tun: das Huhn ist an sich gesund, doch wird die Produktion von Windeiern u.U. chronisch.

Eier mit weichen bzw. extrem dünnen Schalen können auf Kalkmangel, aber auch auf übermäßigen Stress vor der Eiablage zurückgehen.

Solche mit zwei Dottern können dann entstehen, wenn der Eileiter zufällig einmal zwei Dotter zur gleichen Zeit freigibt. Diese Situation tritt recht häufig ein – aber Sie brauchen sich keine Sorgen zu machen: das Zustandekommen von Doppeldottern beeinflusst nachweislich weder den Geschmack noch die Qualität des Eis.

Legeprobleme

Hühner besitzen ein flexibles, offenes Becken, was zur Ablage der Eier auch dringend nötig ist, da diese bei einigen Rassen sehr groß ausfallen. Meist hat sich der Körperbau entsprechend angepasst, doch kann es bei übergroßen Eiern Probleme geben. Durch übermäßiges Pressen kommt es u.U. zum Vorfall des Eileiters, so dass ein Teil aus dem After heraushängt. Jetzt muss man schnell reagieren, damit das ungeschützte Organ nicht von anderen Hühner angepickt wird: trennen Sie das Huhn möglichst rasch von den anderen; säubern Sie den vorgefallenen Mastdarm gründlich und entfernen Sie das Ei. Dazu erwendet man am besten lauwarmes, zuvor abgekochtes Wasser. Anschließend wird der vorgefallene Mastdarm vorsichtig wieder nach innen gedrückt. Problematisch ist, dass der

Legenot ist ein gravierendes Problem.

Silbern-schwarzgesäumtes Zwerg-Wyandotte-Huhn

Silbern-schwarzgesäumtes Zwerg-Wyandotte-Huhn   *Amrock-Huhn*

Darm häufig – aber nicht immer – noch am gleichen Tag oder wenige Tage später erneut vorfällt. Manchmal kann der Tierarzt helfen, aber auch für ihn ist das keine Kleinigkeit. Wenn sich das Problem nicht lösen lässt, sollte man das Huhn lieber von seinem Leiden erlösen.

Gelegentlich kann es vorkommen, dass eine Henne in Legenot gerät: sie hockt dann sehr lange auf ihrem Nest, ohne auch nur ein einziges Ei zu legen. Meist tritt dieser Fall bei sehr jungen Tieren ein, die vor ihrer ersten Ablage stehen. In dieser Situation kann die rektale Verabreichung von flüssigem medizinischem Paraffin wirksame Abhilfe schaffen; einfaches Salatöl erfüllt allerdings den gleichen Zweck. Setzen Sie das so behandelte Tier anschließend einzeln in einen warmen Raum (bei 20–25 °C). Meist wird die Henne ihr Ei dann spätestens am nächsten Tag los.

Watermaalscher Bartzwerg-Hahn, gelb-columbia

8   Krankheiten, Missbildungen und Parasiten

Vorbeugen ist besser als heilen

Viele Krankheiten und Missbildungen bei Hühnern lassen sich mit geeigneten Medikamenten kurieren, andere leider nicht. Daher sollte man alles tun, um Erkrankungen der Tiere vorzubeugen. Beherzigen Sie also stets folgende Regeln:

- sorgen Sie für eine ausreichende Belüftung des Stalls (weder Durchzug noch Stickluft);
- geben Sie den Tieren gut ausgewogenes Futter;
- entfernen sie nicht verzehrte Nahrung noch am gleichen Tag aus dem Stall;
- lagern Sie das Futter in einer verschlossenen Tonne an einem kühlen, trockenen Ort;
- halten Sie Stall und Gehege sauber und reinigen Sie beide, *bevor* es nötig ist;
- vermeiden Sie jeden Stress (zu hoher Besatz, Kämpfe), da dieser die Widerstandskraft der Hühner mindert;
- bringen Sie Jungtiere und Küken nie zusammen mit erwachsenen Hühnern unter;
- stellen Sie neu erworbene Tiere eine Zeitlang unter Quarantäne und lassen Sie deren Exkremente untersuchen;
- entwurmen sie die Hühner rechtzeitig und lassen Sie sie gegen unheilbare Krankheiten impfen.

Krankheitssymptome

Wer viel mit Tieren zu tun hat, wird auf Krankheiten deutende Verhaltensweisen rasch erkennen. Zu den Symptomen von Erkrankungen und/oder Parasitenbefall gehören:

- ständiges Kratzen;
- kahle Stellen;
- Abmagerung;

Lustloses Verhalten deutet oft auf tieferliegende Probleme hin.

- Durchfall;
- Lahmungserscheinungen;
- angezogene Beine mit abstehenden Schuppen;
- Einstellen der Eiablage;
- lethargisches Verhalten (mit aufgeplusterten Federn);
- ungewöhnlich gefärbte Ausscheidungen;
- Nahrungsverweigerung.

Gegenmaßnahmen

Wer erst wenig Erfahrung mit Hühnern hat und vermutet, dass sie krank sind, sollte Kontakt mit einem erfahrenen Züchter aufnehmen. Dieser erkennt aufgrund langjähriger Erfahrung in der Regel, was vorliegt und was zu tun ist. Wenn auch er keinen Rat weiß, können Sie den nächsten Tierarzt konsultieren, am besten einen auf Geflügel spezialisierten Fachmann, denn die meisten Veterinäre ha-

Bei diesem Hahn sind die Zacken des Kamms abgefroren.

Brahma-Henne

ben fast ausschließlich mit Hunden und Katzen zu tun. Daher besitzen sie in der Regel keine großen Erfahrungen mit Hühnern.

Wir können in diesem Zusammenhang nicht alle bei Hühnern auftretenden Krankheiten und Missbildungen erörtern, gehen im Folgenden aber auf einige der häufigsten ein, damit Sie sich selbst ein Urteil bilden können.

ERFRIERUNGEN DER KOPFANHÄNGSEL

Die nackten Teile des Körpers können bei strengem Frost leicht erfrieren. Das führt zur dunklen Verfärbung der betroffenen Partien, ja zum (teilweisen) Absterben von Kamm und Kehllappen. Hähne können dadurch im Frühjahr unfruchtbar werden. Tiere mit kleineren Kämmen (sogen. „Rosenkämmen") sind weniger oder gar nicht betroffen.

Ursache ist meist das Zusammentreffen hoher Luftfeuchtigkeit mit starkem Frost. Erstere bildet sich, wenn die Tiere die Nacht in geschlossenen, beheizten Räumen zubringen. Wenn sie anschließend hinaus in die Kälte müssen, kommt es zu den genannten Erfrierungen.

Der Stall sollte deshalb nachts gut belüftet werden. Es darf aber kein Durchzug entstehen: ein offenes Fenster (oder zwei gegenüberliegende im Giebelbereich) sorgen für reichlich Frischluft und den Abzug der Kondensfeuchtigkeit. Zusätzlich kann man Kämme und Kehllappen durch großzügiges Einsalben mit säurefreier Vaseline schützen.

DURCHFALL

Die Exkremente gesunder Hühner sind normalerweise grünlich-braun mit weißen Stippen. Außerdem sind die Kotballen von trockener Struktur. Durchfall deutet stets auf Probleme hin. In leichteren Fällen kann man den Tieren Holzkohle zu fressen geben. Ist der Kot flüssig oder gar blutig, magern die Hühner ab und verhalten sich lustlos, möglicherweise leiden sie unter Kokzidien-Befall (vgl. Seite 81). Durchfall kann aber auch durch Würmer verursacht werden.

WÜRMER

Hühner werden von verschiedenen Wurmarten befallen. Manchmal entdeckt man diese Parasiten in den Exkrementen, doch verraten sie sich meist erst, wenn die Tiere abmagern oder Durchfall bekommen. Wurmbefall lässt sich wirksam verhindern, indem Sie Ihre Tiere halbjährlich entwurmen, am besten jeweils im Frühjahr und Herbst. Da man Hühnern die Entwurmungsmittel oft nur schwer verabreichen kann, sind diese meist in Pulverform erhältlich. Das Pulver wird unter das (leicht angefeuchtete) Futtermehl gemengt. Andere Präparate lassen sich dem Trinkwasser zusetzen. Beide Typen erhält man in Fachgeschäften und beim Tierarzt. Würmer breiten sich rapide aus und werden meist durch die Exkremente übertragen. Reinigen sie deshalb den Stall gründlich und desinfizieren sie ihn regelmäßig. Ziehen Sie stets vor Betreten des Stalls die Schuhe aus, wenn sie zuvor ein Grundstück mit erkrankten Hühnern betreten haben.

ROTE BLUTMILBEN
Die Rote Blutmilbe gehört zu den Spinnentieren. Dieser achtbeinige Parasit ist gut mit bloßem Auge zu erkennen. Als Hühnerhalter werden Sie ihn selten zu sehen bekommen, da er sich tagsüber in Spalten und Ritzen des

Porträt eines weißen Federfüßigen Zwerghahns.

Haubenhühner sind gegen Milben empfindlicher als andere Rassen.

Stalles versteckt. Als nachtaktives Tier reagiert er auf Wärme und kommt erst zum Vorschein, wenn die Hühner auf den Stangen hocken. Dann krabbelt er auf die Haut der Vögel und saugt ihnen Blut ab. Obwohl Rote Blutmilben sehr häufig vorkommen, sind sie keineswegs ungefährlich: sie können u.a. Pseudo-Vogelpest, Vogelcholera und Pocken-Diphtherie übertragen. Unabhängig davon schwächen Sie die Kondition der Tiere.

Zur Vorbeugung gegen das (bleibende) Einnisten von Milben sollten die Innenwände des Stalls möglichst glatt sein und mit Obstbaumkarbol (in Fachgeschäften erhältlich) gestrichen werden. Tagsüber findet man die Parasiten leicht an den Unterseiten der Sitzstangen. Diese sollten daher abnehmbar sein und regelmäßig kontrolliert bzw. gereinigt werden. Erfahrene Halter erkennen starken Milbenbefall oft schon am Geruch oder am grauen „Staub", d.h. den alten Häuten der Plagegeister.

Gegen Blutmilben gibt es Mittel, mit denen man sowohl die Hühner als auch den Stall behandeln kann. Ihre einmalige Anwendung zeigt meist keine nachhaltige Wirkung: meist muss man die Tiere und den Stall mehrmals nacheinander behandeln. Bedenken Sie auch, dass diese Parasiten sehr robust sind und lange Zeit ohne Nahrung überleben können. Wenn man einen alten Hühnerstall über-

nimmt, sollte man ihn prinzipiell vorsorglich mit einem geeigneten Mittel desinfizieren.

FEDERLÄUSE

Neben Roten Blutmilben sind Federläuse die häufigsten Hühnerparasiten. Sie gehören zu den schlimmsten und am weitesten verbreiteten Quälgeistern dieser Vögel. Auch sie sind mit bloßem Auge zu sehen. Befallene Hühner

Dieses Tier leidet stark unter Federläusen.

leiden unter starkem Juckreiz und kratzen sich deshalb auffällig oft, so dass kahle Stellen entstehen. Bekämpft werden die Parasiten mit verschiedenen Mitteln, die streng nach Anweisung zu verwenden sind. Meist muss die Behandlung nach ein bis drei Wochen wiederholt werden, um einem erneuten Befall vorzubeugen. Manche Züchter legen ein Paket Tabak in die Legeboxen, da dessen Geruch die Läuse abstößt.

Die Federlaus ist die häufigste Hühnerlaus. Es gibt sechs verschiedene Arten: jede davon bevorzugt bestimmte Körperpartien; die bekanntesten findet man in den Hauben von Haubenrassen oder rund um die Kloake. Läuse vermehren sich rasend schnell und legen ihre Eier in „Nissen" an den Federn ab. Wenn man zwischen das Gefieder schaut, erkennt man sie als kleine graue Klumpen an den Federstrahlen. Das Umherkriechen der Läuse macht die Hühner äußerst nervös.

Diese Parasiten lassen sich schnell und wirksam mit Pulver oder Spray bekämpfen. Beides erhält man in Fachgeschäften. Nach zehn Tagen steht eine Nachbehandlung an, um die aus den Eiern schlüpfende neue Generation zu vernichten.

FEDERMILBEN

Durch Selbstrupfen, zu kleine Ein- und Ausgänge oder scharfkantige Umzäunungen kommt es oft zu Beschädigungen der Federn. Diese können aber auch von sogenannten Federmilben herrühren. Schwanz und Flügel der befallenen Tiere wirken oft wie angefressen,

Von Federmilben befallenes Huhn.

Hamburger-Hahn

Gelber Orpington-Hahn

Plymouth Rock

da sich die Plagegeister mit Vorliebe in den Federbälgen festsetzen.

Federmilben lassen sich nur schwer bekämpfen, und zwar in zwei Schritten: Zunächst sind alle Hühner aus dem Stall zu entfernen und anderweitig unterzubringen. Anschließend wird der Stall gründlich gereinigt und – am besten mit Karbollösung – gestrichen. Mischen Sie dann ein Teil Brenn- mit einem Teil Kampferspiritus und etwas Salat- oder Olivenöl; mit dieser Mixtur werden die Schwänze und (notfalls) die Flügel der befallenen Hühner behandelt. Tun Sie das aber wirklich gründlich!

Diese Prozedur wird wöchentlich wiederholt, bis die Tiere völlig frei von den unsichtbaren Parasiten sind. Am besten führt man sie prophylaktisch durch, da sich einmal eingenistete Milben nur sehr schwer entfernen lassen. Setzen Sie die Hühner aber erst dann wieder in den Stall, wenn sich der Karbolgeruch vollständig verflüchtigt hat: er wirkt nämlich äußerst toxisch!

Sebright

Flöhe

Die meisten Menschen kennen Hunde- und Katzenflöhe, haben aber nie von Hühnerflöhen gehört. Auch diese Insekten kann man gut mit bloßem Auge erkennen. Anders als die ebenfalls sichtbaren Roten Blutmilben haben sie nicht acht, sondern sechs Beine und springen bei Entdeckung sofort (weit) fort. Ein Befall äußerst sich in Juckreiz, kahlen Stellen oder Abmagerung. Oft – vor allem bei

Ardenner-Hahn

Seidenhuhn

Zwerg-Holländer Haubenhuhn (Henne)

Zwerg-Phönix

-spray. Der verseuchte Stall wird in diesem Falle nach dem gleichen Muster desinfiziert, das wir weiter oben im Zusammenhang mit dem Blutmilbenbefall beschrieben haben

KALKBEINE

Hierunter versteht man geschwollene Läufe, die mehr oder minder „verkalkt" oder „verhornt" wirken. Die Tiere kratzen oft daran. Wenn ein Huhn länger darunter leidet, spreizen sich die Hornschuppen der Läufe ab, und zwischen ihnen bildet sich eine gräuliche Masse: die Ausscheidungen von Milben. Unter der Haut sind die Beine meist entzündet; häufig bluten sie auch. Bei weiterem Fortschreiten der Krankheit können die Hühner kaum noch laufen. Erreger ist die auch als „Kalkbeinmilbe" bekannte Fußräudemilbe *Cnemidocoptes mutans*. Dieser unsichtbare Parasit setzt sich unter den Beinschuppen fest.

starkem Blutverlust – wirken Kamm und Kehllappen blasser.

Da Flöhe am besten in einem feucht-warmen Milieu gedeihen, treten sie zumeist im Sommer auf. Weil ihre Populationen sich größtenteils nicht auf den Hühnern selbst, sondern – als Ei, Larve oder Puppe – in deren Umgebung aufhalten, muss man dem Stall die größte Aufmerksamkeit widmen.

Wie Blutmilben und andere Milben sind Flöhe Außenparasiten. Am Körper der Hühner bekämpft man sie mit Läusepulver oder

Kalkbeine

Befallene Tiere müssen unverzüglich behandelt werden. Zuerst entfernt man die Krusten; geschieht dies ohne Vorbereitung, kommt es zu Blutungen. Deshalb weicht man sie erst gründlich mit Obstbaumkarbol, Grüner Seife oder Glyzerin ein. Lassen sie alles ein paar Tage einwirken. Danach kann man die Läufe mit lauwarmem Wasser und einer weichen Bürste vorsichtig abschrubben. Anschließend werden sie mit einer Spezialsalbe eingecremt, die man beim Tierarzt erhält. Dies geschieht erst nach Entfernung der Krusten. Um einem erneuten Befall vorzubeugen, muss auch der Stall mit einem Medikament oder einem guten Desinfektionsmittel gründlich behandelt werden.

Fußräudemilben werden nur durch die Hühner selbst verbreitet, nicht aber vom Menschen. Da sie in feuchtem Milieu gedeihen, stellt ein gut durchlüfteter Stall eine wirksame Prophylaxe dar. Oft werden die Küken schon in sehr zartem Alter befallen. Deshalb sollte man auch die Hennen schon vor dem Brüten präventiv behandeln.

SCHNUPFEN (AKUTE CORYZA)

Schnupfen wird durch Bakterien verursacht. Erkrankte Tiere wirken förmlich „verschnupft": sie atmen schwer und pfeifend, haben geschwollene Lider und feuchte Nasenlöcher. Außerdem „niesen" die Vögel viel. Diese Infektion breitet sich rasend schnell im Stall aus und befällt alle Insassen. Eine Behandlung mit Antibiotika ist sehr wirksam und verspricht rasche Genesung.

ERKÄLTUNGEN

Erkältungen sind nicht mit Schnupfen zu verwechseln: in diesem Falle sind die Lider nicht geschwollen, aber „die Nase läuft". Manchmal sperren die Hühner den Schnabel auf, da sie wegen des Schleims nicht durch die Nasenlöcher atmen können.

Erkältungen treten oft bei unzureichend versorgten Tieren auf, die in feuchten, unter Durchzug leidenden Ställen leben müssen. Auch plötzliche Temperaturwechsel können die Ursache sein. Das ist etwa der Fall, wenn die Tiere aus dem warmen Stall unvermittelt in die Kälte hinaus müssen.

Erkältungen lassen sich durchweg wirksam behandeln: Tierärzte und Fachgeschäfte bieten ein breites Sortiment geeigneter Medikamente an.

INFEKTIÖSE BRONCHITIS

Die dritte gelegentlich auftretende Atemwegserkrankung ist die infektiöse Bronchitis: befallene Tiere kauern auf dem Boden und stoßen röchelnde oder summende Laute aus. Diese gefährliche Krankheit verläuft bei jungen Küken oft tödlich. Erwachsene Hühner fallen ihr hingegen nur selten zum Opfer. Es gibt kein wirksames Medikament, aber man kann die Tiere vorbeugend dagegen impfen lassen.

HACKVERHALTEN

Hühner hacken bekanntlich oft auf einander los. Sie bilden eine strenge Hierarchie aus, die „Hackordnung". Die ranghöchsten Tiere teilen dabei nur aus, während die rangniedrigs-

Langschan-Hahn

ten von allen anderen Schnabelhiebe einstecken müssen. Normalerweise – also wenn die Vögel beschäftigt sind und genug Platz haben – artet das niemals in Kämpfe mit schweren Verletzungen aus.

Hühner hacken oft aus unterschiedlichsten Gründen aufeinander ein. Bei temperamentvollen Rassen sind meist Störungen oder „Überbevölkerung" der Grund. Wenn die Tiere mehr Ablenkung und Platz bekommen, bessert sich die Situation in der Regel. Wenig bekannt ist, dass helles (bzw. weißes) Kunstlicht oft intensives Hackverhalten auslöst. Eine gedämpfte Beleuchtung schafft hier meist Abhilfe.

Auch bei zu warmer Haltung zeigen Hühner oft ein ungewöhnliches Betragen: in diesem Fall hilft eine gründliche Durchlüftung, hin und wieder auch das Auswechseln der Bodenstreu. Wenn all diese Mittel versagen, hat sich das entsprechende Verhalten möglicherweise bereits tief eingeprägt: das ist fatal, weil die Tiere sich nun manchmal gegenseitig Federn ausreißen und einander bisweilen – wenn erst einmal Blut geflossen ist – sogar bis auf den Tod verwunden können.

Es ist ein ausgezeichnetes Mittel auf dem Markt, mit dem man häufig attackierte Hühner einsprühen kann: es riecht und schmeckt unangenehm, so dass die anderen von ihren Opfern ablassen. Auch gegen das Schwanzabbeißen bei Ferkeln angewendete Mittel lassen sich hier wirksam einsetzen. Das Federzupfen ist übrigens teilweise erblich bedingt. Deshalb sollte man entsprechend veranlagte Tiere –

vor allem wenn dieses Verhalten häufig auftritt – unverzüglich aussondern und unter gar keinen Umständen zur Zucht verwenden.

KOKZIDIOSE (ROTE KÜKENRUHR)

Kokzidiose ist eine durch Einzeller verursachte Krankheit, die den Darm des Huhns schädigt. Sie tritt meist bei zu warmer Haltung auf und verläuft bei Junghühnern oft tödlich. Auch Feuchtigkeit, mangelnde Hygiene und schlechte Belüftung tragen zum Ausbruch bei. Die Krankheit äußerst sich durch verschiedene Symptome, die sowohl gemeinsam als auch einzeln auftreten können. Dazu gehören lethargisches Verhalten, Abmagerung, sinkende Eierproduktion, blutiger Durchfall, Gähnen und Lähmungserscheinungen. Sobald der geringste Verdacht auf diese Krankheit besteht, sollte man die Exkremente auf Kokzidien prüfen lassen. Der Tierarzt verfügt über verschiedene wirksame Medikamente.

Kokzidiose wird über die Exkremente verbreitet; deshalb sollte man den Stall stets blitz-

Verwahrlosung und Krankheiten gehen oft Hand in Hand.

sauber halten und die Schuhe gründlich desinfizieren (oder Plastik-Überschuhe anziehen), wenn man zuvor einen befallenen Stall besucht hat. Diese Erreger sind sehr widerstandsfähig, so dass normale Desinfektionsmittel oft keine Wirkung zeigen. Erfolg lässt sich nur erzielen, indem man den Boden des Stalls mit Kalk bestreut und diesen anschließend mit Ammoniaklösung bindet. Dadurch werden die Kokzidien in Gips eingekapselt und können zusammen mit der Bodenstreu entfernt werden.

MAREKSCHE LÄHME
Die Mareksche Lähme (oder Krankheit) ist eine sporadisch auftretende, bei Hühnern tödlich verlaufende Herpesvirus-Erkrankung: befallene Tiere zeigen Lähmungserscheinungen, die sich oft in verkrampften Zehen und

steif nach vorn oder hinten ausgestreckten Beinen äußern. Diese Symptome können sich über Wochen hinziehen, aber die Hühner sterben auf jeden Fall: es gibt kein wirksames Gegenmittel. Jungtiere kann man allerdings impfen lassen. Auffälligerweise sind manche Rassen anfälliger als andere. So stehen als Küken nicht geimpfte Sebrights und Barnevelder in schlechtem Ruf, während Marans- und Sumatra-Hühner fast nie daran erkranken. Ihre Resistenz beruht wohl auf natürlicher Selektion.

POCKEN UND DIPHTHERIE
Pocken äußern sich in Form dunkler Schwellungen am Kopf. Erreger sind verschiedene Viren. Wenn die grauschwarzen Geschwüre auf den Kopf beschränkt bleiben, spricht man von Pocken. Dehnen sie sich aber auf die

Gesperberter Bantam-Hahn

Silbern-wildfarbiger Brahma-Hahn

Gegen die Pseudo-Vogelpest ist leider kein Kraut gewachsen. Man kann die Tiere allenfalls prophylaktisch impfen lassen. Da die Krankheit sehr ansteckend ist und tödlich verläuft, müssen Züchter ihre Hühner in den meisten Ländern impfen lassen, bevor sie auf Ausstellungen geschickt werden dürfen.

Wir können Ihnen nur empfehlen, in dieser Angelegenheit Kontakt mit einem örtlichen Züchter aufzunehmen, der seinerseits Mitglied eines Kleintierzüchtervereins ist. Solche Leute können dank Ihrer Mitgliedschaft den gesamten Hühnerbestand geschlossen impfen lassen, was erheblich billiger ausfällt als eine private Einzelprophylaxe durch den Tierarzt. Deartige Impfungen bieten Ihren Hühnern für etwa drei Monate einen wirksamen Schutz gegen die gefürchtete Seuche.

Schnabelhöhle aus, bezeichnet man diese Krankheit als Diphtherie. Anders als bei Säugetieren handelt es sich jedoch um die selbe Erkrankung. Das Virus wird in diesem Falle wohl hauptsächlich durch blutsaugende Insekten übertragen, so dass die Seuche in aller Regel während des Sommers ausbricht, also wenn es sehr viele Mücken gibt. Es empfiehlt sich im Übrigen, dass man seine Hühner vorbeugend impfen lässt. Wenn die Seuche jedoch erst einmal ausgebrochen ist, behandelt man die Schwären der erkrankten Tiere am besten durch Bepinseln mit Jodtinktur.

PSEUDO-VOGELPEST

Diese gefürchtete Krankheit verläuft meist tödlich und ist auch unter dem Namen „Newcastle Disease" (NCD) bekannt. Es handelt sich um eine Viruserkrankung. Symptomatisch für diese Erkrankung sind grünliche Exkremente und teilweise bis totale Lähmungen, ferner Atembeschwerden und das Sträuben des Gefieders („Aufplustern").

Breda- oder Kraaikop-Henne

9 Die Fortpflanzung

Eignen Sie sich als Hühnerzüchter?

Viele Menschen, die Hühner halten, würden gern einmal selbst Küken haben. Dies lässt sich bei häufig brutwilligen Rassen leicht bewerkstelligen. Doch wenngleich es schön ist, zu beobachten, wie die Küken ausgebrütet werden und später heranwachsen, hat die Hühnerzucht auch ihre Schattenseite: in der Regel sind nämlich etwa 50% der Küken Hähnchen. Die Hennen können Sie, wenn genug Platz vorhanden ist, selber behalten; andernfalls finden sie dafür immer leicht Abnehmer. Anders verhält es sich bei den Hähnen: sie lassen sich nur schwer vermitteln.

Manchmal finden sich einzelne Liebhaber, aber bei einer größeren Anzahl von Tieren gibt es schon Probleme. Die meisten Streichelzoos und Kinderbauernhöfe sind schon mehr als reichlich mit Hähnen versehen, so dass die meisten Züchter ihre überzähligen Tiere bedenkenlos von Schlachtereien aufkaufen lassen.

In Wohngebieten kann man ohnehin nicht alle Hähne aufziehen, ohne dass die Geräuschbelästigung unerträglich wird. Außerdem werden die Tiere irgendwann aggressiv, vor allem bei temperamentvollen Rassen. Dann kann man sie nur noch verkaufen, wobei manche einen Liebhaber finden, der

Großteil jedoch in der Pfanne endet. Wer das nicht aushält, sollte besser nicht züchten: die Schlachtung überzähliger Tiere lässt sich nun mal nicht vermeiden. Auch in der Natur werden die Männchen rasch durch Selektion „ausgedünnt". Dank ihrer Färbung fallen sie Fressfeinden schneller ins Auge, und ihre langen Schwanzfedern behindern sie auf der Flucht. Als Züchter müssen Sie sich damit abfinden, dass der Überschuss an Hähnchen regelmäßig zur Schlachtung weggebracht bzw. abgeholt werden muss.

Zuchtstämme

Wenn Sie Wert auf Hühnernachwuchs legen, müssen Sie aus miteinander harmonierenden Tieren einen Zuchtstamm zusammenstellen. Er besteht meist aus mehreren Hennen und einem einzelnen Hahn. Dies geschieht, damit er sich mehrmals täglich paaren kann (indem er die Hennen „tritt"). Hält man lediglich ein Paar, so wird die Henne von einem aktiven Hahn praktisch nie in Ruhe gelassen. Noch ausgesprochen „naturnahe" Rassen wie Sumatras und manche Kampfhühner pflegt man am besten paarweise: oft halten sie einander lebenslang die Treue.

Auch andere Rassen kann man versuchsweise

Auch kleine Küken werden mal groß ...

Kahle Flecken auf dem Rücken – „Folgen" eines aktiven Hahnes.

Aktive Hähne können ohne weiteres 10–12 Hennen „betreuen".

Kinder wollen meist gern bei der Hühnerpflege mithelfen.

Vier Tage alte Orpington-Küken

als Paar halten: manchmal klappt es hervorragend, manchmal nicht. Durch genaue Beobachtung findet man heraus, ob sich die Rasse für die sogenannte „1:1-Zucht" eignet.

Wie viele Hennen man einem Hahn maximal zugesellen darf, hängt von der Rasse ab. Bei ruhigen Hühnern wie Orpingtons sind zwei bis fünf angebracht, während es bei aktiven, schlanken Rassen bis zu zehn sein können. Manche Hähne gebärden sich so stürmisch, dass sie das Rücken- und Kopfgefieder der Hennen beschädigen: an den Kopffedern halten sie sich fest, während sie bei der Paarung auf dem Rücken hocken.

Ist der Hahn schon mehrere Jahre alt, dürfen seine „Sporen" nie zu lang werden. Das Gleiche gilt für die Krallen. Bei schweren Rassen stellt sich dieses Problem eher als bei leichten. Wenn die Hennen völlig kahle Rücken haben, sollte man den Hahn zur Stressminderung

Einwöchiges Niederländer Eulenbart-Küken

Die „Ohren" können während der Paarungssaison leicht einschrumpfen.

eine Zeitlang absondern oder ihre Zahl erhöhen.

Die Zahl der Hennen ist nicht nur im Hinblick auf ihr Verhältnis zum Hahn von Belang, sondern auch wegen der Eier: diese müssen nämlich befruchtet werden, und wenn man zehn oder mehr Hennen einer ruhigen Rasse hält, ist dies nicht sichergestellt. Zur erfolgreichen Befruchtung sind nur ein bis zwei geglückte Paarungen pro Woche erforderlich. Wenn der Hahn seine Hennen häufig besteigt, sagt das nichts über den Zuchterfolg aus.

Niemals sollte man mehrere Hähne vergesellschaften, vor allem nicht zusammen mit Hennen. In diesem Fall ist es nicht nur völlig unmöglich, die Qualitäten der einzelnen Tiere zu überprüfen (schließlich erhalten ihre Eier keinen Stempel), sondern man riskiert überdies, dass es zu Kämpfen kommt. Bei ruhigen, „gemütlichen" Rassen ist diese Praxis unter Umständen noch vertretbar, wenn man über genügend Platz verfügt und die Tiere ständig im Auge behalten kann, so dass man notfalls unverzüglich eingreifen kann, falls die Harmonie einmal enden sollte. In Großzüchtereien arbeitet man zwar in aller Regel mit mehreren Hähnen, doch sind diese dort gemeinsam mit vielen Hunderten von Hennen in riesigen Hallen untergebracht.

Lebenserwartung

Zur Zucht sollte man stets wenigstens einjährige, voll ausgewachsene Hennen anschaffen. Hähne sind schon mit sieben Monaten zeugungsfähig und lassen sich dann von Hennen nicht mehr unterdrücken. Beide Geschlechter können im Schnitt fünf bis sechs Jahre fruchtbar bleiben, doch nimmt die Eierzahl von Jahr zu Jahr ab. Wie lange die Legefähigkeit im Einzelfall anhält, hängt nicht allein vom Zustand der Tiere, sondern auch von der Rasse ab.

Im Allgemeinen können Vertreter von leichteren „Landhuhnrassen" länger zur Zucht verwendet werden als schwere. Natürlich wird man als Zuchttiere nur völlig gesunde und auch äußerlich „anziehende" Hühner verwenden.

Befruchtung

Nachdem die Zuchtgruppe zusammengestellt ist, werden zunächst nicht alle Eier befruchtet sein, da die Tiere eine gewisse Zeit brauchen, um einander kennen zu lernen: nicht jede

Sulmtaler-Küken: man beachte die kleinen „Hauben"!

Henne akzeptiert ohne Weiteres jeden fremden Hahn. Eine kurze Phase des gegenseitigen Kennenlernens ist daher unerlässlich. Lassen Sie die Tiere in Ruhe und sorgen Sie für optimale Pflege und Fütterung – dann werden nach circa zwei Wochen tatsächlich fast alle Eier ihrer Hennen besamt sein – sofern der Hahn nicht impotent ist; bei erst ein oder wenige Jahre alten Tieren ist dieser Zustand meist vorübergehender Natur. Es kann schlicht daran liegen, dass der Hahn zu fett oder nicht in bester Verfassung ist. Auch die Jahreszeit spielt eine Rolle: manche (vor allem ältere) Hähne werden erst bei warmem Frühjahrswetter aktiv und legen im Winter eine Pause ein.

Bei Hühnern erfolgt die Befruchtung, indem die Tiere ihre Geschlechtsöffnungen (Kloaken) aneinander pressen. Dazu springt der Hahn auf die Henne und hält sich mit dem Schnabel an ihrem Hals fest (aus diesem

„Hahnentritt"

Breda- oder Kraaikopp-Küken: Schon sie besitzen Ansätze der Fußfedern.

Niederländer Haubenhuhn-Küken mit bereits deutlich höherem Scheitel.

Grund weisen sehr häufig begattete Hennen an Hals und Nacken meist kahle Hautpartien auf). Beide Tiere spreizen die Schwanzfedern dabei derart zur Seite, dass ihre Kloaken einander berühren können, so dass der Samen des Hahns auf die Henne übertragen wird. Bei einem einzigen „Tritt" können zahlreiche Eier gleichzeitig befruchtet werden, denn die Spermien bleiben normalerweise länger als zehn Tage am Leben.

Das Glucken

Gluckende Hennen werden von Laien oft mit kranken Tieren verwechselt. Man erkennt sie jedoch an folgenden „Symptomen":
- die Henne bleibt lange im Nest sitzen und verlässt es manchmal gar nicht;
- Kamm und Kopf sind zu Beginn der Brutzeit noch leuchtend rot, verblassen aber später;
- der Bauch wird allmählich kahl;
- die Henne gibt „gluckende" oder „blubbernde" Laute von sich;
- das Tier wird in der Regel unverträglich, nimmt anderen Hühnern gegenüber eine Drohhaltung ein oder verhält sich sogar dem Pfleger gegenüber aggressiv.

Hennen legen ihre ersten Eier zu sehr unterschiedlichen Zeitpunkten. Bei den sogenannten Legerassen regt sich der Bruttrieb bei vielen Tieren selten oder nie. Bei anderen – beispielsweise Seiden-, Sussex- und Wyandotte-Hühnern – kann dies hingegen schon mit sechs Monaten der Fall sein. Allerdings sind die Tiere dann „innerlich" noch nicht auf das Ausbrüten der Eier und die Betreuung ihrer Küken eingestellt. Wenn eine so junge Henne schon brutbereit ist, sollten Sie wie in Kapitel 7 (Abschnitt „Beenden des Gluckens") verfahren.

Bei den meisten erwachsenen Hennen regt sich der Bruttrieb im zeitigen Frühjahr: offenbar spielt die Tageslänge hierbei eine Rolle. Manchmal hilft es schon, wenn man die frisch gelegten Eier einfach bei der Henne liegen lässt. Angesichts des „Bruchrisikos" und der geringen Haltbarkeit bebrüteter Eier sollte man sie indes besser einsammeln und statt dessen ein paar Porzellan- oder Gipseier ins Nest legen.

Bruteier

Sobald man merkt, dass eine Henne in Brutstimmung kommt (oder schon früher), kann man den Tieren die frisch gelegten Eier wegnehmen: dabei handelt es sich um befruchtete „Bruteier", die man anderen Hennen, die be-

reits „glucken" und ständig auf ihren Gelegen hocken, unverzüglich unterschieben kann.

Nicht alle Eier eignen sich jedoch zum Ausbrüten: wählen Sie dazu nur normal geformte Eier aus. Überschwere Exemplare (die möglicherweise zwei Dotter enthalten) sollte man besser ebenfalls aussondern. Auch Eier mit einem verdickt-erhabenen „Ring" oder marmoriert wirkender Schalenoberfläche sind ungeeignet, aber ohne weiteres essbar.

Wenn man die freie Auswahl hat, kann man nur die sauberen Eier aussortieren; andernfalls lassen sich eventuelle Kotspuren leicht abschaben. Waschen Sie die Eier niemals! Dadurch würde nämlich die natürliche Schutzschicht entfernt, die sich an der Außenseite der Schale befindet, so dass Bakterien ins Innere des Eis eindringen und den

Eine Woche altes Nordholländer-Küken

heranwachsenden Embryo zum Absterben bringen können.

Auch hier gilt die Faustregel „Vorbeugen ist besser als Heilen"! Sorgt man für tadellos saubere Legeboxen, werden die Hennen die Eier kaum beschmutzen.

Am besten markiert man die Eier: so kennt man das genaue Legedatum und (bei mehreren Zuchtstämmen) die Elterntiere. Verwenden Sie dazu einen Bleistift: andere Schreibutensilien könnten giftig sein und durch die poröse Schale das werdende Küken schädigen. Lagern Sie Bruteier bei einer Temperatur von etwa 12 °C an Orten mit nicht zu niedriger Luftfeuchtigkeit und sorgen Sie dafür, dass ihre Lage täglich verändert wird. Kühle Keller eignen sich hervorragend als Lagerplatz. Durch das Wenden der Eier verhindert man, dass der Dotter nach einer Seite „durchhängt", was möglicherweise zu Missbildungen des werdenden Kükens führen kann.

Drehen Sie die Eier bei dieser Prozedur grundsätzlich immer um ihre Längsachse. An einem Tag steht das Ei so mit der Spitze nach oben im Regal beziehungsweise in der Dose, am nächsten hingegen mit dem stumpfen Ende. Auf diese Weise kann man bebrütete Eier ohne Weiteres bis zu zwei Wochen lang erfolgreich lagern. Anschließend nimmt die Lebenskraft ihrer Keimzellen allerdings rasch ab. Nichtsdestoweniger kommt es auch immer wieder vor, dass sogar aus Eiern, die vier (oder gar zwölf Wochen) auf die eben beschriebene Weise gelagert wurden, noch erfolgreich lebensfähige Küken erbrütet werden.

Früh brütenden Rassen kann man auch die Eier anderer Hühner unterschieben.

Blaue Zwerg-Rheinländer-Henne

schiebt, müssen sie einen Tag lang an einem kühlen Ort „ruhen".

Natürliches Brüten

Wie gesagt, kann man die Eier von einer als verlässlich bekannten Rassehenne ausbrüten lassen. Viele Vertreterinnen der sogenannten „Legerassen" sind selten in Brutstimmung oder unzuverlässig, so dass Ihre Anstrengungen nur selten belohnt werden. Zuverlässige „Brüter" sind die Hennen der Rassen Wyandotte, Cochin und Sussex sowie der Seidenhühner (egal, ob Groß- oder Zwerghühner).

Die Sussex-Rasse ist für ihre stets brutwilligen Hennen bekannt.

Die „Zucht" ohne Hahn

Sie können im eigenen Garten auch Küken aufziehen, ohne einen Hahn zu besitzen: dazu braucht man eine Rasse, die ziemlich regelmäßig brutwillig ist und deren Hennen als gute Glucken bekannt sind. Dann kann man bei einem Züchter Bruteier der gewünschten Rassen bzw. des Farbschlages kaufen. Diese sind preiswerter als Küken oder erwachsene Hühner und manchmal sogar gratis zu haben; allerdings kann der Züchter nicht für ihre Befruchtung garantieren.

Das Gleiche gilt für das Geschlecht(erverhältnis) der Küken. Insofern sind Bruteier mehr oder minder „Überraschungspakete". Wenn eine Ihrer Hennen brutwillig ist und schon mehrere Tage auf dem Gelege hockt, können Sie sich bei Züchtern nach Bruteiern erkundigen. Transportieren sie die Eier gut verpackt (z.B. in einem Eierkarton), damit sie nicht zerbrechen. Bevor man sie der Henne unter-

Brahma-Huhn

Sobald eine Ihrer Hennen in Brutstimmung gerät, sollte sie von den übrigen getrennt werden. Dies ist notwendig, weil allzu viel Ablenkung Stress erzeugt, der dem Zuchterfolg wenig förderlich ist. Zur Vorbeugung gegen Milben und Läuse kann man die Henne noch vor der Brut mit entsprechenden Mitteln behandeln. Bieten Sie ihr dann in einem ruhigen, abgedunkelten Raum eine spezielle Legebox an. Wenn das Tier in Stimmung ist, sollte es auf dem Nest hocken bleiben, vor allem, wenn die Umsetzung abends erfolgt.

Hühnerembryo nach 10 Tagen Brutzeit

Als Legenest eignen sich kleine Holzkisten oder stabile Kartons. Legen Sie auf den Nestboden ein sauberes Stück umgedrehten Rasensoden, der leicht feucht sein sollte. So verhindert man das Austrocknen der Eier. Achten Sie darauf, dass keine Steinchen darin verbleiben, da die Eier sonst leicht zerbrechen. Bauen Sie über dem Grassoden ein bequemes Nest aus Stroh und einigen dürren Tabakstängeln: diese erhält man in Zoohandlungen oder landwirtschaftlichen Fachgeschäften. Sie schrecken vor allem Läuse ab. Legen Sie anschließend ein paar Lege-Eier aus Gips ins Nest: man muss nämlich wissen, ob die Henne wirklich schon in Brutstimmung ist. Wenn nicht, besteht Gefahr, dass sie nach einem Tag zu brüten aufhört, während sich die Eier bereits entwickeln. Erst wenn Sie einen ganzen Tag auf den Lege-Eiern sitzen bleibt, kann man ihr die Bruteier unterschieben.

Hühnerembryo nach 15 Tagen Brutzeit

Wie viele dies sein dürfen, hängt von der Größe der Henne (und natürlich auch der Eier) ab. Zwerghuhn-Hennen können im Schnitt fünf bis sechs Eier bebrüten, während

Hühnerembryo nach 20 Tagen Brutzeit

es bei großen Rassen ungefähr elf sein dürfen. Die Henne verteilt die Eier rund um ihre „Wärmequelle", das nun kahle Brustbein. Dabei werden sie elliptisch angeordnet, was bei einer ungeraden Zahl leichter fällt. Wenn immer ein oder zwei Eier neben dem Nest liegen, haben Sie der Henne zu viele anvertraut. Entfernen Sie diese Eier, da sie kaum von der Brutwärme profitieren: beim ständigen Wenden des Geleges würden sie (oder andere) nämlich immer wieder außerhalb des Nestes landen.

Wie man eine brütende Henne versorgt

Normalerweise fressen und trinken die Tiere beim Brüten wenig. Stellen Sie Futter- und Trinkschale etwas vom Nest entfernt auf. Das zwingt die Henne, es zum Fressen und Trinken zu verlassen. Anschließend verrichtet sie ihr Geschäft dann in ausreichendem Abstand. Geben Sie der Henne etwas Mischgetreide zu fressen. Das führt ihr Energie zu, die sie in dieser Phase gut brauchen kann. Vorteilhaft ist auch, dass der Kot etwas kompakter und trockener wird. Dies verringert die Gefahr einer Verschmutzung der Eier.

Eine Henne, die hartnäckig auf dem Gelege hocken bleibt und nie das Nest verlässt, macht es sich unnötig schwer. Dann ist es Ihre Aufgabe, sie täglich vom Nest zu heben und ihr etwas Futter und Wasser anzubieten. Wenn das erforderlich wird, merken sie selbst: es liegt kein Kot außerhalb des Nestes, und das Futter ist unberührt geblieben. Wenn

Sie die Henne aus dem Nest heben, müssen Sie das Tier 20–30 Minuten vom Gelege fernhalten: das ist auch für die Eier besser. Anschließend lässt man das Tier möglichst weitgehend in Ruhe.

Das Schlüpfen der Küken

Hennen bebrüten ihre Eier normalerweise nicht bis zum Schlüpfen; in der Regel tun sie es ungefähr 21 Tage lang. Große Eier brauchen etwas mehr Zeit als kleine. Bei Zwerghühnern schlüpfen die Küken oft schon nach einer Brutzeit von etwa zwanzig Tagen; das hängt unter anderem mit der Masse des Eis zusammen. Ein großes, schweres benötigt zu vollständigen Erwärmung mehr Zeit als ein kleines (das merkt man auch beim Kochen

Frisch geschlüpfte Küken sind noch feucht, trocknen aber rasch.

von Frühstückseiern: kleine sind nämlich viel früher hartgekocht als große). Es empfiehlt sich, die Eier ein wenig anzufeuchten, wenn sie etwa 18 Tage lang bebrütet worden sind. Verwendet Sie dazu am besten eine Blumenspritze. Diese Behandlung erleichtert den Küken später das Schlüpfen.

Etwa am zwanzigsten Tag kann man die Küken schon piepsen hören, ohne sie zu sehen: das liegt daran, dass sie vor dem tatsächlichen Sprengen der Schale die Luftkammer anpicken; wie man beim Pellen gekochter Eier feststellen kann, liegt diese am stumpfen Ende des Eis. Durch ihr Piepsen nehmen die Küken überdies Kontakt mit der Mutter auf: die Tiere erkennen einander an ihrer Stimme.

Um den einundzwanzigsten Tag herum sollten die Küken dann schlüpfen. Sie „zersägen" die Schale mit dem an ihrer Schnabelspitze sitzenden Eizahn. Wenn sie das Ei verlassen, sind sie noch feucht, doch sie trocknen rasch und entwickeln sich zu winzigen Daunenbällen, die bereits selbstständig laufen, piepsen, fressen und trinken können. Die Mutter brauchen sie vor allem als Wärmespender sowie als Schutz vor Regen und Feinden. Außerdem begleitet sie die Küken und dient ihnen in allem als Vorbild.

Sobald die meisten Küken geschlüpft sind, ändert die Henne ihr Verhalten: nun nennt man sie Glucke. Sie beginnt herumzulaufen und führt ihre Küken mit sich umher. Bei Gefahr, Kälte oder Regen können die jungen Küken unter sie kriechen, um in ihrem warmen Daunengefieder Schutz zu suchen. Hält man sehr ruhige, verträgliche Rassen, kann die Glucke manchmal sogar bei den übrigen Hen-

nen bleiben; in den meisten Fällen sollte man Glucke und Küken jedoch besser in einem eigenen Gehege unterbringen.

„Geburtshilfe" – ja oder nein?

Eier, aus denen nach zweiundzwanzig Tagen noch keine Küken geschlüpft sind, wurden entweder nicht befruchtet oder sie enthalten tote Jungtiere. Man sollte diese Eier immer so rasch wie möglich entfernen. Oft wird davon abgeraten, schwachen Küken, die nur mit Mühe aus dem Ei kommen, Beistand zu leisten; vielen Züchtern geht das gegen den Strich. An sich spricht nichts dagegen, einem bestimmten Küken dabei zu helfen, wenn man den Eindruck hat, dass ansonsten alles in Ordnung ist. Sofern sie richtig bebrütet worden sind, sollten gesunde Küken allerdings allein aus dem Ei kommen.

Küken, die Hilfe brauchen, können unter Umständen Mängel aufweisen und/oder irgendwie behindert sein. Sie dürften auf jeden Fall weniger stark und vital sein als ihre Geschwister. Deshalb ist es nur vernünftig, wenn man sie später nicht als Zuchttiere verwendet.

Fütterung und Pflege von Jungküken

Junge Küken brauchen viel Wärme. Sofern die Glucke ihre Aufgabe gut erfüllt, können sie, wenn es ihnen zu kühl wird, zwischen

Manchmal haben Küken Mühe, aus dem Ei zu schlüpfen.

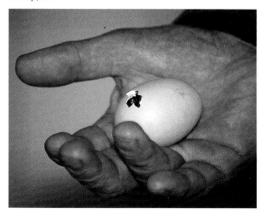

den warmen Daunen der Mutter Schutz finden. Bei sehr strenger Kälte empfiehlt es sich aber, im Stall eine Wärmelampe („Kükenleuchte") aufzuhängen. Es handelt sich dabei um Weiß- oder Rotlichtlampen (letzteren sollte man stets den Vorzug geben). Auch sogenannte „Dunkelstrahler" (Keramiklampen, die nur Wärme abgeben) oder Heizplatten

Bei ihrer Mutter finden die Küken Wärme.

Junge Küken fressen und trinken nach dem Schlupf rasch selbstständig.

Etwa sechs Wochen altes Orpington-Küken.

eignen sich hierfür gut. Die beiden letztgenannten Typen wirken auf die Küken indes natürlicher, da sie kein Licht aussenden, so dass die Tiere ihren normalen Tag-Nacht-Rhythmus beibehalten. Bei Verwendung von hellen Lampen würde nämlich 24 Stunden am Tag gefressen, obwohl Küken und erwachsene Hühner normalerweise bei Dunkelheit schlafen.

Bieten Sie den Küken Spezialfutter in sehr flachen Schalen an, damit sie es gut erreichen. Meist fangen sie erst mit zwei oder drei Tagen an zu fressen. Vorher zehren sie noch von der restlichen Dotterreserve. Trinkwasser spendet man am besten in flachen, direkt auf dem Boden stehenden Schalen. Diese müssen so flach und schmal sein, dass die Küken selbst daraus trinken und nicht hindurch laufen können. Durchnässte Küken werden nämlich rasch krank und ertrinken selbst bei niedrigem Wasserstand leicht. Die Glucke wird ihre Küken in der Regel zum Futter führen und sie zum Fressen und Trinken anleiten. Vollwertiges Kükenfutter – am besten Mehl oder Presslinge, eventuell mit etwas feiner „Kükensaat" – kann man bis zum Alter von etwa sechs Wochen reichen. Dann sind die meisten Küken vollständig befiedert und können Aufzuchtfutter für größere Küken zu sich nehmen. Erst mit ungefähr vier Monaten erhalten sie das gleiche Futter wie erwachsene Tiere.

Bei ruhigen und verträglichen Rassen kann man Küken führende Glucken zu den anderen Tieren lassen, wenn die Kleinen ein bis zwei Wochen alt sind. Meist sollten sie aber getrennt gehalten werden, bis sich die Küken (mit etwa vier bis fünf Monaten) zur Wehr setzen können. Eingewöhnte Gruppen neigen nämlich dazu, auf die Küken loszugehen – oft mit fatalen Folgen. Separate Aufzucht verhindert auch eine Infektion der Küken mit Krankheitserregern, gegen welche die Alteingesessenen resistent sind.

Hahn oder Henne?

Der Unterschied zwischen Hahn und Henne ist bei Eintagsküken für Laien nicht auszumachen. Erst wenn sie heranwachsen, bilden sich äußere Merkmale aus. So tragen Hähne oft den Schwanz etwas höher und sind etwas größer als die Hennen. Außerdem bildet sich ihr Gefieder später als das ihrer Schwestern aus. Mit etwa drei Monaten beginnen viele Hähne schon zu krähen, und die sekundären Geschlechtsmerkmale werden erkennbar. Sie bilden Schmuckfedern (die den Hennen fehlen) und größere Kopfanhängsel aus. Auch zeigen Hähne ein anderes Verhalten: so legen sie durch Scheinkämpfe ihre Rangordnung fest. Es kann länger dauern, bis man das Geschlechtsverhältnis der erbrüteten Tiere kennt.

Eine Ausnahme bilden Küken mit geschlechtsspezifischer Färbung: solche Tiere findet man bei Rassen wie den „Bielefeldern". Auch bei „wildfarbigen" Küken ist der Unterschied sofort zu erkennen: die Hähnchen weisen hinter den Augen dunkle Streifen auf,

während bei den kleinen Hennen der Kopf meist einfarbig gelb ist. Allerdings sollte man sich darauf nicht blind verlassen, da es auch Ausnahmen gibt.

Ältere Küken

Normalerweise nimmt die Glucke die Küken sechs bis sieben Wochen unter ihre Obhut. Oft macht sie sich schon an das nächste Gelege, wenn die Küken dieses Alter erreicht haben. Wenn die Jungen sechs Wochen alt sind, sollte man die Glucke daher wieder zur Zuchtgruppe gesellen und die Küken in einem eigenen Gehege unterbringen.

Mit ungefähr drei Monaten beginnen die Hähne ihr „Anderssein" zu begreifen. Auch wenn sie sich noch nicht völlig im Klaren sind, reicht es aus, um sie – oft den ganzen Tag lang – hinter ihren Schwestern herjagen zu lassen. Das sorgt für große Unruhe und hemmt auch das Wachstum, da viel Energie verschwendet wird. Deshalb sollte man die Hähne in diesem Alter von den Hennen trennen. Kommt es auch unter den Hähnen zu Unruhe, weil sie ständig miteinander kämpfen, empfiehlt es sich, den ausgewachsenen Zuchthahn unter sie zu setzen: Dieser wird als „Herr und Meister" jeden Streit zwischen den „Halbstarken" durch sein natürliches Übergewicht im Zaum halten.

Halten sie die Junghennen unter sich, bis sie sich erstmalig zum Legen anschicken. Das ist – je nach Rasse – etwa im Alter von vier bis fünf Monaten der Fall. Dann kann man die Tiere von Küken- auf Legefutter umstellen

Wildfarbige Eintagsküken: links eine Henne, rechts ein Hahn.

Bei diesen Ancona-Hühnern bildet der Hahn (r.) bereits seine sekundären Geschlechtsmerkmale aus.

Sechs Wochen alte Malaien-Küken.

Wenn der Hahn seine Sporen ausbildet muss der Ring nach oben geschoben werden: dieses Tier wird durch den Ring behindert.

und sie eventuell schon zu den erwachsenen Hennen setzen.

Die Beringung

Hühnerzüchter versehen ihre Tiere meist zur Kennzeichnung ihrer Abstammung mit Kunststoffringen, die über den Fuß geschoben werden: sie tragen neben dem Geburtsjahr auch eine fortlaufende Nummer. Die Beringung erfolgt etwa im Alter von acht Wochen: dann macht sie noch keine Mühe.

Bei älteren Tieren (mit dickeren Füßen) lässt sich der Ring nicht mehr abziehen. Man braucht ihn nur, wenn die Hühner auf Ausstellungen geschickt werden sollen, da unberingte Tiere dort nicht zugelassen werden. Sie empfiehlt sich auch, wenn man als Züchter wissen will, wie alt die Tiere sind oder sie identifizieren muss. Auf diese Weise kann man sie besser nach Verhalten, Legeleistung

und Alter selektieren. Wenn Sie Ihre Hühner jedoch nicht ausstellen wollen, können Sie zur Beringung farbige Plastikringe verwenden, die man im Tierhandel erhält: fragen Sie aber erst bei Vereinen oder Züchtern nach, welche Ringgröße Ihre Rasse braucht, damit sie nicht die falsche wählen: zu weite Ringe behindern die Tiere, weil sie damit überall hängen bleiben; zu enge können ins Fleisch einwachsen, wenn das Huhn größer wird. Praktischer ist es da schon, die „offiziellen" Ringe zu verwenden, da man andere oft nur in einer begrenzten Größenauswahl erhält, so dass u.U. gerade die für Ihre Rasse nötige nicht darunter ist. Da die Tiere den Ring ihr ganzes Leben tragen müssen, ist ein gut passender – also der „offizielle" – die beste Wahl.

Brutapparate

Es gibt Rassen, denen die Brutbereitschaft und die Fürsorge für die Küken förmlich „weggezüchtet" wurden. Dazu gehören bestimmte Legerassen wie die Barnevelder und Leghorn-Hühner. Bei Vertretern dieser Rassen regt sich der Bruttrieb nur selten. Wenn man dennoch Wert auf Nachkommen legt, sollte man die Eier entweder durch andersrassige Glucken oder in einer Brutmaschine ausbrüten lassen. Letztere gibt es in allen erdenklichen Größen, doch sind sie meist recht teuer.

Wer nur ein paar Eier zum Ausbrüten hat, kann besser einen Züchter um Hilfe bitten, der entsprechende Maschinen besitzt. Außerdem gibt es auch gewerbliche und Liebhaber-

Brutapparate

Die Küken schlüpfen etwa am einundzwanzigsten Tag.

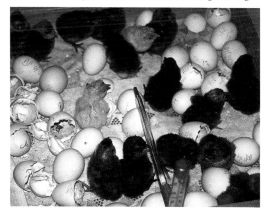

betriebe, die sich auf das Ausbrüten von Eiern für Hobbyzüchter spezialisiert haben. An entsprechende Adressen kommt man über örtliche Geflügelzüchterverbände. Dann bringt man seine Eier dort hin, und etwa drei Wochen später kann man die Küken abholen. In Brutmaschinen gezeitigte Küken brauchen sehr viel Wärme, da ihnen die wärmende Mutterglucke fehlt. Transportieren Sie die Kleinen also in einer geschlossenen Dose und schützen Sie sie unbedingt vor Zugluft, Nässe und Kälte.

Die Pflege künstlich gezeitigter Küken

Zuhause angekommen, bringt man die Küken in einen geschlossenen Raum, in dem eine Wärmelampe, ein Dunkelstrahler oder eine Heizplatte installiert worden sind. Während der ersten Lebenswoche brauchen die Tiere zum Überleben eine Raumtemperatur von etwa 35 °C. Anschließend kann man diese Woche für Woche etwa um 2 °C senken, indem die Heizlampe immer etwas höher gehängt wird.

Oft lässt sich nur schwer feststellen, ob die für die Küken ideale Temperatur herrscht; neben Thermometermessungen gibt das Verhalten der Tiere untrüglich Auskunft: Versammeln sich die Küken im Kreis – mit den Köpfen nach außen – unter der Lampe, ist sie genau richtig. Drängen sie sich hingegen mit in die Höhe gestreckten Köpfen unter der Wärme-

quelle zusammen, ist sie zu niedrig, und man muss die Lampe niedriger hängen. Hocken sie mit aufgesperrten Schnäbeln in den Ecken, ist es eindeutig zu warm.

Selbstverständlich müssen sich die Küken während dieser Phase auch in kühlere Bereiche zurückziehen können. Bringen sie dazu eine Trennwand mit einer Durchlassöffnung an. Wenn die Küken von der Glucke betreut werden, können sie bei Bedarf in deren warme Daunen schlüpfen. So wachsen sie naturnäher auf und entwickeln größere Widerstandskräfte.

Eine Wärmequelle benötigen Küken in der Regel während der ersten sechs Lebenswochen. Danach sind sie meist ausreichend befiedert und kommen mit 20–25 °C aus. Entfernen sie die Wärmequelle nicht von einem Tag auf den anderen, da sich die Tiere allmählich umgewöhnen müssen. Mittels einer Zeitschaltuhr können Sie die Lampe zunächst mitten am Tag – also während der wärmsten Stunden – abschalten; später beschränkt man ihre Betriebszeit auf die kühle Nacht, und schließlich stellt man den Betrieb ganz ein.

Unmittelbar danach neigen Küken oft dazu, sich aufeinander zu hocken, wenn ihnen kalt wird: dabei können einige von ihnen ersticken. Züchter setzen sechs Wochen alte Küken deshalb zur Übernachtung in eine Umfriedung auf einem Gaze- oder Lattenrost. Unter den Küken strömt dabei ständig Luft durch, so dass es nicht zur Überhitzung oder – schlimmer noch – zu Erstickungen kommen kann.

Diese Kiste besitzt einen Durchlass, so dass sich die Tiere nach Wunsch aufwärmen oder abkühlen können.

10 Anatomie und Gefieder

Das Flugvermögen

Hühner gehören zur Ordnung der Vögel (Aves), deren Vertreter sich mit wenigen Ausnahmen (Pinguine, Straußenvögel, Kiwis) durch ihr Flugvermögen auszeichnen. Hühner bewegen sich meist laufend fort. Dass viele Rassen kaum oder gar nicht fliegen, liegt daran, dass man sie gezielt auf einen zahmen bzw. ruhigen Charakter hin selektiert hat, sowie am Umstand, dass viele Rassen im Laufe ihres Domestikationsprozesses immer schwerer wurden. Die Flügel können den zu massig gewordenen Körper infolgedessen nicht mehr tragen. Um das plastisch nachzuvollziehen, braucht man sich nur ein überladenes Flugzeug vorzustellen: je größer die Nutzlast ist, desto länger muss die Startbahn sein, damit es vom Boden abheben kann. Die meisten Hühnerrassen fliegen nur notgedrungen: das kann man auch bei wilden Arten beobachten, die tagsüber am liebsten im Boden, im Gebüsch oder unter der Vegetation umherscharren, während sie nachts zum Schutz vor Raubtieren einen erhöhten Schlafplatz aufsuchen. Dieses Verhalten zeigen auch Haushühner noch: sie wählen zum Schlafen instinktiv die höher angebrachten Sitzstangen aus.

Silbern-wildfarbiger Altenglischer Zwergkämpfer

Das Skelett

Wie viele andere Vogelarten besitzen Hühner ein sehr leichtes Skelett, das aus hohlen Knochen besteht. Glücklicherweise kommen Knochenbrüche bei ihnen äußerst selten vor: die hohlen Röhrenknochen würden nämlich nur schwer oder gar nicht verheilen. Ein Huhn besitzt vierzehn kleine, flexible Halswirbel und kann seinen Kopf daher vertikal und horizontal um 180° drehen. Der Körperbau wird stark vom Brustbein bestimmt: je nach Rasse setzt dort wenig oder viel Fleisch an, so dass die Tiere dicker oder schlanker sind. Auch die Länge dieses Knochens variiert stark: beispielsweise geht der charakteristische Körperbau des Altenglischen Kampfhuhns auf dessen kurzes Brustbein zurück.

Der Schädel

Die Form des Hühnerschädels hängt ebenfalls von der Rasse ab: so besitzen bspw. Kampfhuhnrassen meist kurze, breite Schädel mit ausgeprägten Brauenbögen, während Landhühner etwas längere und schmalere aufweisen. Haubenhuhnrassen wie das Niederländer

Ko-Shamo

Barthuhn oder das Houdan besitzen auf dem Schädeldach eine knöcherne Erhöhung, den sogenannten „Scheitelknauf". Er sorgt für eine Vergrößerung der Schädeloberfläche, so dass dort mehr Federn Platz haben: so entsteht die charakteristische Haube dieser Tiere.

Füße und Läufe

Betrachtet man die Läufe eines Huhnes, so erkennt man den gelenkartigen Übergang vom befiederten Ober- zum beschuppten Unterschenkel. Diese als „Hacken" bezeichneten Gelenke entsprechen unseren Fersen; das „Knie" befindet sich viel weiter oben, nämlich am unteren Ende des Oberschenkels: wenn man ein Huhn aufhebt und eines seiner Beine vorsichtig streckt und anzieht, lässt es sich gut ertasten. Die Zehen sitzen am Ende der Läufe bzw. Unterschenkel: die meisten Hühner besitzen je vier. Drei davon sind nach vorn gerichtet und weit gespreizt, die vierte weist schräg nach hinten: so entsteht eine günstige Standfläche. Manche Rassen – etwa Dorkings, Houdans und Faverolles – besitzen als besonderes Kennzeichen je fünf Zehen. Die fünfte ist eigentlich funktionslos, sitzt neben der vierten an der Innenseite des Laufs und zeigt schräg nach oben. Sie behindert die Tiere allerdings auch nicht. Dieses Merkmal ist – wie andere Rassekennzeichen – im Laufe des Domestikationsprozesses entstanden und beruht auf einer Mutation. Die Unterschenkel und Füße von Hühnern können auch mit Federn besetzt sein. Zu den an Beinen und Füßen nur spärlich befiederten Rassen gehört

Federfüßiges Zwerghuhn

Sporen eines alten Hahns

das Marans-Huhn. Rassen mit üppiger Fußbefiederung und ebenso ausgestatteten Beinen tragen, wenn sie ein festes Gefieder besitzen, auch an den „Fersen" lange, steife Federn, die sogenannten „Geierfersen" (ein Rassemerkmal, das man unter anderem beim Federfüßigen Zwerghuhn und beim Breda-Huhn oder Kraaikop findet).

Die Sporen

Weiter oben am Unterschenkel sitzen vor allem bei Hähnen die Sporen. Dabei handelt es sich um ein männliches Geschlechtsmerkmal, das eigentlich bei allen Hähnen vorhanden sein sollte, gelegentlich aber sogar bei Hennen zu beobachten ist. Es handelt sich um spitze Hornkegel, welche an den hinteren Innenseiten der Unterschenkel sitzen. Die Hähne setzen sie bei Kämpfen um ihren Platz in der Rangordnung ein. Da sie meist nur stumpfe Enden besitzen, können sie normalerweise keine tiefen Fleischwunden schlagen. Früher wurden die Sporen bei Hahnenkämpfen zu gefährlichen Waffen gemacht, in dem man sie spitz zufeilte oder Metallsporen beziehungsweise -klingen daran befestigte.

Diese Gebilde wachsen das ganze Leben lang und können bei älteren Hähnen Ausmaße erreichen, die für das Tier beim Laufen zur Behinderung werden. Wenn dies droht, sollte man sie rechtzeitig (durch einen Tierarzt) kürzen lassen. Das bereitet keine Schmerzen, da sie aus totem Gewebe bestehen. Durchblutet ist nur der kurze Abschnitt am Ansatz. Die Prozedur lässt sich gut mit dem Stutzen der Krallen vergleichen. Wenn Sie sich das nicht zutrauen, sollten sie einen erfahrenen Züchter fragen: er zeigt ihnen, wie es geht.

Die Farbe der Haut und der Beine

Das mit Fleisch besetzte Skelett wird von der Haut umschlossen. Ihre Farbe variiert je nach Rasse: So gibt es weißhäutige (etwa Noord-Holland- und Faverolles-Hühner) und gelbhäutige wie die Cochins. Außerdem kennt man auch dunkelhäutige (von dunkelbraun bis fast schwarz), bspw. die Ardenner und das Seidenhuhn. Ursprünglich als Fleischtiere gezüchtete Rassen haben fast ausnahmslos eine weiße Haut, da die Konsumenten dies appetitlicher finden. Bei gelbhäutigen Rassen sitzt das Pigment in der Oberhaut, wie man an der Farbe der Unterschenkel erkennt: diese sind gelb oder grün. Grüne Läufe beruhen auf einer optischen Kombination von gelb

Silberhalsiger Zwerg-Ardenner

und blau: solche Rassen tragen in der Lederhaut blaue, in der Oberhaut gelbe Pigmente. Zu ihnen gehören etwa der Moderne Englische Kämpfer sowie die Araucana- und Sumatra-Hühner.

Die Kopfanhängsel

Erwachsene Hühner besitzen am Kopf Hautfortsätze, die sogenannten Kopfanhängsel. Unter dem Schnabel sitzen die Kinn- oder

Seidenhuhn

Kehllappen, deren Länge je nach Rasse variiert. An den Schläfen befinden sich die Ohrlappen oder -scheiben, welche den Gehörgang schützen: sie können rot, bläulich oder weiß sein. Ihre Größe ist ebenfalls rasseabhängig. Kampfhühner besitzen kleine rote Ohrlappen, Minorka- und Java-Hühner hingegen große weiße. Unter dem Schnabel sitzt bei manchen Rassen zwischen den Kehllappen ein weiterer Hautlappen, die sogenannte „Wamme". Sie gehört zu den Kennzeichen der Brahma- und Shamo-Hühner. Rund um die Augen ist die Haut unbehaart; bei gesunden Hühnern sollte diese Partie rot und gut durchblutet sein. Bei Tieren mit bleicher Kopfhaut ist dies nicht der Fall: Anzeichen für eine geschwächte Kondition.

Kammformen

Auf dem Scheitel befindet sich der Kamm, der verschiedene Formen besitzen kann. Zu den bekanntesten zählen:
- Der Einzelkamm, wie man ihn von Hennen der Brakeler- und Leghornrassen kennt. Er ragt vertikal auf und besitzt eine Anzahl Zacken, die sogenannten „Kammzähne". Je nach Rasse können sich größere Kämme bei legenden Hennen im hinteren Teil zur Seite neigen.

Zwerg-Hamburger mit Rosenkamm

Brabanter-Hahn mit Hörnchenkamm

- Der Rosenkamm, der unter anderem bei Wyandotte-Hühnern vorkommt. Diese niedrige, breite Variante besitzt keine Za-

Zwerg-Friesen-Hahn mit Einzelkamm

cken. Hinten läuft er in einen sogenannten „Kammdorn" aus. Je nach Rasse passt sich seine Biegung der des Halses an, oder er ragt geradewegs nach hinten.

- Der Hörnchenkamm kommt bei einigen Haubenhühnern und nah verwandten Rassen vor. Er besteht aus einem Paar aufrechter oder schräg nach hinten zeigender „Hörnchen" und ist ein bekanntes Kennzeichen des französischen La-Flèche-Huhns, das man deshalb auch „Teufelskopf" nennt.
- Der Walnusskamm verdankt seinen Namen der Ähnlichkeit mit einer halbierten Walnussschale. Ihm fehlen die Zacken. Dieser Kamm ist vor der Stirn angeordnet und findet sich u. a. beim Malaien-Huhn.
- Der Dreireihige Kamm ist ein Merkmal

Rheinländer-Hahn mit Rosenkamm

Kraienkopp (Twenter-Huhn)

mehrerer Kampfhuhnrassen und des Brahma-Huhns. In seiner reiner Form besteht er aus einer „Basis" mit drei Reihen kurzer, niedriger Zähne. Die mittlere Reihe ist etwas höher als die seitlichen. Diese Kammform ist mit dem Einzelkamm verwandt.

- Der Blätter- oder Becherkamm: er ist mit dem Einzel- und dem Hörnchenkamm verwandt und besteht aus zwei Einzelkämmen, welche bei dieser Kammform am Anfang und Ende miteinander verwachsen sind. Ist dies nur vorn der Fall, spricht man von einem Blätterkamm. Der Becherkamm kommt u.a. beim Sizilianischen Becherkammhuhn vor, der Blätterkamm beispielsweise beim Französischen Houdan.
- Der Kreuzkamm ist eine Variante, die man bei einigen spanischen Rassen antrifft: am hinteren Ende des Kammes – auf dem „Blatt" – finden sich zwei hakenartig abstehende Hautlappen; betrachtet man die Tiere von hinten, bilden sie zusammen mit dem Hauptkamm ein Kreuz.

Das Gefieder

Die Redensart „Kleider machen Leute" gilt nicht nur beim Menschen, sondern trifft auch auf Hühner zu. Die Federn bestimmen nicht nur die Farbe, sondern zum großen Teil auch die Statur des Tieres. So wirken Rassen mit befiederten Läufen ganz anders als solche mit „nackten". Nicht alle besitzen gleich viele Federn: daher besteht ein großer Unterschied zwischen einem Sultanhuhn mit Schopf, Bart und Fußbefiederung und dem „Nackthals" mit seinem völlig kahlen Hals. Die Form der Federn ist auch je nach Körperteil und Geschlecht sehr verschieden: so sind die Schwungfedern sehr lang, breit und steif, da sie den Körper beim Fliegen tragen müssen. Daunenfedern hingegen sind sehr kurz und von weicher Struktur: sie dienen dem Körper als Wärmeisolierung; ihre Anzahl ist stark rasseabhängig: Kampfhühner besitzen nur wenige. In Fachkreisen spricht man von „knapp befiederten" Tieren. Cochin- und Wyandotte-Hühner wiederum besitzen ein üppiges Daunengefieder und wirken daher viel

Indischer Kämpfer mit der für Kampfhühner typischen knappen Befiederung.

größer, als sie tatsächlich sind. Eine steife Struktur besitzen die Schwanzfedern, welche je nach Rasse kürzer oder länger ausfallen können. Orpingtons besitzen beispielsweise sehr weiche Schwanzfedern, während sie beim Leghorn-Huhn lang und steif sind. Die Federn auf Brust, Rücken und Schultern sind in der Regel kurz, breit und an der Spitze abgerundet. Sie überlagern einander dachziegelartig, lassen die Regentropfen ablaufen und halten so die Daunen trocken. Das Halsgefieder besteht aus weichen, langen und schmalen Elementen.

DER AUFBAU DER FEDER

Aufgrund ihrer typischen Struktur weisen die Federn normalerweise eine geschlossene Oberfläche auf; jede einzelne besteht aus einem Kiel, an dem beiderseits die sogenannten „Federfahnen" ansetzen. Diese wiederum bestehen aus mit Widerhäkchen versehenen „Strahlen", die so ineinander greifen, dass die Fahnen eine feste Struktur erhalten. Durch Mutation sind bei Hühnern verschiedene Federvarianten entstanden: zu den bekanntes-

Orpingtons besitzen sehr viele Daunenfedern.

Zwerg-Seidenhuhn

ähneln Haaren. Diesen Federtyp findet man bei Seidenhühnern und seidenfiedrigen Chabos. Eine andere Mutation führt dazu, dass sich der Schaft krümmt: auf diese Weise entstehen krause Federn. Beispiele dafür sind die krausfiedrigen Haubenhühner sowie die Chabos des gleichen Typs.

DIE SCHMUCKFEDERN DES HAHNS

Männliche Tiere besitzen neben den bereits genannten auch Schmuckfedern. Sie finden sich am Hals, auf Schultern, Rücken und Sattel sowie am Schwanz. Jene an Hals und Sattel sind eher weich, von schmaler, länglicher Form und glänzen intensiv. Die Schulter- und Rückenfedern des Hahns sind meist dreieckig. Mitten auf den Flügeln sitzen zwischen Schulter- und Schwungfedern zwei Reihen kurzer, breiter, stark abgerundeter Federn, welche das sogenannte „Flügelband" formen. Am Schwanz endlich finden sich die Haupt- und Nebensicheln. Erstere sind sehr breit und lang: davon besitzt jeder Hahn eine pro Schwanzseite. Diese überragen (je nach Rasse) die Nebensicheln um einiges und sind meist stark gekrümmt. Außerdem besitzt der Hahn eine Anzahl kürzerer, schmalerer „Nebensicheln", welche die Stoßfedern bedecken. Ihre genaue Zahl ist ebenfalls rasseabhängig. So besitzen Malaien-Hähne nur wenige (über-

Blauweiß-geperlter Ancona-Hahn

ten gehören jene der Seidenhühner. Hier sind die Widerhaken so umgebildet, dass sie nicht mehr ineinander greifen. Dadurch sind die Federfahnen nicht mehr geschlossen, sondern

Zwerg-Paduaner-Hahn

dies schmale und kurze), während Yokohama-Hähne ungewöhnlich viele und sehr lange aufweisen. Ihren besonders langen Haupt- und Nebensicheln verdankt die Rasse den Namen „Langschwanzhuhn".

Hauben und (Backen-)Bärte

Trägt ein Huhn auf dem Scheitel ausschließlich aufrecht stehende Federn, spricht man von einer „Haube". Die Federn der Haube sind beim Hahn wie die Halsfedern geformt, also lang und schmal, bei der Henne hingegen kürzer und breiter. Dadurch besitzt der Hahn eine schmalere, stärker nach hinten gerichtete Haube als die Henne. Die Größe der Haube ist rasseabhängig: so besitzen Holländische Haubenhühner große, üppige und rundliche Hauben, die einem „Scheitelknauf" entspringen. Hühner können auch einen sogenannten „Bart" haben: so bezeichnet man ein Federbüschel an der Kehle. „Bärtige" Rassen besitzen keine oder nur kleine Kinnlappen.

11 Farb- und Zeichnungsmuster

Verschiedene Farben und Zeichnungen

Die Fülle der Farb- und Zeichnungsvarianten bei Hühnern ist enorm. Manche sind an bestimmte Rassen gebunden, während andere bei vielen vorkommen. Um einen kleinen Einblick in diese große Vielfalt zu geben, behandeln wir sie gruppenweise. Wir erheben keinen Anspruch auf Vollständigkeit, da es unzählige Varianten gibt. Es werden also nur die bekanntesten und häufigsten behandelt. In den Rassenbeschreibungen finden Sie weitere rassetypischen Eigenheiten. Die Einteilung nach Farbgruppen basiert auf dem äußeren Eindruck. Nach genetischen Kriterien käme man zu einem ganz anderen Schema.

WILDFARBIG, WILDFARBIG-BUNT UND WEIZENFARBIG

Zeichnung und Grundfarbe der wild- oder rebhuhnfarbigen Gruppe entsprechen noch weitgehend der Wildform des Bankiva-Huhns. Viele Menschen stellen sich so den typischen Hahn vor: diese Hähne sind ausgesprochen farbenprächtig. Brust und Schwanz sind tiefschwarz mit grünen Glanzlichtern, Hals und Sattel orangerot mit grauschwarzen Längskielen auf jeder Feder, Schultern und Rücken dunkelrot. In der Flügelmitte verläuft ein schwarzes, grünlich glänzendes Band. Der Saum des körpernahen Flügelabschnitts ist warmbraun. Diese Zone zieht sich bis zum Flügelband hin. Entsprechende Hennen sind weniger auffällig: ihre Grundfarbe ist eher graubraun, die Brust intensiv lachsrosa. Rücken, Schultern und Sattel sind ebenfalls graubraun. Auf den graubraunen Federn finden sich zahlreiche grauschwarze Punkte („Pfeffermuster"). An die Stelle von Schwarz können auch Blau, Perlgrau, Weiß oder die „Sperberung" treten. Die braunen Federabschnitte können durch Zuchtwahl auch weiß, gelb oder rotbraun werden; so entstehen allerlei Farbkombinationen, bspw. blau-, silber-, gelb- oder gesperbert-wildfarbig. Außerdem kann man einen bestimmten Farbfaktor hineinzüchten: dadurch bilden sich auf den Federn feine weiße Sprenkel. Diesen Farbschlag nennt man wildfarbig-bunt.

Wenn bei beiden Geschlechtern die schwarze Zeichnung an Hals und Sattel „weggezüchtet" wird und auch das „Pfeffermuster" der Hennen durch Zuchtwahl verblasst, erhält man ein Zeichnungsmuster, das als „weizenfarben" bekannt ist. Auf dieser Grundlage hat man Varianten gezüchtet, bei denen Schwarz durch Blau, Perlgrau, Weiß oder die „Sperberung" ersetzt wurde. Neben der Standard-Wildfarbe und wildfarbig-bunt gibt es eine weitere Variante, die gesäumt- oder asiatisch-wildfarbige: hier ist das Pfeffermuster nicht mehr über die ganze Feder verteilt, sondern auf ein Band am Rande beschränkt. Sie findet sich bei den Brahmas, Wyandotten und Cochins.

Wildfarbige Kraienkopp-Hennen (Twenter)

Mehrfachgesäumt wildfarbige Wyandotte-Hennen

DIE „WACHTELFARBE"

Typisch für belgische Rassen ist die genetisch mit der Wildfarbe verwandte sogenannte Wachtelfarbe: die betreffenden Hähne sind goldbraun mit überwiegend schwarzem Hals und schwarzem Schwanz. Die Sattelfedern sind samtschwarz mit goldbraunem Saum, Schultern und Flügel goldbraun. Beim Sprei-

Wachtelfarbige Bassette-Henne

Silbern-wachtelfarbiger Brabanter-Hahn

zen der Flügel wird auf den Schwungfedern eine schwarze Zeichnung sichtbar. Die wachtelfarbene Henne hat ein warm goldfarbenes Brustgefieder. Die Federn auf Schultern und Rücken sind samtschwarz mit schmalen goldenen Rändern, ihre Spitzen hingegen schwarz. Genauso sind bei wachtelfarbigen Hennen die Halsfedern gefärbt. Wie im Falle der „Wildfarbe" gibt es auch hier verschiedene Varianten der schwarzen Zeichnung: diese kann schwarz, blau, weiß oder perlgrau sein. Die goldbraune Farbe kann mit Weiß oder Zitronengelb vermischt sein. So entstehen neue Farbtöne, die z.B. als blau-, silber-, weiß-, perlgrau- oder weiß-zitronen-wachtelfarbig bekannt sind. Besonders beliebt ist die Wachtelfarbe bei den Antwerpener Bartzwergen, doch werden auch Ukkelsche Bartzwerge, Bassetten und Brabanter Bauernhühner in dieser Farbe gezüchtet.

„GESÄUMTE" FARBSCHLÄGE

Einige Rassen wie Zwerg-Sebrights, Barnevelder- und Wyandotte-Hühner werden häufig in dem Zeichnungsmuster „doppeltgesäumt" gezüchtet. Eine golden-schwarzgesäumte Henne

Weizenfarbige Sulmtaler-Henne

hat goldbraune Federn mit einem schönen schwarzen, rundumlaufenden Saum. Der Hahn zeigt diese Zeichnung an der Brust und an den Flügelbändern. Die Schmuckfedern auf seinen Schultern sind goldbraun, jene an Hals und Sattel hingegen schwarz mit goldbraunem Saum. Wenn sich im inneren Bereich der Federfahne noch ein weiterer Saum findet, spricht man von „doppeltgesäumten" Federn. Solche kommen nicht nur bei Barneveldern, sondern z. B. auch beim Indischen Kämpfer vor. Auch hier gibt es zahllose Varianten von Goldbraun und Schwarz. Man kennt bspw. auch silbern-schwarzgesäumte (silberweiße Federn mit schwarzem Saum), golden-blaugesäumte (goldbraun mit blaugrau), gelb-weißgesäumte (gelbbraun mit weiß), zitronen-schwarzgesäumte (hellgelb mit schwarz) und silbern-blaugesäumte (weiß mit blau) Tiere.

COLUMBIA, LAKENFELDER UND „WEISS MIT SCHWARZEM SCHWANZ"

Früher war dieses Muster auch als „Herme-

lin" bekannt, weil es an die mit den Pelzen dieser Wiesel verbrämten Königsmäntel erinnerte. Die Grundfarbe von columbia Tieren ist weiß, mit einer schwarzen Zeichnung an den Körperenden: folglich besitzen die weißen Schwanz- und Halsfedern schwarze Säume. Nimmt der schwarze Farbton am Hals zu, so dass er fast vollständig schwarz wird, so spricht man von der sogenannten Lakenfelder-Zeichnung, die auch bei der gleichnamigen deutsch-niederländischen Rasse vorkommt. Werden die Tiere nicht auf einen hohen Schwarzanteil am Hals, sondern auf ein möglichst weitgehendes Vorherrschen weißer Federn selektiert, erhält man Tiere mit rein weißen Hälsen und schwarzen Schwanzfedern, die als Weiße Schwarzschwänze bekannt sind und etwa beim Zwerg-Chabo vorkommen. Sowohl beim Columbia- als auch beim Lakenfelder-Typus sind die Schwungfedern schwarz-weiß gezeichnet. Das erkennt man allerdings nur, wenn die Tiere ihre Flügel spreizen: geschlossen wirken diese weiß. Wie

andere Zeichnungstypen können auch Columbias, Lakenfelder und Weiße Schwarzschwänze in verschiedenen Varianten auftreten. An die Stelle der weißen Partien treten dann bspw. goldgelbe, so etwa die vor allem bei Brahmas und Wyandotten vorkommende Spielart „Gelb-Columbia" oder die von den Vorwerk-Hühnern bekannte Variante „Gold-Lakenfelder". Die schwarzen Zeichnungselemente können auch blau ausfallen. Durch unterschiedliche Farbkombinationen kommt es zu den Varianten „columbia blaugezeichnet", „gelb-columbia blaugezeichnet", „gelber Blauschwanz" und „Blauer Lakenfelder".

BIRKENFARBE UND SILBERHALS
Eng verwandt mit dem Columbia-Typus ist seine „Negativform", bei der die schwarzen Partien weiß sind (und umgekehrt): Schwanz und Hals fehlt die weiße Zeichnung: ersterer ist rein schwarz, während die schwarzen Halsfedern schmale weiße Säume besitzen. Schultern und Sattel des Hahns sind silberweiß. Diesen sogenannten „Silberhals"-Typ findet man u.a. beim Ardenner-Huhn. Bei einer Variante desselben haben die schwarzen Brustfedern silberweiße Säume. Diesen u.a. beim Modernen Englischen Kämpfer vorkommenden Farbschlag nennt man „birkenfarbig". Tritt an die Stelle der silberweißen Farbe

Silberhalsige schwanzlose Ardenner-Henne

Goldgelb, werden die Tiere als „golden-birkenfarbig" oder „goldhalsig" bezeichnet. Wird das Schwarz durch Blaugrau verdrängt, nennt man das Resultat blau-goldhalsig oder blau-birkenfarbig. Eine Variante von goldhalsig, bei der das intensive Gelb eher kupferfarbig wirkt, finden wir beim Marans: diesen Farbschlag nennt man „kupfer-schwarz".

PORZELLANZEICHNUNG, LACKUNG UND TUPFENZEICHNUNG
Die sogenannte „Porzellanzeichnung" ist bei manchen Rassen sehr beliebt, bspw. beim Sussex- und Orloff-Huhn, dem Federfüßigen Zwerghuhn und dem Antwerpener Bartzwerg. Kennzeichen dieser Zeichnung sind die dreifarbigen Federn: die Grundfarbe ist braungelb; am Ende jeder Feder sitzt ein

Porzellanfarbiger Federfüßiger Zwerghahn

Silbern-schwarzgetupfte Brabanter-Henne

Porzellanfarbige Antwerpener Bartzwerg-Henne

ziemlich großer, rundlicher Fleck, der sogenannte „Tupfen". Innerhalb dieser schwarzen Zone findet sich nahe der Spitze ein weißer Fleck, die sogenannte „Perle". Solche Federn finden sich auf dem ganzen Körper der Henne. An den Schwanz- und Schwungfedern wirkt diese Zeichnung etwas anders, doch das liegt an der viel größeren Länge dieser Federn. Bei der „Porzellanzeichnung" können sowohl die braungelbe Grundfarbe als auch die schwarze Zeichnung durch andere Töne ersetzt werden: sind die normalerweise schwarzen Partien blau, spricht man von „blau-porzellanfarbig". Dieser Farbschlag kommt beim Federfüßigen Zwerghuhn vor. Bei weißer Grundfarbe heißen die Tiere „silbern-porzellanfarbig". Die Federn „gelackter" Hühner gleichen denen porzellanfarbener; es fehlt lediglich die weiße „Perle". Der Farbschlag „goldlack" kommt häufig beim Hamburger Huhn vor. „Getupft" ist eine Variante von „gelackt": hier sind die Flecken nicht kreisrund, sondern eher halbmondförmig. Den Farbschlag „getupft" trifft man u. a. beim Brabanter-Huhn an. Natürlich sind auch hier Abwandlungen möglich: tritt Weiß an die

Stelle von Goldbraun, entsteht die Variante silbern-schwarzgetupft. Wird bei golden-schwarzgetupften Hühnern das Schwarz durch Weiß ersetzt, erhält man golden- oder gelb-weißgetupfte Tiere.

DIE FLOCKUNG

Die „geflockte" Zeichnung findet sich bei einer ganzen Anzahl alter Landhuhnrassen. Sie verdankt ihren Namen dem Erscheinungsbild der Hennen: Auffällig sind hier mehrere schwarze Flecken auf den Brust-, Rücken- und Schulterfedern. Sie finden sich stets auf beiden Hälften der Fahne. Je nach Rasse gibt es zwei bis fünf Paare. So entsteht die Flockenzeichnung: Nicht nur die Zahl, auch die Form der Flockenpaare kann je nach Rasse variieren. So besitzen Friesische Hühner kleine, deutlich abgesetzte weizenkornförmige Flocken. Bei der Groninger Möwe sind es zwei bis drei eher rechteckige Paare. Beim Brakeler Huhn gehen die Flocken jedes Paares ineinander über und bilden so auf der Fahne Querbinden.

Den Hähnen fehlt diese Zeichnung meist. Hier dominiert überwiegend die Grundfarbe

Zitronengelb geflockte Hamburger-Henne

111

Gesperberte Rheinländer-Henne

der Feder. Die Schwanzpartie ist schwarz, die Sicheln sind manchmal gesäumt. Bei goldbraunem Grundton und schwarzer Streifung spricht man von „golden geflockt", bei silberweißer Grundfarbe von „silbern geflockt". Die Zeichnungselemente können auch andersfarbig sein, etwa blau oder weiß. So entstehen Varianten wie golden-blau geflockt oder gelbweiß geflockt. Letztere beruht hauptsächlich auf einem optischen Effekt: Zusammen mit einer schwarzen Zeichnung wirkt die goldbraune Grundfarbe dunkler als mit einer weißen. Daher nennt man diesen Farbschlag gelb-weiß geflockt statt golden-weiß geflockt.

GESPERBERT UND GESTREIFT
Von „gesperbert" spricht man, wenn sich auf schwarzem Grund weiße Binden finden, so dass sich beide Farben auf ein und derselben Feder abwechseln. Die Abgrenzung erfolgt nicht sonderlich scharf. Ein bekannter Vertreter dieser Zeichnung ist das Noord-Holland-Huhn. Dort ist der dunkelgraue Ton heller als bei anderen Rassen, so dass die Tiere aus größerem Abstand blaugrau wirken. Früher

Gestreifte Wyandotten, Henne und Hahn

waren diese Tiere daher auch als „Noord-Hollandse Blauwe" bekannt. Infolge der Selektion auf kontrastreichere Ausprägung der

dunklen und hellen Binden sind jene nun bei einigen Rassen schmaler und schärfer abgegrenzt. So entstand eigentlich eine Streifen-

Schmutzigweißes Huhn

zeichnung, die sich sogar an den Daunen der Federbasis findet. Ein bekannter Vertreter dieser Zeichnung ist das Amrock-Huhn.

EINFARBIG

Zu dieser Gruppe gehören alle nicht oder kaum gezeichneten Farbschläge, die oben als „Grundfarben" erwähnt wurden, also Farbtöne wie schwarz, weiß, perlgrau oder blau, aber auch das als „gelb" bekannte Hellbraun. Schwarz und Weiß erklären sich eigentlich selbst.

Blau ist bei graublauen Hühnern als Aufhellung von Schwarz zu werten. Solche Tiere werden sowohl mit einem dunkleren Federrand (dem sogenannten Saum) als auch ohne denselben gezüchtet. Die blaue Färbung vererbt sich intermediär: kreuzt man zwei blaue Hühner, hat etwa die Hälfte ihrer Küken die Farbe der Eltern, die andere nicht: diese Tiere sind schwarz oder weiß mit dunkleren, gräulichen Flecken. Man bezeichnet diesen weißen Farbschlag als „schmutzigweiß". Paart man derartige Tiere, sind die Küken durchweg blau gefärbt. Perlgrau – ein sehr heller und duftiger Farbton – ist ebenfalls ein aufgehelltes Schwarz. Gelb hat mit Schwarz und Weiß nichts zu tun. Es handelt sich dabei um einen ockerartigen Farbschlag, bei dem Flügel und Schwanz ursprünglich teilweise schwarz gezeichnet waren. Durch gezielte Selektion verschwand die schwarze Farbe praktisch vollständig, und man erhielt einheitlich ocker Tiere. Genetisch sind solche Hühner daher keine einfarbigen Tiere, sondern eher Varianten des Columbia-Faktors. Sehr beliebt ist dieser Farbschlag u. a. bei den Orpingtons.

Farbe und Küken

Zwischen der Farbe der Küken bis zum ersten oder zweiten Federwechsel und jener der erwachsenen Hühner bestehen große Unterschiede: Erstere weisen bei sehr vielen Rassen zunächst einen Weißanteil auf, der oft nach der zweiten Mauser ganz verschwindet. So besitzen gelbe Tiere als Küken teilweise weiße Schwungfedern, die sich bei den Alten nicht mehr finden. Auch das Ausmaß der Pigmentierung beeinflusst die Farbe der Küken vor der ersten Mauser: so sind die Küken von schwarzen Eltern mit dunklen Füßen in der Regel rein schwarz gefärbt, während jene von schwarzen Eltern mit gelben Beinen bis zur ersten Mauser zahlreiche weiße Federn besit-

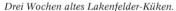

Drei Wochen altes Lakenfelder-Küken.

zen, also gescheckt sind. Bei erwachsenen Tieren verliert sich das meist völlig.

Farbe und Geschlecht

Auch das Geschlecht beeinflusst die Jugendfärbung der Küken. Sehr junge Hähnchen sehen noch wie Hennen aus, weil sie in diesem Alter noch keine Schmuckfedern besitzen. Diese kommen erst nach der zweiten Mauser zum Vorschein und machen den Hahn deutlich als Männchen erkennbar. Junghähne der meisten „gezeichneten" Farbschläge tragen in ihrer Jugend das gleiche Federkleid wie die Hennen: so besitzen wildfarbige Junghähne die gleiche Schulterzeichnung („Gepfefferte" Federn) wie ihre Schwestern. Ihr Brustgefieder ist recht bunt gezeichnet. Erst bei erwachsenen Tieren bilden sich die karminroten Schulterfedern, und die Brust färbt sich reinschwarz um. Dieses Federkleid tragen die Hähne bis zum Tode, doch werden die Federn bei älteren Tieren weniger üppig gebildet: so werden die „Sicheln" eines wildfarbigen Hamburger-Hahns nach der ersten Mauser (mit einem Jahr) durch kürzere ersetzt. Außerdem bilden die Tiere weniger Nebensicheln, so dass der Schwanz insgesamt bescheidener ausfällt.

Farbe und Lebensalter

Bei vielen Tierarten verrät die Färbung, ob wir es mit ziemlich jungen oder schon älteren Exemplaren zu tun haben. Bei Hühnern ist das nicht ganz so einfach: manche Farbschläge werden stark vom Lebensalter beeinflusst; dies gilt u.a. für alle Varianten mit dem „Buntfaktor", z.B. „porzellanfarbig" oder „schwarzweißgeperlt". Dort haben Jungtiere bis zum ersten Federwechsel nur wenige oder gar keine weißen Flecken. Nach der ersten Mauser zeigen sich dann zahlreiche kleine weiße Flecken (manchmal nur in bestimmten Zonen). Nach jeder herbstlichen Mauser werden diese etwas größer und stets zahlreicher. Die Tieren wirken dadurch zunehmend „weißer". Zu den im Laufe des Lebens veränderlichen

Farben gehören auch Gelb und Blau, doch ist die Veränderung hier nur vorübergehender Art: sie beruht auf Verschleiß und Witterungseinflüssen, und nach der nächsten Mauser strahlen die Federn wieder im alten Glanz. Durch die Sonneneinstrahlung verblassen die empfindlichen Pigmente, was gut an der nun uneinheitlichen Färbung zu erkennen ist. Später gebildete Federn – nicht alle werden gleichzeitig erneuert – sind intensiver gefärbt als die ausgebleichten älteren. Wenn die Tiere direkt aus dem Regen in die Sonne laufen, vollzieht sich der Prozess noch rascher, da Wassertröpfchen auf den Federn wie Brenngläser wirken. Sie zerlegen das Sonnenlicht in seine Spektralfarben, so dass sich die feuchten Federn rasch verfärben. Dieser zeitweiligen Umfärbung kann man durch eine angepasste Unterbringung vorbeugen. Die Farbschläge gelb und blau sind angeblich weniger empfindlich, wenn sich die Hühner nicht in der prallen Sonne, sondern im Schatten aufhalten und man sie bei Regen nicht ins Freie lässt.

Schwarz-silbern geperlte Ancona-Henne

12 Ausstellungen

Ausstellungen und Vereine

Viele Hühnerfreunde haben schon durch die bloße Haltung und die tägliche Pflege viel Freude an ihren Tieren. Anderen bereitet es hingegen Vergnügen, schöne Exemplare zu züchten, die nach Körperbau, Farbe und Zeichnung (oder indem sie wohlgeformte Eier legen) einem fest umrissenen Rassestandard entsprechen. Solche Leute schließen sich in Kleintier- und Rassezüchterverbänden zusammen. Deren Ziel besteht darin, regelmäßige Kontakte mit anderen Liebhabern aufzubauen und anschließend Ausstellungen zu organisieren. Auf diesen kann man zwar Preise gewinnen, doch ist das nicht der Hauptzweck. Diese Auszeichnungen haben nämlich meist nur einen symbolischen Wert, so dass die freundschaftliche Atmosphäre im Verein stets erhalten bleibt. In erster Line sollen derartige Veranstaltungen nämlich ein interessiertes Publikum über die zahlreichen schönen Rassen, Farben und Eierformen informieren sowie Vergleiche zwischen Tieren und/oder Eiern ermöglichen.

Preisrichter

Diese Vergleiche stehen im Mittelpunkt der Ausstellungen. Um die Rassequalitäten eines Huhnes möglichst objektiv zu beurteilen, werden Preisrichter ernannt. Sie müssen eine intensive Schulung absolvieren, für die jährlich Prüfungen abgehalten werden. Nach erfolgreichem Abschluss ist der frischgebackene Preisrichter dann befugt, eine Rasse zu beurteilen. Dabei werden die Hühner anhand genau festgelegter Rassen- und Färbungsstandards verglichen. Das abschließende Urteil wird auf einer Beurteilungskarte vermerkt und führt zu einem Prädikat. Dieses System findet – mit kleineren Abweichungen – weltweit Anwendung. Die größten Unterschiede bestehen dabei hinsichtlich der Qualifikation der Preisrichter: in Ländern wie den Niederlanden, Deutschland und Belgien gibt es Kurse und anschließende Prüfungen, während etwa in England jeder hinlänglich erfahrene Züchter ohne vorausgehendes Examen zum Preisrichter bestellt werden kann. Jeder Züchter hofft, eine der heißbegehrten Trophäen zu erringen.

Weißer Zwerg-Hamburger-Hahn

Jeder Züchter gibt sich Mühe, eine der heiß begehrten Trophäen zu erringen.

Zwerg-Brabanter-Küken

Wettbewerbe

Für Hühnerzüchter sind Wettbewerbe meist der Höhepunkt der Saison. Nach Zusammenstellung des Zuchtstamms und sorgfältiger Aufzucht der Küken erwarten sie mit Spannung, ob die Tiere tatsächlich weitgehendst dem Rassestandard entsprechen. Außerdem kann man sie dort mit den Zuchtresultaten befreundeter Kollegen vergleichen. Dieser interne Wettbewerb, das Urteil der Preisrichter und die abschließenden Bewertungen haben dazu beigetragen, dass die meisten alten Hühnerrassen auch heute noch in gutem Zustand

sind. Derartige Ausstellungen werden in der Regel dann veranstaltet, wenn sich die Hühner in ihrem schönsten Kleid präsentieren, also im Herbst und im Winter. Jungtiere sind dann – mit fünf bis sechs Monaten – ausgewachsen, während „vorjährige" im Oktober/November bereits erneut ihr Gefieder gewechselt haben.

Regionale, landesweite und internationale Ausstellungen

Von Anfang Oktober bis Anfang Februar hält fast jeder regionale Züchterverein seine eigene Ausstellung ab. Dort kann man neben verschiedenen Hühnerrassen in der Regel Kaninchen, Meerschweinchen, Kleinnager und Tauben bewundern. Ferner gibt es eigene Organisationen, die landesweite Ausstellungen veranstalten, auf denen man Tausende von Tieren zu sehen bekommt. Wer sich einen umfassenden Einblick in das Thema „Hühnerzucht" verschaffen will, muss schon eine größere Ausstellung besuchen. Dort bieten meist auch die Rassezuchtverbände Informationen über „ihre" Rasse(n) an. Außerdem trifft man dort auch Hersteller von Futter und

Auch das Bemalen von Eierschalen ist ein Hobby für sich.

Gesperberte Watermaalsche Bartzwerg-Henne

Brutmaschinen, Fachliteratur und andere notwendige Artikel wie Futter- und Trinkschalen.

Schönheitspflege

Hühnerausstellungen sind im Grunde Schönheitskonkurrenzen. Die Züchter bemühen sich, ihre Tiere so vorteilhaft wie möglich zu präsentieren. Es reicht nicht aus, ihnen erst ein paar Tage vorher mehr Aufmerksamkeit zu widmen: vielmehr muss man das ganze Jahr auf die Ausstellung hinarbeiten. Durch sachgerechte Pflege und Unterbringung erreicht man, dass die Federn in tadellosem Zustand und unbeschädigt sind. Ist dies nicht der Fall, werden die Federn ein paar Tage vorher sorgfältig gewaschen. Ein wenig Extrafutter sorgt für leuchtend rote Kämme und (etwa bei Wyandotte-Hühnern) für strahlend gelbe Beine.

Züchter achten außerdem auf das Geburtsdatum, bevor sie Tiere auf eine Ausstellung schicken: Leghorn-Hühner müssen bspw. einen „umgelegten" Kamm besitzen, da dieser als Rassemerkmal gilt. Zu junge und noch nicht legende Hennen haben meist nur kleine, aufrecht stehende Kämme. Der Züchter wird die Brutsaison daher so ansetzen, dass sie nicht mit dem Legen anfangen, wenn gerade wichtige Ausstellungen anstehen.

Eier-Ausstellungen

Auf den oben beschriebenen Ausstellungen drehte sich bis vor wenigen Jahren noch alles um die äußeren Rassemerkmale der Hühner. „Dank" der heutigen Wohnungsbaupraktiken vermögen die meisten Menschen keinen Hahn bei ihren Hennen zu halten. Diese Per-

Eierwettbewerb

sonengruppe kann also keine Zuchtstämme mehr zusammenstellen. Damit sie ihr Hobby dennoch weiter ausüben können, hält man in einigen Ländern sogenannte „Eierwettbewerbe" ab: dorthin sendet man keine Hühner, sondern bloß Eier. Wer seine Hühner und ihre Eier aufmerksam beobachtet, wird von Tag zu Tag deutliche Unterschiede zwischen den Eiern feststellen; diese betreffen nicht nur die Farbe, sondern auch die Form. Deshalb wurden auch für Eier feste Standards entwickelt: darin ist festgelegt, wie Form, Schalenstruktur und Farbe des Eis bei einer bestimmten Rasse beschaffen sein müssen. Durch perfekte Fütterung und Selektion innerhalb einer großen Hennengruppe versuchen die Teilnehmer, die besten Tiere herauszufinden. Die Einsendungen bestehen dann aus Einzeleiern, Dreier- und Sechsergruppen. Bei der ersten Gruppe geht es um das „perfekte Ei", bei der zweiten und dritten außerdem auch um die Einheitlichkeit der drei bzw. sechs Eier. Diese neue Hobbyform bietet sich auch für Liebhaber an, die zwar Hennen, aber keinen Hahn halten.

Eierwettbewerb

Nachrichtenbörse und Treffpunkt

Im Allgemeinen werden Ausstellungen durch die gegenseitigen Kontakte zwischen Züchtern zu einer stets reichlich sprudelnden Quelle für neue Erkenntnisse und zu einem Ort intensiven Erfahrungsaustauschs. Die meisten Züchter sind gern bereit, ihre persönlichen Erfahrungen bei der Pflege, Unterbringung, Zucht und Versorgung von Hühnern auch anderen mitzuteilen. Wer also mehr über Hühner wissen will, sollte einem Verein beitreten und überdies regelmäßig die genannten Ausstellungen besuchen.

Auf großen internationalen Ausstellungen sieht man neben bekannten Rassen auch seltene.

Teil 2:
Großhühnerrassen

13 Legerassen

Alte und neue Rassen

Zu dieser Gruppe gehören jene Rassen, die ursprünglich wegen ihrer guten Legeeigenschaften gezüchtet wurden. Das muss man heute bei einigen Rassen nicht mehr wörtlich nehmen: Hühner, die im neunzehnten Jahrhundert als ausgezeichnete Legehennen galten, produzierten viel weniger Eier als heutige Legerassen. Die „moderne" Legehenne wurde speziell daraufhin selektiert, bei möglichst sparsamer Fütterung so viele Eier wie möglich zu legen. Praktisch läuft das während der ersten Legeperiode auf (fast) täglich ein Ei heraus. Anschließend sinkt die Legeleistung allmählich, und die Hennen aus kommerzieller Haltung werden dann in der Regel an fleischverarbeitende Lebensmittelbetriebe verkauft.

Die modernen Legehennen gehören keiner bestimmten Rassengruppe an, sondern sind sogenannte Hybriden. Darunter versteht man die Endprodukte der Kreuzung von bestimmten stark spezialisierten Zuchtlinien. Die in unserem Buch behandelten Rassehühner

Rhodeländer-Hahn

können mit den hohen Anforderungen der heutigen „Geflügelindustrie" an die Legeleistung nicht mehr mithalten. Dafür sind sie im Allgemeinen viel schöner anzusehen. Dass sie weniger gut legen, dürfte niemanden stören: die meisten Menschen halten Hühner in erster Linie zum Vergnügen und nicht als „Legemaschinen".

In der Gruppe der „Legehühner" unterscheidet man die bereits im achtzehnten und neunzehnten Jahrhundert entstandenen Rassen Leghorn-Hühner vom „amerikanischen" Typ,

Porträt einer „goldenen" Brakel-Henne

Leghorns, „amerikanischer Typ"

von den jüngeren aus dem zwanzigsten Jahrhundert. Die Letztgenannten legen in der Regel mehr und auch größere Eier als die „Alten".

Eigenschaften

Legerassen unterscheiden sich unter anderem nach Gewicht und „Charakter". Leichter gebaute Rassen gehören oft zum sogenannten „Landhuhntyp": darunter fallen aktive Tiere, die bei jeder sich bietenden Gelegenheit eifrig scharren und wühlen und so teilweise selbst für ihr Futter sorgen. Da sie relativ leicht sind und nicht zu den größten Hühnern gehören, können sie meist gut fliegen. Beim Bau eines Geheges bzw. einer Umzäunung muss man diese Fähigkeit berücksichtigen.

Wenn man den Stall künstlich beleuchtet und so die Tageslänge im Herbst und Winter bei etwa zwölf Stunden hält, kann man auch in dieser Jahreszeit mit einer Menge Eier rechnen. Vom Charakter her sind diese Hühner etwas scheuer, und sie halten vom Pfleger meist mehr Abstand als Vertreter andere Rassengruppen. Dies hat unter anderem zur Folge, dass man zur Zähmung mehr Mühe aufwenden muss. Das klappt meist ganz gut, wenn man ruhig mit ihnen umgeht.

Da man bei Legerassen keinen Wert auf das „Glucken" legt, ist die entsprechende Veranlagung häufig soweit wie irgend möglich „weggezüchtet" worden. Infolgedessen kommen die Hennen selten oder nie in Brutstimmung. Das muss man berücksichtigen, wenn man diese Rassen züchten will. Das Problem lässt sich einfach lösen, indem man die Eier einer „Leihmutter" unterschiebt oder in einem Brutapparat zeitigt.

Wenn Sie Wert darauf legen, dass ihre Hennen viele Eier legen, müssen Sie die Tiere danach selektieren – vor allem, wenn Sie jedes Jahr ein paar ältere, weniger „produktive" Tiere aussondern und durch jüngere ersetzen wollen.

Ob eine Henne gut oder schlecht legt, lässt sich an einigen Merkmalen leicht ablesen: Tiere mit gelben Läufen nutzen die im Körper eingelagerten gelben Pigmente zur „Einfärbung" der Eidotter; deshalb haben gute Legehennen am Ende der Saison fast weiße Beine,

Wildfarbiger Leghorn-Hahn

Schwarz-weißgeperlter Ancona-Hahn mit Rosenkamm

schlechte hingegen blassgelbe. Ein Beispiel für gelbbeinige Rassen ist das Leghorn-Huhn. Für Hühner mit dunklen Eiern – etwa die Welsumer und Barnevelder – gilt, dass die im Körper vorhandene Farbstoffmenge nicht ausreicht, um alle Eier dunkelbraun zu färben. Gut legende Hennen produzieren deshalb bald hellbraune Eier, während bei „schlechten" die Schalen noch lange dunkel bleiben. Achten Sie auch auf das Federkleid: Hennen, die lange auf den Eier hocken bleiben, verschleißen ihre Schwanzfedern beim Wenden im Nest sehr rasch. Hat ein Tier gegen Ende der Legesaison noch einen makellosen Schwanz, gehört es nicht zur Spitzengruppe der Legehennen.

Die Gruppe der Legerassen ist sehr formenreich: es gibt eine reiche Auswahl an Farben, Zeichnungen und Typen (d. h. Körperbau-Schemata). Besondere Kennzeichen finden Sie in den Rassenbeschreibungen. Da wir im vorliegenden Buch aus Platzgründen nicht alle Vertreter dieser Gruppe berücksichtigen können, beschränken wir uns auf die bekanntesten bzw. älteren Rassen.

Rassenbeschreibungen

Ancona (NA)

URSPRUNGSLAND
Italien.

ENTSTEHUNG
Die Rasse verdankt ihren Namen der italienischen Stadt Ancona. Von dort brachten Bri-

Blau-weißgeperlter Ancona-Hahn mit Einzelkamm

ten um die Mitte des neunzehnten Jahrhunderts schwarz-weiße Landhühner mit auffallend gelben Beinen mit nach Hause. Aus England wurde dieses Legerasse in andere Länder exportiert, u. a. in die USA.

ÄUSSERE MERKMALE
Vom Typus her gleicht das Ancona-Huhn stark dem Leghorn. Es entspricht dem langgestreckten, schlank wirkenden Landhuhntypus. Der lange Rücken geht fließend in den halbhoch getragenen Schwanz über; dieser besteht aus langen, breiten, stark gespreizten

Schwarz-weißgeperlter Ancona-Hahn mit Einzelkamm

Blau-weißgeperlte Ancona-Henne mit Einzelkamm

Federn. Der Hahn besitzt am Schwanz üppige Schmuckfedern. Die Läufe sind von normaler Länge und gelb (am besten mit einigen dunkleren Flecken). Den Kopf zieren weiße Ohrlappen und rotbraune Augen. Die meisten Anconas besitzen einen ziemlich hohen Einzelkamm, der sich bei legenden Hennen zur Seite neigt. Es gibt auch eine seltenere Variante mit Rosenkamm.

FARBEN
Ursprünglich war diese Rasse schwarz-weißgeperlt. Später kam eine hellere blau-weißgeperlte Variante hinzu. Letztere wird allerdings nicht überall anerkannt.

EIGENSCHAFTEN
Anconas sind lebhafte, den ganzen Tag über aktive Tiere. Bei guter Pflege und Betreuung werden sie sehr zutraulich, doch meist nicht gerade handzahm. Als Vertreter der Landhühner können sie gut fliegen. Bei freiem Auslauf brauchen sie deshalb eine sehr hohe Einfriedung. Die Hennen legen Jahr um Jahr einige weißschalige Eier. Die schwarz-weiß geperlte Zeichnung ist Veränderungen unterworfen: die Größe der Flecken nimmt mit jeder Mauser zu. Junge Anconas sind daher überwiegend schwarz mit kleinen weißen Flecken, werden aber von Jahr zu Jahr „weißer".

Schwarz-weißgeperlter Ancona-Hahn mit Rosenkamm

Schwarz-weißgeperlte Ancona-Henne mit Rosenkamm

Die bei dieser Rasse zugelassenen Kammformen (der Einzel- und der Rosenkamm) wurden früher öfters gekreuzt: dabei dominiert der Rosenkamm über den einzelnen. Tieren mit Rosenkamm kann man äußerlich nicht ansehen, ob sie in dieser Hinsicht reinerbig sind. Wenn man mit ihnen züchtet, kann es durchaus vorkommen, dass auch einige Küken mit Einzelkamm schlüpfen.

Araucana

HEIMAT
Südamerika.

ENTSTEHUNG
Ihren Namen verdankt diese Rasse den Araucana-Indianern, welche diese Hühner bzw. deren Ahnen Jahrhunderte lang hielten. Wie ihre Unterrassen, die im Laufe der Zeit in Chile und seinen Nachbarländern entstanden, war sie lange Jahre hindurch eine Rarität. Angesichts ihrer äußeren Merkmale könnte man sich fragen, ob sie möglicherweise andere Ahnen als die meisten übrigen Hühnerrassen

Schwanzlose Araucana-Henne

hat. Da bisher keine Untersuchungen zu den Ursprüngen der Araucanas angestellt wurden, muss die genaue Entstehungsgeschichte dieser interessanten Rasse vorerst im Dunkeln bleiben. Diese Hühner wurden erst seit den sechziger Jahren des 20. Jahrhunderts in Hühnerzüchter- und Liebhaberkreisen populär.

Araucana-Henne mit Schwanz

ÄUSSERE MERKMALE
Die in Europa bekannten Araucanas sind ein eigenartiges Phänomen: in fast allen Ländern werden auf Ausstellungen sowohl geschwänzte als auch schwanzlose Tiere dieser Rasse präsentiert, wobei man in den Niederlanden nur die zweite Variante anerkennt.

An der Haltung dieser Tiere erkennt man sofort, dass sie mit den Kampfhühnern verwandt sind: davon zeugt nicht nur die stets aufrechte Haltung, sondern auch der recht kurze, rundliche und breite Schädel. Am Kopf dieser Hühner findet sich auch ein weiteres kennzeichnendes Merkmal: an Stelle der Ohrlappen sitzen dort beiderseits warzenartige, befiederte Hautwucherungen. So entstehen zwei als „Ohrbüschel" bezeichnete Gebilde. Diese sind im Idealfall stracks nach hinten gerichtet.

Araucanas haben einen unregelmäßigen, in sich leicht gekrümmten „Erbsenkamm". Ihre Läufe sind grün. In England züchtet man eine abweichende Variante, die sich am besten als übergroßer Watermaalscher Bartzwerg charakterisieren lässt: sie hat einen Schwanz und einen vollen „Bart", aber keine Ohrbüschel.

Araucana-Hahn mit Schwanz

Die Eier der Araucanas sind grünblau (wobei der Ton variieren kann).

FARBEN

Im Hinblick auf die gezüchteten und anerkannten Farben bestehen bei dieser Rasse von Land zu Land Unterschiede. In Skandinavien erkennt man nur drei Farben an: schwarz, ungesäumt blau und wildfarbig. In anderen Ländern verfährt man großzügiger. In Deutschland, wo diese Tiere sehr beliebt sind, gibt es die meisten Varianten: man züchtet die Araucanas dort u.a. in den Farben wildfarbig, silbern-, blau- und gelb-wildfarbig sowie weizenfarbig und gesperbert. Bei dieser Rasse fallen übrigens Zeichnung und Farbe bei der äußeren Beurteilung weniger stark ins Gewicht. Die Festlegung des Typs und der äußeren Rassemerkmale ist nämlich schon eine Kunst für sich.

EIGENSCHAFTEN

Diese Hühner lassen sich ausgezeichnet in Gehegen und freilaufend halten. Mit ihrem ruhigen Charakter gehören sie zu den vitalsten und robustesten Rassen. Bekannt sind sie auch dafür, dass sie auffällig gefärbte Eier legen: das Spektrum reicht von blau bis grün, in allen Schattierungen. Manche Stämme sollen sogar rote Eier produzieren. Dank dieser Eigenschaft nennt man sie in den USA und Großbritannien auch „Easteregg-Layer" (Ostereier-Leger).

Mit den grünen und blauen Eiern geht Untersuchungen zufolge auch ein niedriger Cholesteringehalt einher. Außerdem ist der Erbfaktor für das Legen von bunten Eier dominant: das macht man sich bei Kreuzungen zunutze. Paart man Araucanas mit Rassen, die braune Eier legen, gestalten sich die Ergebnisse ganz anders als bei solchen mit weißen Eiern. Im ersten Fall legen die Nachkommen grüne Eier, im zweiten hingegen blaue. Da die Kreuzung leicht vonstatten geht, hat man mit Hilfe von Araucanas verschiedene Hybridrassen erzeugt.

Die Eier dieser Hühner werden von verschiedenen Großhändlern als Besonderheiten angepriesen – nicht nur wegen ihrer Farbe, sondern auch im Hinblick auf den angeblich niedrigen Cholesteringehalt, der sich gesundheitsfördernd auswirken soll. Neuere Untersuchungen haben indes erwiesen, dass der Verzehr von Eiern ohnehin nicht zu einer Erhöhung des Cholesterinspiegels führt.

BESONDERHEITEN

Zu den Besonderheiten dieser Rasse zählen die Farbe der Eier, die Ohrbüschel und das teilweise Fehlen des Schwanzes. Durch die unterschiedlichen Vererbungsformen dieser

Araucana-Hahn

Eigenschaften lassen sich nur schwer Tiere züchten, die alle gewünschten Qualitäten besitzen. Gelegentlich liest man, dass der Erbfaktor für Ohrbüschel letal sei, aber das stimmt nicht. Problematisch ist indes die geringe Konstanz seiner Vererbbarkeit. So gibt es Tiere mit nur einem Ohrbüschel, solche mit ungleich großen und solche, bei denen einer nach vorn und der andere nach hinten weist. Fast alle Exemplare haben neben diesen Büscheln auch einen geringen Bartansatz. Die Zucht von schwanzlosen Araucanas liefert neben den „idealen" Tieren auch solche mit den eben beschriebenen Abweichungen und geschwänzte.

Von dieser Rasse gibt es auch eine Zwergform; sie wird hier nicht näher beschrieben, da sie bis auf die Größe der Stammform entspricht.

Ardenner

HEIMAT
Belgien.

ENTSTEHUNG
Das Ardenner-Huhn ist historisch gesehen die älteste belgische Rasse. Es stammt aus den belgischen Ardennen und den angrenzenden französischen Landstrichen. Wie diese vitale, eigenartige Rasse genau entstand und von welchen Ahnen sie abstammt, bleibt unbekannt.

Als robuste Landhühner waren diese Tiere in Belgien immer gut bekannt, doch konnte sich die Rasse nach dem Ersten Weltkrieg kommerziell nicht mehr behaupten. Seine Liebhaber findet das Ardenner-Huhn in allen europäischen Ländern, doch bilden diese überall nur eine kleine Gruppe.

ÄUSSERE MERKMALE
Diese Rasse gehört zu den „Landhühnern" und ist rank und schlank gebaut. Den Kopf ziert ein Einzelkamm; Ohrlappen und Gesichtshaut sind dunkel- bis purpurrot, und das gilt auch für die Kinnlappen. Der Körper ist langgestreckt, und die Flügel werden dicht am Rumpf getragen. Die Augen sind dunkel-

Schwanzlose Ardenner-Henne

braun mit häufig schwarzen Ringen. Der gut entwickelte Schwanz wird halb gespreizt getragen. Daneben gibt es auch eine schwanzlose Variante. Diese Tiere werden auch „Wallikikis" genannt. Dabei soll es sich um eine

Schwanzloser silberhalsiger Ardenner-Hahn

Verballhornung des Namens „Walen Kieken" handeln (angeblich stammen die Tiere aus dem wallonischen Landesteil). Die Läufe der Ardenner sind sehr dunkel, ja fast schwarz gefärbt.

Schwanzlose schwarze Ardenner-Henne

FARBEN

Ardenner gibt es in den Farben wildfarbig, silbern-wildfarbig, weiß, schwarz, goldhalsig-schwarz, silberhalsig-schwarz sowie golden- und silbern-lachsfarbig. Am häufigsten trifft man die gold- und silberhalsigen Tiere. Davon

Ardenner-Hennen

existieren Varianten mit und ohne Brustzeichnung, die auf Ausstellungen als golden- und silbern-birkenfarbig präsentiert werden.

EIGENSCHAFTEN

Ardenner sind besonders aktive und lebhafte Hühner, die man am besten frei laufen lässt. Für Gehege eignen sie sich einfach nicht. Sie können ausgezeichnet fliegen und bringen die Nacht am liebsten hoch auf einem Baum zu. Diese vitalen, abgehärteten Tiere können in hohem Maße selbst für sich sorgen.

Diese eigenartige Rasse fällt u.a. durch ihre dunkle Färbung und das nicht alltägliche Äußere auf. Wer bei Hühnern Wert auf Besonderes legt und die Tiere vor allem des Erbguts wegen halten will, ist mit ihnen gut beraten.

Als ursprüngliche Legerasse wurden die Ardenner zu Anfang des 20. Jahrhunderts daraufhin selektiert. Das beste Ergebnis lieferte eine belgische Henne, die jährlich etwa 170 Eier legte – im Vergleich mit heutigen Hybriden nicht übermäßig viel, für ein Liebhabertier aber ganz beachtlich!

Porträt eines silberhalsigen Ardenner-Hahns

BESONDERHEITEN

Der Farbe der kahlen Kopfhautpartien verdankt das Ardennerhuhn seine auffällige Erscheinung. Bei den meisten Rassen sind diese wie Kamm und Kinnlappen leuchtend rot, hier hingegen eher purpurfarben: in Belgien vergleicht man den Farbton mit reifen Pflaumen.

In einigen Büchern findet sich eine Hypothese zur Entstehung der schwanzlosen Variante: sie ist angeblich darauf zurückzuführen, dass Füchse solche Hühner nicht zu fassen bekamen. Das ist stark zu bezweifeln; fest steht immerhin, dass es unter den belgischen Rassen viele schwanzlose gibt.

Assendelfter

HEIMAT
Niederlande

ENTSTEHUNG

Das Assendelfter-Huhn ist ein Landhuhn, das aus der „Zaanstrek" in Nordholland stammt. Seine genaue Entstehung bleibt unbekannt. Dort wurde die Rasse schon seit Jahrhunderten gehalten, und wahrscheinlich stammen mehrere andere für ihre „geflockte" Zeichnung bekannte Hühner von ihr ab, bspw. das Hamburger Huhn.

ÄUSSERE MERKMALE

Vom Typus her hat das Assendelfter-Huhn viel mit dem Friesenhuhn gemein. Es ist leicht gebaut, schlank und trägt den Schwanz recht hoch. Dieser wird stets gespreizt und besteht

Gelb geflockter Assendelfter-Hahn

bei Hähnen aus stark gekrümmten Sichelfedern. Die Flügel tragen diese Hühner eng am Körper; ihren Kopf ziert ein ziemlich großer Rosenkamm mit recht vielen großen Warzen, dem sogenannten „Kammwerk". Der Kammdorn kann kurz oder lang sein und nach hinten zeigen oder der Halskrümmung folgen. Bei dieser Rasse soll der Kamm sehr groß sein, aber nicht allzu wohlgeformt. Die kleinen Ohrlappen sind wie die Augen orangerot.

FARBEN

Diese Rasse züchtet man nur in zwei Farbschlägen: silbern- und gelb geflockt. Letzterer wird manchmal auch golden geflockt genannt, doch ist dies nicht (mehr) amtlich. Die Grundfarbe ist nämlich goldgelb (und damit viel heller als das Goldbraun etwa des Friesenhuhns). Der Kamm ist ziemlich grob, und der Typus entspricht nicht sonderlich dem Landhuhn; entsprechend ist auch die Flockung bei den Assendelftern flauer: das passt ganz gut zu dieser Rasse. Die Flockenzeichnung besteht aus zwei bis drei Paaren durchweg länglichen „Flocken".

Porträt eines Assendelfter-Hahns

EIGENSCHAFTEN

Diese kräftigen, vitalen Tiere brauchen wegen ihres großen Tatendrangs viel Platz. Deshalb sollte man sie besser nicht in kleinen Gehegen halten. Das Scharren bei der Futtersuche ist ihnen zur zweiten Natur geworden. Da es sich ursprünglich um eine Legerasse handelte, legen die Hennen recht gut. Die hellschaligen Eier sind ziemlich groß: ihr Gewicht beträgt im Schnitt 40–50 Gramm. Als Legehuhn gerät diese Rasse selten in Brutstimmung.

Gelb geflockte Assendelfter-Henne

des vorigen Jahrhunderts in Australien. Von welchen Rassen sie abstammt, weiß man nicht. Fest steht nur, dass die Orpingtons eine wichtige Rolle spielten. Als Nutzrasse konnte sie sich schnell in anderen Ländern etablieren, so dass man sie heute fast überall findet. In vielen Staaten ist sie bei Ausstellungsbeschickern sehr beliebt, da nicht nur Zucht und Zurschaustellung Spaß machen, sondern auch der Nutzwert nicht zu verachten ist.

ÄUSSERE MERKMALE
Australorps sind eine lebhafte, mittelschwere

Australorp-Hennen

BESONDERHEITEN
Diese Rasse war lange Zeit recht selten. Nachdem ihr die Medien mehr Aufmerksamkeit schenkten, ist sie – vielleicht aus einem Hang zur Nostalgie – wieder stärker gefragt.

Dass die Holländer tüchtige Kaufleute sind, haben sie mit dieser Rasse schon früh bewiesen: kreuzt man einen golden geflockten Hahn mit einer silbern geflockten Henne, sind die Küken unterschiedlich gefärbt: die gelb-braunen sind die Hennen, die weiß-gelben die Hähnchen. Die (viel wertvolleren) Hennen behielt man, und die Hähnchen wurden auf den Markt gebracht. Da bei Küken der Geschlechtsunterschied für Laien ohne vorherige Anleitung normalerweise nicht zu erkennen bzw. zu erfühlen ist, glaubten die Kunden, dass sie Küken beider Geschlechter kauften. So konnten die Händler mit den Hähnchen mehr Geld verdienen. Allerdings ging die Sache nicht lange gut: die Kunden merkten bald, dass die gekauften Tiere ausschließlich Männchen waren.

Von dieser Rasse gibt es auch eine Zwergform; sie wird in unserem Buch nicht beschrieben, da sie bis auf die Größe der Stammform gleicht.

Australorp

HEIMAT
Australien.

ENTSTEHUNG
Diese Rasse entstand in den zwanziger Jahren

Rasse. Der mäßig lange Rücken geht fließend in den halbhoch getragenen Schwanz über; letzterer besteht aus breiten Stoßfedern, die stark gespreizt werden. Beim Hahn finden sich außerdem breite Haupt- und Nebensicheln in Fülle, welche die übrigen Schwanzfedern völlig verdecken. Die Läufe sind graublau bis schwarz gefärbt, die Fußsohlen hingegen weiß. Der Kopf wirkt bei dieser Rasse im Verhältnis zum Körper sehr klein. Der mit-

Sechs Wochen alte Australorp-Hennen

Australorp-Hahn

Australorp-Hähne sind keine Leichtgewichte!

telgroße Einzelkamm weist sehr regelmäßige Zähne auf, die ihrerseits recht breit geraten sind. Die Ohrlappen sind wie die unbefiederten Gesichtspartien rot, die Iris ist dunkelbraun bis braunschwarz.

FARBEN

Australorps gibt es in schwarz, weiß und blaugesäumt.

EIGENSCHAFTEN

Australorps wurden ursprünglich als Fleisch- und Legehühner gezüchtet. Sie wachsen rasch, und die Hennen beginnen etwa im Alter von fünf Monaten Eier zu legen. Als Legehühner geraten Australorp-Hennen selten in Brutstimmung. Es sind ruhige und freundliche Tiere, die man leicht handzahm machen kann. Von kleinen Kindern lassen sich diese Hühner schwer aufheben: ein ausgewachsener Australorp-Hahn kann dreieinhalb Kilo wiegen! Es gibt auch eine Zwergrasse, mit der man viel leichter hantieren kann. Man kann die Tiere gut in geschlossenen Ställen halten,

Vier Wochen alte Australorp-Küken

aber sie gedeihen auch in großen Gehegen ausgezeichnet. Da sie nur schlecht fliegen, braucht die Umzäunung nur etwa 130 cm hoch zu sein. Auch untereinander vertragen sich die Tiere sehr gut. Daher ist es durchaus möglich, sogar mehrere Junghähne gemeinsam beziehungsweise in einer Gruppe großzuziehen.

BESONDERHEITEN

Am meisten wird der schwarze Farbschlag gezüchtet. Dazu müssen die Tiere tiefschwarze Federn mit schönen grünen Glanzlichtern aufweisen. Jungtiere haben oft ein paar weiße Federn, aber das ist völlig normal. Beim weißen Farbschlag sind die Meinungen über die richtige Lauffarbe geteilt: in Deutschland müssen weiße Australorps blaugraue Läufe haben. Diese Forderung ermöglicht die Verbesserung der – seltenen – weißen Variante mittels schwarzer Tiere. In den Niederlanden geht man davon aus, dass die Australorps von den Orpingtons abstammen: weiße Orpingtons haben nämlich fleischfarbige Läufe, weshalb man in den Niederlanden auch hier weiße verlangt. Daher lässt sich dieser Farbschlag mit Hilfe schwarzer Australorps nur langsam und viel mühseliger verbessern.

Barnevelder

HEIMAT

Niederlande.

ENTSTEHUNG

Laien kennen in der Regel nur diese eine

Doppeltgesäumte Barnevelder-Henne

Hühnerrasse: einige braune Legehybriden werden von ihnen zu Unrecht als „Barnevelder" bezeichnet. Tatsächlich verhält es sich anders: diese bekannte und beliebte Rasse stammt aus der Umgebung von Barneveld, einem Ort, der in Geflügelzüchterkreisen weltweit einen guten Namen hat. Hervorgegangen ist sie aus örtlichen Legehühnern, die man mit großen asiatischen Rassen kreuzte. Der Überlieferung nach handelte es sich dabei um Cochins, Langschans und Brahmas. Anfang der zwanziger Jahre des 20. Jahrhunderts wurden die ersten Tiere exportiert, u.a. nach England. Um die vorletzte Jahrhundertwende gerieten Farbe und Zeichnung der Barnevelder

stark in Bewegung: durch Einkreuzung der genannten Rassen (zu denen später weitere kamen) bildeten sich zahlreiche Farbschläge aus. Schließlich züchtete man neben einfarbigen Tieren nur noch doppeltgesäumte, während alle anderen Varianten nicht mehr in Zuchtprogramme aufgenommen wurden.

ÄUSSERE MERKMALE

Barnevelder sind „mittelschwere" Hühner: ihr Rücken ist mäßig lang und „hohl", wobei der Übergang zum Schwanz fließend erfolgt. Den Kopf ziert ein mittelgroßer Einzelkamm, der im Idealfall vier breite Zacken haben sollte, doch ist das praktisch nicht durchzusetzen. Die Ohrlappen sind rot, die Iris rotbraun. Die Flügel werden dicht am Körper getragen, der Schwanz hingegen halbhoch und nie ganz gespreizt. Die Haupt- und Nebensicheln des Hahns müssen breit sein, so dass sie die Schwanzfedern völlig verdecken. Beim Hahn ist die Lauffarbe dunkelgelb, während sich an den gelben Läufen der Hennen vorn braunrote Schuppen finden.

FARBEN

Diese Rasse kommt in schwarz, weiß, doppeltgesäumt und blau-doppeltgesäumt vor.

Porträt eines Barnevelder-Hahns

Doppeltgesäumte Barnevelder-Henne

Der letztgenannte Farbschlag wird in fast allen Ländern anerkannt. In Deutschland kennt man außer den genannten noch blaue und dunkelbraune Tiere.

EIGENSCHAFTEN

Barnevelder sind für ihre ausgezeichneten Legeeigenschaften bekannt, aber auch wegen der Eierfarbe: diese sind hier dunkelbraun. Es handelt sich um eine vitale Rasse, die sich fast überall wohlfühlt. Man kann die Tiere sowohl frei als auch im Gehege halten. Da sie nur gelegentlich fliegen, reicht eine niedrige Hecke als Einfriedung völlig aus. Da die Tiere außerdem von ruhigem Wesen sind, kann man sie leicht zähmen. Von Nachteil ist ihre Anfälligkeit für die Mareksche Lähme. Verantwortungsbewusste Züchter lassen ihre Eintagsküken daher vorsorglich impfen. Fragen Sie also beim Kauf, ob die Tiere geimpft sind: so vermeiden sie böse Überraschungen.

BESONDERHEITEN

Hinsichtlich der Eierfarbe haben Barnevelder wenig Konkurrenz: außer ihnen legen eigentlich nur noch Marans-Hühner derart dunkelbraune Eier. Übrigens ist die Farbe nicht konstant: eine gut legende Henne produziert zu

Barnevelder-Eintagsküken

Beginn der Brutsaison schöne dunkelbraune Eier, aber nach ein paar Wochen werden die Schalen deutlich heller.

Eine Spezialität der Barnevelder ist der doppeltgesäumte Farbschlag. Weiß oder schwarz gelten als weniger rassenspezifisch. Weiße Barnevelder ähneln stark den entsprechenden New Hampshires. Die doppeltgesäumte Variante wirkt am schönsten, wenn die schwarzen, grünglänzenden Säume von einer goldbraunen Grundfarbe abstechen.

Brabanter

HEIMAT

Belgien.

ENTSTEHUNG

Als Rasse sind die Brabanter-Hühner seit Anfang des zwanzigsten Jahrhunderts offiziell anerkannt. Sehr ähnliche Tiere kann man schon auf Gemälden aus dem siebzehnten und achtzehnten Jahrhundert sehen. Wie viele andere Rassen stammen sie von europäischen Schopfhühnern ab, die vermutlich mit regionalen „Bauernhühnern" gekreuzt wurden. Anfang des zwanzigsten Jahrhunderts waren diese Hühner in Flämisch-Brabant als Legerasse schon sehr beliebt. Man weiß von Hennen, die jährlich etwa 200 meist 65–70 g schwere Eier legten. Nachdem „wirtschaftlichere" Hühner wie etwa die Leghorns aufkamen, wurde die Rasse nur von Hobbyzüchtern am Leben erhalten.

Barnevelder-Hahn, doppeltgesäumt

Silbern-wachtelfarbiger Brabanter-Hahn

ÄUSSERE MERKMALE

Brabanter-Hühner sind leicht gebaute Landhühner mit recht langgestrecktem Körper. Bei den Hennen weist ein voller, ausladender

Wachtelfarbiger Brabanter-Hahn

Hinterleib auf gute Legeeigenschaften hin. Sie wiegen bei dieser Rasse etwa 2 kg. Der recht lange Rücken fällt ab und geht unvermittelt in den hoch getragenen Schwanz über. Dieser wird nie ganz gespreizt, sondern bleibt teilweise zusammengefaltet. Hähne besitzen reiche Schmuckfedern aus langen, breiten, stark gekrümmten „Sicheln". Die Flügel werden dicht am Körper getragen. Die Läufe sind unbefiedert und graublau gefärbt.

Brabanter gehören zu den Haubenhühnern. Ihre Haube ist nicht sehr groß und braucht nicht auf einem „Schädelknauf" zu wachsen. Sie ist am Ansatz so breit und lang wie der Schädel und passend zu dessen Form nach hinten ausgerichtet. Da die Kopffedern des Hahnes länger und schmaler sind, fällt auch seine Haube länger und schmaler als die der Henne aus. Vor ihr sitzt ein mittelgroßer Kamm mit leicht verlängerten Endzacken: dadurch ragt dieser hinten über die Haube hinaus. Bei der Henne ist der vordere Kammabschnitt doppelt s-förmig geknickt. Die kleinen Ohrlappen sind weiß gefärbt. Als Irisfarbe sind alle Töne von dunkelbraun bis braunschwarz zugelassen.

FARBEN

Als typisch belgische Rasse werden diese Tiere meist wachtelfarbig (oder in einer Abart davon) gezüchtet. Anerkannt sind wachtelfarbig, silbern-, blau-wachtelfarben, columbia, gelb-columbia, weiß, schwarz, gelb und blau. Letztere Farbe darf mit und ohne Saum gezüchtet werden.

Wachtelfarbige Brabanter-Hennen

EIGENSCHAFTEN

Brabanter-Hühner sind lebhafte Tiere, die dank ihres geringen Gewichts und der sehr großen Flügel ausgezeichnet fliegen können.

Silbern-wachtelfarbige Brabanter-Henne

Sie haben ein lebhaftes Temperament und suchen stets eifrig nach Futter. Deshalb hält man sie am besten freilaufend oder in sehr großen Gehegen. Letztere müssen oben mit Gaze oder Netzen gegen das Entweichen der Tiere gesichert werden. Da die Tiere nicht sonderlich zutraulich veranlagt sind, muss man sich mit der Zähmung große Mühe geben. Viel Geduld und eine Handvoll Hühnerfutter wirken aber oft Wunder. Als Legehennen sind sie eine gute Wahl: die weißen Eier wiegen etwa 65 g, und die Tiere legen recht viel, geraten aber nur schwer in Brutstimmung. Sie reifen von Natur aus spät, d. h. eine Henne legt die ersten Eier mit etwa sechs bis sieben Monaten. Leider interessieren sich nur wenige Liebhaber für diese Rasse. Infolgedessen ist der „Genpool" zu klein geworden, und es kommt gelegentlich zu Skelettmissbildungen: am häufigsten sind Dellen im Brustbein. Das muss man schon bei der Kükenaufzucht bedenken; indem man den Tieren reichlich Kalk unters Futter mischt und dafür sorgt, dass sie schon früh auf Sitzstangen nächtigen, lässt sich dem Übel wirksam vorbeugen.

BESONDERHEITEN

Für diese Rasse gibt es mehrere Bezeichnungen: wie oben angemerkt, nennt man sie sowohl „Brabanter-Bauerhuhn" als auch „Bra-

Weiße Brabanter-Hühner (um 1900)

bançonne". In Belgien sind die Tiere auch als „Topman" oder „Houpette" bekannt. Der niederländische Name „Brabants boerenhoen" wird gelegentlich zu Unrecht mit dem Begriff „Brabanter" gleichgesetzt, obwohl es sich um zwei verschiedene Rassen handelt.

Es gibt auch eine Zwergform; da sie nur in der Größe abweicht, wird sie hier nicht näher beschrieben.

Brakel

HEIMAT
Belgien.

ENTSTEHUNG
Das Brakel-Huhn gehört zu den ältesten Haushuhnrassen. Es entstand aus Landhühnern, die seit Jahrhunderten in Westeuropa gehalten wurden. Möglicherweise gelangten seine Ahnen im sechzehnten Jahrhundert über die Türkei nach Westeuropa. Verwandt ist es vielleicht auch mit dem französischen Bresse-Huhn. Früher gab es verschiedene Brakel-Typen, bspw. das Kempener (Campiner) Brakel, aber auch die inzwischen ausgestorbenen Chaamer-Hühner. In Belgien selbst entstanden mehrere Varianten, u.a. das auch als Schwarzkopf-Brakel bekannte Zottegemer-Huhn.

ÄUSSERE MERKMALE
Das Brakel-Huhn ist ein schlankes Landhuhn mit breiter, stark gewölbter Brust. Die Hennen verraten in allem, dass sie gut legen: ihr Hinterleib ist voll und ausladend, der recht

Eintagsküken der „silbernen" Brakel-Variante

„Silbernes" Brakel-Paar

große Kamm stets nach einer Seite umgelegt. Bei dieser Rasse fällt die dunkle Pigmentierung im Kopfbereich auf: dadurch ist die Iris tief dunkelbraun bis fast schwarz; auch die Umgebung der Augen ist sehr dunkel pigmentiert. Dies betrifft bei der Henne auch einen Teil des Kammes: die Kammbasis wird dann purpurfarben. Die Ohrlappen sind weiß. Der ziemlich lange Schwanz wird aufrecht getragen und ist üppig befiedert. Die Beine sind schiefergrau.

„Goldener" Brakel-Hahn

FARBEN

Die ursprünglichen Farben golden und silbern – werden überall, wo man diese Rasse hält, anerkannt. Der Farbschlag „gelb-weiß-

Porträt eines Brakel-Hahns

gebändert" (auch als „chamois" bekannt) kommt ebenfalls in vielen Ländern vor. In Deutschland und Belgien züchtet man noch andere Varianten, u.a. blau, schwarz, weiß und „weißgeblümt".

EIGENSCHAFTEN

Brakel-Hühner sind abgehärtete, sehr aktive und vitale Tiere. Die Hennen legen reichlich weiße Eier: 180 pro Jahr sind bei gut gefütterten Tieren keine Seltenheit. Die Eier selbst sind recht stattlich und wiegen etwa 65 g. Brutwillige Hennen sind allerdings die Ausnahme, so dass man die Eier meist in Brutapparaten oder durch „Leihmütter" anderer Rassen ausbrüten lässt. Man hält diese Hühner am besten freilaufend oder in sehr großen

„Goldene" Brakel-Henne

Gehegen, wo sie viel Ablenkung haben. Die Tiere können ausgezeichnet fliegen; das muss man berücksichtigen, wenn man in einer Wohngegend lebt.

Brakeler wachsen schnell, und die Hennen dieser Rasse beginnen sehr früh zu legen, meist schon im Alter von viereinhalb Monaten. Vom Wesen her sind diese Tiere etwas scheu. Ihr Verhalten richtet sich zwar großenteils nach dem Pfleger, doch werden sie selbst bei noch so großer Mühe niemals völlig zahm.

Chamoisfarbige Brakel-Henne

Da diese vitalen Tiere durch eifriges Scharren selbst für einen Teil ihrer täglichen Nahrung sorgen, werden sie als „Kompostbereiter" eingesetzt: dieses Experiment ist in Belgien gut angeschlagen, so dass man die Hühner in manchen Haushalten zur „Entsorgung" der Küchenabfälle hält.

Eine weitere Besonderheit ist die spezifische „Brakel-Zeichnung". Es handelt sich dabei um eine Abart der geflockten Zeichnung. Hier gehen die Flecken auf beiden Seiten des Kiels ineinander über und bilden so Querbänder. Diese sind recht breit und bilden im Wechsel mit schmaleren weißen Bändern die sogenannte Bänderzeichnung. Sie findet sich bei den Hennen auf Rücken, Schultern und Brust. Der „Halskragen" ist zeichnungslos reinweiß oder goldbraun und sorgt so für einen attraktiven Kontrast.

Drenther (NA)

HEIMAT

Niederlande.

ENTSTEHUNG

Das Drenther-Huhn wird seit Jahrhunderten in der niederländischen Provinz Drenthe gezüchtet. Über seine Herkunft ist wenig bekannt, doch zeigen die Tiere in Typ, Robustheit und Charakter (durchweg scheu) noch deutliche Übereinstimmungen mit dem Bankiva-Huhn.

In den Niederlanden gehört es zu den ältesten

Schwanzlose wildfarbige Drenther-Henne

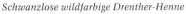

Rassen. Im neunzehnten Jahrhundert hielt man die Tiere auf den kleinen Drenther Höfen freilaufend. Wegen der abgeschiedenen Lage dieses Gebiets kam es kaum zu Importen anderer Rassen. So entstand durch Kreuzung der verschiedensten Hühner eine schöne Rasse, von der es viele Farbschläge gibt. Auf ähnliche Weise bildeten sich auch in anderen europäischen Ländern Hühnerrassen aus, die dem Drenther-Huhn stark ähneln. Dazu gehören u. a. das Dänische und das Tschechische Landhuhn.

ÄUSSERE MERKMALE

Drenther-Hühner sind typische Vertreter des Landhuhntyps, der sich durch einen sehr leichten Körperbau, gute Flugeigenschaften, weiße Ohrlappen und graublaue Läufe auszeichnet. Drenther besitzen einen mittelgroßen Einzelkamm. Die Iris ist orangerot. Der Hahn hat einen prächtigen, üppig befiederten Schwanz, der aufrecht getragen wird.

Eine Variante ist das im Volksmund auch „klomphoen" genannte schwanzlose Drenther-Huhn. Diese Tiere nehmen wegen des fehlenden Schwanzes eine stärker aufrechte Haltung ein. Ansonsten gleichen sie völlig dem Normaltypus. Dem Volksglauben zufolge sind die schwanzlosen Tiere besser vor Füchsen geschützt, weil sie wegen des fehlenden

diese Eigenschaften bewahrt. Allerdings neigt die Rasse – wohl wegen ihres hohen Alters und starker Inzucht – zum Kleinwuchs. Heute bemüht man sich, sie durch Einkreuzung dänischer und tschechischer Landhühner „aufzufrischen".

BESONDERHEITEN

Diese Rasse ist vor allem in den Niederlanden und anderen Kontinentalstaaten sehr beliebt, in Großbritannien hingegen sehr selten.

Der Farbschlag „gesäumt wildfarbig" kommt ausschließlich beim Drenther-Huhn vor. Bei „normalen" wildfarbigen Tieren ist das Rückengefieder der Hennen braungrau mit regelmäßigen grauschwarzen Sprenkeln („Pfefferung"). Bei gesäumten Drenthern fehlt die „Pfefferung", doch finden sich hier mattschwarze viereckige Flecken, deren Längsachsen parallel zum Federkiel verlaufen. Die Federn besitzen mehrere dieser Säumchen. Diese Zeichnung ziert auch die Brust der Hennen: so unterscheiden sie sich von „normalen" wildfarbigen Tieren, wo die Brust der Hennen lachsfarbig ist.

Friesen

HEIMAT

Niederlande (Friesland).

ENTSTEHUNG

Über die Ursprünge dieser Rasse weiß man nichts. Sie ist auf friesischen Bauernhöfen seit Jahrhunderten eine vertraute Erscheinung

Schwanzes nicht so gut erwischt werden können.

FARBEN

In ihrer Heimat gibt es folgende Farbstandards: wildfarbig gesäumt, silbern-, gelb-, blau-, blausilbern-wildfarbig gesäumt, wildfarbig, blau-, silbern-, gelb-, blausilbern-, gesperbert-wildfarbig, silberhalsig-schwarz, silberhalsig blau, goldhalsig schwarz, goldhalsig blau, rotschultrig weiß, rotschultrig silbernwildfarbig. In Deutschland erkennt man nur wildfarbig und silbern-wildfarbig an. Neben dieser umfangreichen Palette gibt es bei den schwanzlosen Tieren noch die anerkannten Farbschläge blau, weiß, schwarz, silbern-, golden-, gelb-weiß-, zitronen- und rot geflockt.

EIGENSCHAFTEN

Diese Rasse gedeiht am besten, wenn sie viel Platz hat. Die Tiere sind sehr beweglich und aktiv, doch meist etwas scheu und selten handzahm zu kriegen. Dank ihrer Robustheit kann man sie gut frei laufen lassen. Wind und Wetter machen ihnen nichts aus. Die Hennen legen recht viele, aber nicht allzu große weiße Eier. Nur im Winter setzen sie meist (fast) ganz aus.

Drenther-Hennen sind an sich gute Brüterinnen und Mütter, und die meisten Tiere haben

Das Friesen-Huhn hat sich in hundert Jahren stark verändert: hier eine Abbildung aus dem frühen 20. Jahrhundert.

ner der „Friesen" vergleicht: deshalb werden beim Friesen-Huhn auch lediglich die sogenannten geflockten Farbschläge anerkannt, bei den Drenthern hingegen ausschließlich die Wildfarbe. Dafür hat man sich entschieden, um eine allzu starke Vermischung der Rassen zu verhindern. Vor sehr langer Zeit gab es auch schwanzlose und kurzbeinige Friesen-Hühner, die sogenannten „kruipers". Beide Abarten sind heute verschwunden. Im zwanzigsten Jahrhundert wurde das Friesen-Huhn regelmäßig mit Hamburger-Hühnern gekreuzt.

ÄUSSERE MERKMALE

Das Friesen-Huhn gehört zu den Landhühnern und ist ziemlich klein. Die Tiere besitzen Einzelkämme und weiße Ohrlappen. Der Schwanz wird recht hoch und stark gespreizt getragen. Die Augen des Friesen-Huhns sind lebhaft orangerot gefärbt, die unbefiederten Läufe hingegen schiefergrau. Die Brust ist kräftig gewölbt und wird recht hoch getragen.

Friesen-Henne, silber geflockt

und war in dieser Periode nicht dem Einfluss fremder Rassen ausgesetzt. Man vermutet, dass diese Landrasse wenigstens teilweise – ebenso wie das Drenther-Huhn – aus europäischen Wildhühnern entstanden ist. Die Verwandtschaft mit dem Drenther-Huhn ist gut ersichtlich, wenn man seine Silhouette mit je-

Gelb-weiß geflockte Friesen-Henne

FARBEN

Die häufigsten Farbschläge sind hier golden-, silbern- und gelb-weiß geflockt. Außerdem gibt es noch viele andere, etwa rot- und zitronen geflockt, ungesäumt blau, rotbunt, gesperbert, schwarz, schwarzbunt und weiß. Im Jahre 2001 kam eine neue Variante hinzu, nämlich ein „sandgelber" hell-gelbbrauner Einheitston; dieser lässt sich am besten mit sogenanntem Bausand vergleichen.

Die spezifisch bei den Friesen-Hühnern vorkommende Zeichnungsvariante ist eine Abart der sogenannten „Flockung". Unter diesem Mustertyp versteht man eine Spielart, bei welcher die Federn von golden „geflockten" Hennen auf goldbraunem Grund schwarze Flecken tragen. Man findet dieses Zeichnungsmuster schon von alters her bei Landhühnern der westlichen Nordseeküste, so beispielsweise beim belgischen Brakel-Huhn. In der Form der Flocken (d.h. der oben genannten schwarzen Flecken) gibt es allerdings rassengebundene Unterschiede: das Friesen-Huhn trägt auf jeder Feder drei bis fünf deutlich getrennte Flecken, welche etwa die Form von Weizenkörnern haben. Friesen-Hähne dieses Zeichnungstyps müssen überdies unbedingt gesäumte Hauptsicheln besitzen.

EIGENSCHAFTEN

Friesen-Hühner sind aktive und lebendige Tiere, die in mancher Hinsicht den Drenther-Hühnern gleichen. Beide Rassen kann man sehr gut freilaufend halten. Denken Sie aber stets daran, dass Friesen-Hühner gute Flieger sind! Es handelt sich eben um sehr „naturnahe" Tiere, die lieber aufgebaumt im Freien übernachten, wenn sie die Möglichkeit dazu haben sollten. Falls genug Platz und Ablenkung vorhanden ist, kann man sie übrigens auch gut in überdachten Gehegen halten. Diese Rasse ist nicht nur robust und wenig anfällig für Krankheiten, sondern auch sehr fruchtbar: die Hennen legen relativ große weißschalige Eier. Als Glucken sind sie gute Mütter, die ihre Brut aufopfernd verteidigen.

BESONDERHEITEN

Diese Rasse ist bei Freunden altniederländischer Hühner sehr beliebt. Die meisten registrierten Züchter gibt es in Friesland. Außerhalb der Niederlande werden die Tiere nicht viel gezüchtet. Nur in Deutschland gibt es eine aktive, immer noch wachsende Gruppe von Liebhabern. In anderen europäischen Ländern – und sogar Südafrika – ist die Rasse zwar bekannt, aber nur durch wenige Züchter vertreten.

Gelb-weiß geflockte Friesen-Henne

Gelb-weiß geflockter Friesen-Hahn

Groninger und Ostfriesische Möwe

HEIMAT

Niederlande und Deutschland.

ENTSTEHUNG

Im achtzehnten Jahrhundert hielt man auf den Bauernhöfen in Groningen und Ostfriesland häufig rasselose Hühner. Diese waren oft geflockt gezeichnet und zeigten starke Gemeinsamkeiten mit dem Friesenhuhn. Die Bezeichnung „Groninger Möwe" ist noch nicht sehr alt: zu Anfang des zwanzigsten Jahrhunderts beschickten einige Groninger Züchter eine Ausstellung mit Hühnern, die Aufsehen erregten, weil sie deutlich größer und schwerer als die ursprünglichen Friesen waren. Durch Selektion entstand hieraus die Groninger Möwe. Sie war fast in Vergessenheit geraten: erst in den 1970er und 1980er Jahren entschlossen sich einige Züchter, diese Rasse neu „aufzubauen". Da die Groninger Möwe vermutlich die gleichen Ahnen wie die Ostfriesische Möwe hat, zog man dazu reichlich vorhandene Zuchttiere dieser Rasse heran.

Heute haben beide vor allem in den Niederlanden einen kleinen, aber engagierten Freundeskreis. In Belgien, Frankreich und Deutschland werden sie ebenfalls gezüchtet, während sie ansonsten nahezu unbekannt sind.

ÄUSSERE MERKMALE

Die Unterschiede zwischen Ostfriesischen und Groninger Möwen sind minimal; theoretisch bestehen geringe Abweichungen im Hinblick auf Körpergewicht und Augenfarbe: Groninger haben eine dunkelbraune Iris, Ostfriesen hingegen eine braunrote. Ansonsten stimmen beide Rassen in ihren äußeren Merkmalen überein. Innerhalb der Kategorie „Landhühner" fallen beide durch ihren schweren, kräftigen Körperbau auf. Ihr Körper ist etwas kräftiger gebaut als etwa jener der Hamburger-Hühner. Der große, üppig befiederte Schwanz wird stark gespreizt und halbhoch getragen. Beide Rassen haben mittelgroße Einzelkämme, deren hinterer Abschnitt sich bei legenden Hennen seitwärts neigt. Die Ohrlappen sind weiß, die Läufe schiefergrau.

Ostfriesische Möwen (Abbildung von ca. 1900)

FARBEN

Bei beiden Rassen gibt es zwei anerkannte Farben: golden geflockt und silbern geflockt. Die Flockung ist anders aufgebaut als etwa bei den Friesen: hier finden sich pro Feder nur zwei bis drei ziemlich große, rechteckige Flockenpaare. Zur Zeit arbeiten die Züchter an einem dritten Farbschlag: zitronen geflockt. Bei der Zwergform der Groninger Möwe ist dieser bereits anerkannt. Durch Kreuzung von golden und silbern geflockt kann es zu einem neuen Farb-Gen kommen; dieses hellt die goldgelbe Grundfarbe nach zitronengelb auf, während die Flockung schwarz bleibt. Das Resultat nennt man zitronen geflockt.

EIGENSCHAFTEN

Wie alle Landhühner ist auch diese Rassen vital, aktiv und ihrem Pfleger gegenüber etwas zurückhaltend. Möglicherweise dank ihres schwereren Körperbaus ist sie auch ruhiger als bspw. Friesen-Hühner. Ein guter, ruhiger Pfleger kann sie durchaus zahm kriegen. Diese Hühner eignen sich gleichermaßen für große Gehege und freien Auslauf. Wenn man den Tieren die letztgenannte Möglichkeit gönnt, können sie sich in der Regel ihr Futter teilweise selbst suchen. Da diese Hühner sehr gute Flieger sind, muss man unbedingt für eine hohe Einzäunung sorgen, um eventuellen Ausbrüchen vorzubeugen. Beide Rassen legen recht schwere weiße Eier. In Brutstimmung geraten sie nur selten.

BESONDERHEITEN

Von den Groninger und Ostfriesischen Möwen gibt es auch Zwergformen. Da sie sich nur in der Größe von den Stammformen unterscheiden, gehen wir nicht näher auf sie ein.

Golden geflockter Ostfriesischer Möwen-Hahn

Hamburger

HEIMAT

England, Niederlande und Deutschland.

ENTSTEHUNG

Mehrere Länder halten sich für die „Schöpfer" des Hamburger-Huhns, dessen Ursprünge sich nicht mehr verfolgen lassen. Die Vorfahren dieser Rasse waren zu Anfang des achtzehnten Jahrhunderts in Deutschland und Großbritannien unter dem Namen „Hamburgher" bekannt, doch konnte damals noch keine Rede von reinrassigen Tieren sein. Die „Hamburgher" waren besonders schön gezeichnete getupfte Tiere, die man vor allem als Nutz- bzw. Legehühner hielt. Später legte man mehr Wert auf das schöne äußere, und es wurden gezielt Rassen eingekreuzt. Die einfarbigen Hamburger sollen der Überlieferung nach in England entstanden sein. Als Heimat der geflockten Varianten gelten die Niederlande.

ÄUSSERE MERKMALE

Je nach Farbschlag gibt es bei dieser Rasse drei Formate: zu den geflockten gehören die kleinsten und schönsten Tiere. Das Hamburger-Huhn hat einen langgestreckten Körper, dessen Rückenlinie beim Hahn leicht abfällt.

Die einfarbigen und getupften Farbschläge sind ähnlich gebaut, aber deutlich größer. Der Kopf ist durchweg länglich und trägt einen Rosenkamm mit sichtbar abgerundetem, stracks nach hinten weisendem Dorn. Stark pigmentierte Tiere haben eine braunrote Iris, hellere Schläge eine rotbraune. Die Ohrlappen sind weiß. Die Ohren selbst sind ziemlich rund und mittelgroß, so dass sie stark ins Auge fallen. Der Hahn trägt seinen reich befiederten Schwanz stark gespreizt. Die Läufe sind schiefergrau.

FARBEN

Bei dieser Rasse gibt es drei Farbengruppen:

Silbern-schwarz getupfte Hamburger-Hühner

Golden geflockte Hamburger-Henne

Zitronengelb geflockte Hamburger-Henne

am bekanntesten ist jene mit getupfter Zeichnung (golden-schwarz- und silbern-schwarz getupft). Häufig kommen auch geflockte Farbschläge wie golden, silbern, gelb-weiß, zitronengelb und golden-blau geflockt vor. Um bei Hennen die ideale Zeichnung zu erzielen, setzt man bei dieser Gruppe zur Zucht sogenannte „hennenfiedrige" Hähne ein: deren Gefieder fehlen die Kennzeichen „echter" Hähne (es gibt also weder Haupt- und Nebensicheln noch die üppigen Schmuckfedern an Hals und Sattel). Aufgrund dieser Abwei-

Porträt eines Hamburger-Hahns

chungen sind sie wie Hennen gezeichnet. Als dritte Farbengruppe sind die gesperberten, ungesäumt blauen, weißen und schwarzen Tiere zu erwähnen. Diese sind allerdings relativ selten.

EIGENSCHAFTEN

Hamburger-Hühner sind sehr lebhaft und aktiv. Dank ihrer Robustheit kann man sie ausgezeichnet frei laufen lassen, bei ausreichendem Platz aber auch in Gehegen halten. Außerdem brauchen Hamburger-Hühner viel Ablenkung, da sie sich sonst rasch langweilen. Dann richten sie ihre Aktivität gegeneinander, und es kann zu Beschädigungen kommen. Hamburger lassen sich nicht einfach zähmen, wissen aber gut zwischen dem vertrauten Pfleger und Unbekannten zu unterscheiden. Die Hennen legen durchschnittlich 55 g schwere weiße Eier. In Brutstimmung kommen sie selten oder nie.

BESONDERHEITEN

Beim Vergleich golden-schwarz- und silbernschwarz getupfter Tiere fällt gleich die unterschiedliche Schwanzzeichnung ins Auge. Tiere mit goldener Grundfarbe haben rein schwarze Schwänze, die silbern-schwarz getupften hingegen einen großen schwarzen Tupfen am Federende. In den letzten Jahren konzentrierten sich viele Züchter auf die gezeichneten Schwänze des golden-schwarzen Farbschlags. Es ist schwer, diese Zeichnung ohne Farbeinbußen zu erhalten: Tiere mit derart gezeichneten Schwänzen haben nämlich eine zu helle Grundfarbe.

Lakenfelder

HEIMAT
Niederlande und Deutschland.

GESCHICHTE
Über die Entstehung dieser Rasse kursieren verschiedene Theorien: der einen zufolge sind sie zu Anfang des achtzehnten Jahrhunderts in der Utrechter Bauerschaft Lakervelt entstanden, die zwischen Meerkerk und Lexmond liegt. Nach einer anderen Version bildete sie sich gleichzeitig in Westfalen und den Niederlanden heraus und verdankt ihren Rassenamen ähnlich gezeichneten Haustieren wie dem Lakenfelder-Rind.

ÄUSSERE MERKMALE
Die Lakenfelder gehören zu den alten Rassen und sind leicht und gestreckt gebaut. Der Kopf trägt einen mittelgroßen Einzelkamm und weiße Ohrlappen. Die Iris ist orangerot bis rotbraun. Die Flügel werden dicht am Körper getragen, manchmal aber auch etwas hängend.

Lakenfelder-Hühner

Die langen Schwanzfedern werden gespreizt und ziemlich hoch getragen. Der Hahn besitzt lange, breite, stark gebogene Sichelfedern. Die Läufe sind graublau gefärbt.

FARBEN
Bei diesen Hühnern wird in allen Ländern nur die Lakenfelder-Zeichnung anerkannt: sie besteht aus normalerweise schwarzen, gelegentlich aber auch „verdünnten" (blaugrauen) Elementen; letztere Form nennt man daher „blaugezeichnet".

Lakenfelder-Hennen

EIGENSCHAFTEN
Lakenfelder sind attraktive, behände Tiere, die hervorragend fliegen können. Sie zeigen die schönsten Farben, wenn sie freien Auslauf haben: eine Gruppe Lakenfelder auf grünem Rasen oder einer Wiese macht einen prächtigen Eindruck.
In Volieren oder Ställen fühlen sie sich selten wohl, was sich in Schreckhaftigkeit äußert. Die Legeleistung (weißschalige Eier) ist befriedigend. In Brutstimmung kommt diese

Lakenfelder-Hennen

Rasse heute kaum noch. Die Tiere wachsen rasch und sind sehr vital.

BESONDERHEITEN

Das Besondere an dieser Rasse ist ihre Zeichnung. In ganz Europa gibt es verschiedene Haustierrassen mit dem selben Muster und entsprechender Rassenbezeichnung (Lakenfelder-Mäuse, -Kühe und -Ziegen). Zu dieser Gruppe könnte man auch die „Hamburger-Zeichnung" bei Meerschweinchen rechnen. Allerdings hat Holland in dieser Hinsicht keinen Alleinvertretungsanspruch: auch in England findet sich die Lakenfelder-Zeichnung bei Rindern, etwa dem „Belted Galloway".

Porträt eines Lakenfelder-Huhns

Bei jungen Lakenfelder-Küken ist die auffällige Zeichnung noch nicht erkennbar. Sie bildet sich erst nach der dritten Mauser aus. Dabei gibt es mehrere Varianten: viele Exemplare haben im weißen Rückenfeld einige schwarze oder bunte Federn.

Leghorn

HEIMAT

Ursprünglich Italien; die verschiedenen Varianten haben sich allerdings in anderen Ländern entwickelt.

ENTSTEHUNG

Das Leghorn-Huhn stammt von italienischen Landrassen (Livorno) ab. Da diese als Legehennen einen guten Ruf genossen, wurden sie in viele andere Länder ausgeführt. So konnten sich aus etwa dem gleichen Ausgangsmaterial in verschiedenen Ländern unterschiedliche Typen entwickeln.

ÄUSSERE MERKMALE

Leghorns züchtet man in verschiedenen Typen, zwischen denen erhebliche Unterschiede bestehen. Dennoch gibt es einige Übereinstimmungen: so entsprechen alle dem gestreckten Landhuhntyp. Haltungsunterschiede gehen v. a. auf den Schwanz zurück: die niederländisch-deutsche Variante besitzt einen großen, voll befiederten und recht tief getragenen, der nicht vollständig gespreizt wird.

Leghorn-Hahn vom „amerikanischen" Typus

Die Hühner der amerikanischen Zuchtrichtung tragen ihren Schwanz ebenso hoch wie die Niederländer, spreizen ihn aber vollständig; bei diesem Zuchttypus ist er sehr üppig befiedert. Englische Leghorns hingegen tragen ihren Schwanz sehr niedrig und fast völlig zusammengefaltet. Diese Zuchtform besitzt auch längere Läufe und nimmt eine aufrechtere Stellung ein. Außerdem besitzt sie einen riesigen Kamm und sehr lange Kinnlappen. Bei Hennen ist der Kamm vollständig umgelegt. Niederländisch-deutsche und amerikanische Leghorns besitzen große Kämme, deren hinterer Teil sich nur bei legenden Hennen seitwärts neigt. Sämtliche Leghorns haben weiße Ohrlappen und gelbe Läufe. Die Iris ist orangerot. Unter den deutsch-niederländischen Tieren gibt es auch eine Rosenkamm-Variante. Der Kamm ist recht breit und endet mit einem stracks nach hinten weisenden Dorn. Solche Tiere trifft man allerdings selten.

FARBEN

Nicht bei allen Typen erkennt man die gleichen Farben an, und außerdem gibt es von

Wildfarbiger Leghorn-Hahn vom „niederländisch-deutschen" Typ

Land zu Land erhebliche Unterschiede bezüglich der für die einzelnen Typen zugelassenen Farben. Dennoch heißen alle unterschiedlichen Farbschläge und Zuchtformen „Leghorns"; dieser Bezeichnung wird die jeweilige Zuchtrichtung bzw. der Typus hinzugefügt. Eine Ausnahme von dieser Regel bilden die Tiere der deutsch-niederländischen

Leghorn-Hennen vom „amerikanischen" Typ

Leghorn-Hennen vom „Exchequer"-Typ

Zuchtvariante, die man in verschiedenen Ländern nicht „Leghorns" nennt, sondern mit Namen belegt, die auf die Heimat der Rasse verweisen: Italiener (Deutschland), Italiana (Spanien und Italien) und Italienne (Frankreich). Den amerikanischen Typus mit seinen prächtigen Schwanzfedern gibt es in weiß (der Standardfarbe), schwarz, rot, columbia, wildfarbig, braun- und silbern-wildfarbig und als Rot-Schwarzschwanz. In den meisten Ländern wird nur weiß anerkannt.

Den deutsch-niederländischen Typ gibt es u.a. in weiß, schwarz, gelb, blau (gesäumt und ungesäumt), rot, wildfarbig, silber-, blau-, gelb-, braun- und kuckucks-wildfarbig, wildfarbig-goldflittrig, silbern-wildfarbig-silberflittrig, rotschultrig-silbern-wildfarbig, blaubunt, golden-schwarzgesäumt, golden-blaugesäumt, golden-weißgesäumt, rotschultrigweiß, gestreift, porzellanfarben, columbia, columbia-blaugezeichnet, silberlack und Exchequer.

Den englischen Typ mit seinem auffälligen Kopfschmuck gibt es u.a. in weiß (der in fast allen Ländern allein anerkannten Farbe). In Großbritannien selbst züchtet bzw. präsentiert man ihn auch in schwarz, gelb, ungesäumt blau, wildfarbig, silbern-wildfarbig, wildfarbig mehrfach gesäumt, rotgezeichnet, schwarzbunt, Exchequer und gesperbert.

EIGENSCHAFTEN

Diese Rasse war in den 50er und 60er Jahren des 20. Jahrhunderts sehr beliebt, was vor al-

Etwa zwei Wochen altes Leghorn-Küken

Wildfarbige Leghorn-Henne vom deutsch-niederländischen Typus

lem ihrer Legeleistung zu verdanken war: die Hennen produzierten jährlich etwa 200 Eier – für diese Zeit eine beachtliche Menge. Als Nutztiere fanden sie daher vor allem im kommerziellen Sektor Verwendung. Später wurde das Leghorn mehr und mehr zum „Ausstellungstier". Vorher leistete die Rasse ihren Beitrag zur Entstehung diverser Lege-Hybriden. Trotz der Veredelung durch unterschiedliche Typen ist sie auch heute noch ein hervorragendes „Legehuhn", das meist auch im Winter nicht aussetzt. Die Eierschalen sind weiß. Leghorns geraten (fast) nie in Brutstimmung, was mit ihrer ursprünglichen Funktion zusammenhängt. Die Rasse ist vital, schnellwüchsig und frühreif. Man kann sie gleichermaßen freilaufend und in Gehegen halten. Bei behutsamem Umgang wird sie recht zutraulich, doch meist nicht handzahm. Meist hält sie etwas Abstand und bleibt wachsam. Wenn man eine Variante mit großem Kamm wählt, ist zu beachten, dass dieser im Winter besondere Pflege erfordert: cremen sie Kamm und Kinnlappen bei Frost mit säurefreier Vaseline ein, damit sie nicht erfrieren und absterben.

BESONDERHEITEN

In Deutschland gibt es auch schwarz-weißgeperlte Leghorns. Eine übereinstimmende Zeichnung findet sich auch beim Ancona-Huhn. Da Letzteres vom Typus her stark dem Leghorn ähnelt, werden Anconas in Deutschland nicht anerkannt. Andere Länder – unter anderem die Niederlande – erkennen wiederum zwar das Ancona, nicht aber das schwarz-weißgeperlte Leghorn an.

Die sogenannte „Exchequer"-Variante umfasst schwarz-weiß gefleckte Tiere. Dieser Farbschlag kommt beim englischen und deutsch-niederländischen Typus vor, doch gibt es im Hinblick auf die Farbverteilung einige Unterschiede. Der deutsch-niederländische Typ ähnelt in einigen Merkmalen (etwa im Hinblick auf Kammform und Körperbau) eher der englischen Zuchtrichtung und wird daher oft separat gezüchtet.

Marans

HEIMAT

Frankreich

GESCHICHTE

Das Marans entstand zu Anfang des zwanzigsten Jahrhunderts in dem gleichnamigen französischen Fischerdorf. Es wurde als Legerasse gezüchtet. Seine Ahnen sind nicht genau bekannt, doch gehören zu ihnen vermutlich u.a. die Faverolles und die Croad Langschans.

ÄUSSERE MERKMALE

Das Marans-Huhn ist eine recht kräftige Rasse, deren Kennzeichen der ziemlich langgestreckte Körperbau ist. Die Tiere haben weiße Beine von mäßiger Länge, die außen befiedert sind. Dies betrifft auch die äußere Zehe, doch kann man nicht von vollständig befiederten Füßen sprechen. Der Einzelkamm und die Ohrlappen sind rot, die lebhaften Augen haben eine leuchtend orangerote Iris. Der Schwanz wird mittelhoch und deutlich gespreizt getragen. Es gibt zwei Zuchtrichtungen: der englische Typ unterscheidet sich vom französischen unter anderem durch die fehlende Befiederung der Laufaußenseiten. Außerdem ist das englische Marans gedrungener gebaut.

FARBEN

Diese Rasse kommt u.a. in den Farben kupfer-schwarz, gesperbert, golden-gesperbert, schwarz, silbern-gesperbert, weiß, columbia und reinschwarz vor. Daneben kennt man in Frankreich noch den Farbschlag „fauve": er lässt sich am besten als weizenfarbig mit rötlichem Einschlag beschreiben. Am beliebtesten ist neben gesperbert der Farbschlag kupferschwarz. Bei der letztgenannten Farbvariante dürfen die schwarzen Federpartien nur matt glänzen – anders als bei vielen anderen Hühnerrassen, wo das Schwarz grün glänzen muss. Im Grunde ist kupfer-schwarz eine Abart von goldhalsig-schwarz, bei der Kupfer an die Stelle von Gold tritt.

Silbern-schwarze Marans-Henne

Kupfer-schwarzer Marans-Hahn

sind kräftige, vitale Vögel, die gut legen und rasch wachsen. Manche Hennen geraten in Brutstimmung, doch ist diese Eigenschaft nicht allgemein verbreitet.

BESONDERHEITEN

Laut Mitteilung des französischen Landwirtschaftsministeriums enthalten Marans-Eier keine Salmonellen. Das liegt vermutlich an den im Vergleich mit anderen Rassen sehr feinporigen Schalen und den minder durchlässigen Eihäuten.

EIGENSCHAFTEN

Bei guter Pflege und ruhigem Umgang werden die Tiere zutraulich, aber nicht wirklich handzahm. Sie sind meist von freundlichem Wesen und fast nie aggressiv. Man kann sie gleichermaßen freilaufend und in Gehegen halten. Da ihre Läufe nur spärlich befiedert sind, können sie auch bei schlechtem Wetter mühelos laufen. Zu den auffallendsten Eigenschaften dieser Rasse gehört die tief dunkelrot(braun)e Färbung der Eierschalen. Dabei handelt es sich um eines der „Gütezeichen" der Marans. Früher machte man sich dieses zunutze um die Barnevelder vitaler zu machen. Marans

Die Eier der Marans-Hühner sind tief dunkelrotbraun.

Die Eigenschaft, dunkelbraune Eier zu legen, lässt sich nur schwer festlegen; als man sich züchterisch darauf konzentrierte, musste man stets Abstriche bei den äußeren Merkmalen der Marans-Hühner machen: viele Tiere aus sogenannten „Legestämmen" haben anders gefärbte Läufe, unschön geformte Kämme und eine mäßige Zeichnung. Äußerlich sehr schöne Hennen wiederum legen meist keine Eier in der gewünschten dunkelbraunen Farbe.

Sehr schwer kann sich auch das Züchten der erwünschten weißen Lauffarbe gestalten: dieses Gen ist nämlich ans Geschlechtschromosom gekoppelt, so dass man viel leichter weißläufige Hähne als schöne kupfer-schwarze Hennen züchten kann. Die Lösung des Problems bestand darin, einen Zuchthahn mit sehr hellen Daunen einzusetzen: das Daunengefieder muss vor allem auf dem Sattel nahezu weiß sein.

Neben kupfer-schwarz und silbern-gesperbert zählt golden-gesperbert zu den „speziellen"

Marans-Eintagsküken

Marans-Farbschlägen. Golden-gesperbert ist eigentlich nur eine Variante von kupferschwarz, bei der anstelle von schwarz ein gesperbertes Muster tritt. Bei silbern-gesperberten Tieren wird Gold durch Silberweiß ersetzt.

Ein Vorteil dieser beiden Farbschläge besteht darin, dass die Tiere aufgrund der aufgehellten schwarzen Partien schöne weiße Läufe haben.

New Hampshire

HEIMAT

USA.

ENTSTEHUNG

Diese Rasse entstand zu Anfang des zwanzigsten Jahrhunderts im US-Bundesstaat New Hampshire. Als „Grundlage" für diese hauptsächlich der Eier wegen, aber auch als Fleischlieferanten gezüchteten Tiere diente dabei das Rhodeländer-Huhn. In den USA wurden diese Hühner als Nutzrasse unerhört populär; in Europa begann man sich erst in den 1940er Jahren für sie zu interessieren. In Ländern wie den Niederlanden und Deutschland hat die Rasse viele Freunde, während sie anderswo nur selten anzutreffen ist.

ÄUSSERE MERKMALE

New Hampshires sind kräftige Hühner mit breit gebautem Körper und einem zum Schwanz hin abfallenden „Hohlrücken". Sie haben einen Einzelkamm; die Iris und die Ohrlappen sind braunrot, die Läufe gelb gefärbt. Der Schwanz ist mäßig lang und wird stark gespreizt getragen. Ein knapp anliegendes Federkleid mit breiter Struktur gehört zum Rassestandard.

Rotbraune New-Hampshire-Henne

FARBEN

New Hampshires gibt es in rotbraun, rotbraun-blaugezeichnet und weiß. Der erstgenannte Farbschlag gilt als der ursprüngliche und zeigt sich bei dieser Rasse als schöner, warmer Rotbraun-Ton. Die blaugezeichnete Variante weicht davon insofern ab, als das Schwarz zu Blaugrau aufgehellt ist, sie wurde in den Niederlanden durch Kreuzungen von New Hampshires mit Legehybriden, welche den Erbfaktor für die blaue Zeichnung besaßen, gezüchtet. In diesem Land wird die weiße Farbe nicht anerkannt, da derartige Tiere äußerlich von weißen Barnveldern praktisch nicht zu unterscheiden sind.

EIGENSCHAFTEN

Die Rasse wurde ursprünglich sowohl als Eier- und Fleischlieferant gezüchtet. Sie wächst daher schnell, und die Hennen legen gut. New Hampshires haben ein ruhiges, freundliches Wesen und werden leicht sehr zahm. Es ist eine vitale, fruchtbare Rasse, die in Gehegen und freilaufend gleich gut gedeiht. Wegen ihres höheren Gewichts sind diese Hühner keine guten Flieger, so dass die Einfriedung des Geheges höchstens anderthalb Meter hoch zu sein braucht. Untereinander

sind die Tiere verträglich und wenig aggressiv. In Brutstimmung kommen sie gelegentlich, doch ist sie bei dieser Rasse allgemein nur schwach ausgeprägt.

BESONDERHEITEN

Im rotbraunen Farbschlag sind diese Hühner attraktive Tiere. Hähne müssen „dreifarbig" sein, d.h. drei verschiedene Schattierungen von Rotbraun aufweisen. Die hellste findet sich am Halsbehang, die mittlere an den Sat-

New-Hampshire-Eintagsküken

telfedern und die dunkelste auf dem Rücken. Neben dem rotbraunen Grundton weisen die Tiere braune, schwarz gezeichnete Schwungfedern und schwarze Schwänze auf. Hennen besitzen stets einige schwarze Halsfedern. Freilandhaltung und Legetätigkeit beeinflussen auffälligerweise die Farbe der Hennen: nach der Mauser sind Junghühner einheitlich warm-rotbraun. Unter dem Einfluss der Sonne hellt sich die Farbe legender Hennen nach ein bis zwei Monaten auf und wird fleckiger. Gegen Ende der Legesaison hat sie mit dem anfänglichen Federkleid nichts mehr gemeinsam.

Orpington

HEIMAT
England.

ENTSTEHUNG
Diese Rasse wurde gegen Ende des 19. Jahrhunderts von dem Engländer William Cook aus Orpington gezüchtet. Zu ihren Vorfahren gehören u.a. Croad Langschans, Minorkas,

Langschans und Plymouth Rocks. Vor allem die Langschans haben die neue Rasse stark geprägt: die ersten Tiere ähnelten noch stark

Gelb-schwarzgesäumter Orpington-Hahn

Gelb-schwarzgesäumte Orpington-Henne

cken kurz: er geht fließend in den kurzen Schwanz über, welcher mittelhoch getragen wird. Durch den „tiefen" Körperbau und das üppige Gefieder wirken Orpingtons sehr „bodennah": in Seitenansicht ist von den Füßen nichts zu sehen. Wichtig ist bei dieser Rasse, dass ein Teil der Füße noch sichtbar bleibt.

Schwarze Orpington-Henne

Porzellanfarbiger Orpington-Hahn

den Langschans. Das ursprüngliche Zuchtziel waren Legehühner mit großer Eierkapazität – und das gelang perfekt. Im zeitgenössischen Schrifttum werden Einzeltiere mit der enormen Eierzahl von etwa 340 Stück erwähnt. Ob das stimmt, darf man bezweifeln. Fest steht indes, dass die Rasse durch ihre außergewöhnlichen Legeeigenschaften Aufsehen erregte.

Die ersten Orpingtons waren schwarz; in den 1880er Jahren kamen die Farben weiß und gelb hinzu. Diese Tiere vertraten nicht den gleichen Typ wie die heutigen, sondern erinnerten viel stärker an Australorps. Die einzelnen Züchter haben sich auf bestimmte Typen festgelegt. Moderne Orpingtons sind mit keiner anderen Rasse vergleichbar.

ÄUSSERE MERKMALE

An Orpingtons fallen zuerst Größe und Gewicht der Tiere ins Auge: ihr Körper wirkt – übertrieben ausgedrückt – geradezu würfelförmig. Sie sind nicht nur groß, sondern vor allem sehr breit gebaut. Der Gesamteindruck wird durch das üppige, recht lockere Gefieder noch verstärkt. Die Brustlinie ist tief, der Rü-

Porzellanfarbige Orpington-Henne

auf die Waage und wirken durch ihr lockeres Federkleid noch größer. Man kann sie gleichermaßen in Gehegen oder freilaufend halten. Allerdings brauchen sie einen trockenen, sauberen Schlafstall: ihre Bauchfedern werden nämlich wegen der kurzen Beine leicht nass und müssen gut abtrocknen können. Die Hennen legen pro Jahr im Schnitt etwa 200 hellbraune Eier, die im Verhältnis zur Größe dieser Hühner eher klein sind. Orpingtons geraten leicht in Brutstimmung und werden dann zu hervorragenden Glucken, die ihre Brut problemlos aufziehen. Die Hähne besitzen eine tiefe, relativ leise Stimme, die gar nicht störend wirkt.

BESONDERHEITEN

Mit am häufigsten werden Orpingtons des Farbschlags „gelb" gezüchtet. Diese schöne,

Orpington-Hahn, wildfarbig mehrfachgesäumt

Manche Tiere haben so kurze Beine, dass die Daunen den Boden berühren. Den breiten Kopf ziert ein mittelgroßer Einzelkamm. Die Ohrlappen sind rot, und die Iris ist bei den meisten Farbschlägen orangerot gefärbt.

FARBEN

In Großbritannien hält man an den mehr oder minder ursprünglichen Farbschlägen schwarz, gelb, weiß und blau gesäumt fest. In fast allen anderen Ländern, wo diese Rasse gezüchtet und ausgestellt wird, kennt man viel mehr: dazu gehören u.a. birkenfarben, gestreift, rot, gelb-schwarzgesäumt, silbern-schwarzgesäumt, porzellanfarben, schwarz-weißgeperlt, weiß-columbia sowie porzellan- und wildfarbig (jeweils mehrfach gesäumt).

EIGENSCHAFTEN

Orpingtons haben weltweit viele Freunde und sind deshalb auf Ausstellungen eine vertraute Erscheinung. Es sind sehr anhängliche Hühner, die bei guter Pflege rasch handzahm werden. Sie werden sehr groß, bringen 3 bis 4 kg

warme, hellgelbe Farbe ändert sich leider durch Sonne und Regen sehr leicht. Deshalb sollte man solche Tiere gut vor praller Sonne und Regen schützen. Trotzdem sind die Hühner gegen Jahresende (direkt vor der Mauser)

Wildfarbig-mehrfachgesäumte Orpington-Henne

nicht mehr mit frisch gemauserten Tieren zu vergleichen. Wer gern Ausstellungserfolge erzielen will, sollte bei dieser Variante Stall und

Freigehege entsprechend anlegen: sorgen Sie durch Bäume oder Sträucher für Schatten oder überdachen Sie das Gehege vollständig und schützen Sie die Tiere vor Regen!

Plymouth Rock

HEIMAT
USA.

ENTSTEHUNG
Diese Rasse verdankt ihren Namen der amerikanischen Stadt Plymouth. Dr. Benneth züchtete sie aus Dominikanern, Brahmas und Javanern, um einen gute, vitale Legerasse zu erhalten. 1874 wurde sie in den USA unter der Bezeichnung „Barred Plymouth Rock" bekannt („barred" ist der englische Ausdruck für die von den Dominikanern geerbte Streifenzeichnung). Später wurden auch weiße und gelbe Plymouth Rocks anerkannt, und der Beiname „Barred" geriet außer Gebrauch. Noch vor der offiziellen Anerkennung fand die Rasse ihren Weg in andere Länder, u.a. nach Großbritannien.

Weiße Orpington-Henne

Silbern-wildfarbiger Plymouth-Rock-Hahn

ÄUSSERE MERKMALE

Plymouth Rocks sind stattliche Hühner: Hähne wiegen viereinhalb Kilo! Rassentypisch ist die flache, fast horizontale Rückenlinie, die

Plymouth Rocks, wildfarbig-mehrfachgesäumt

Schwarzer Plymouth-Rock-Hahn

sich im Schwanz fortsetzt. Beim Hahn ist dies minder deutlich als bei der Henne. Das liegt an den üppigeren, meist höher getragenen Schwanzfedern. Der Schwanz an sich wird mäßig gespreizt getragen.

Legende Hennen besitzen einen dicken, fülligen Leib – Anzeichen für eine gute Legerasse.

Plymouth-Rock-Küken

Die Brust dieser Hühnerrasse ist ziemlich breit, recht hoch und stark gewölbt. Ihre Läufe sind hellgelb; die nackte Gesichtshaut ist rot, der Schnabel gelb, die Ohrlappen wiederum rot gefärbt. Den Kopf der Tiere ziert ein mittelgroßer Einzelkamm. Außerdem haben die Hühner Augen mit einer leuchtend rotbraunen Iris.

FARBEN

Diese Rasse wird in vielen verschiedenen Farbschlägen gezüchtet; zu den klassischen gehören gestreift, weiß, schwarz und gelb. Außerdem gibt es u.a. wildfarbig mehrfachgesäumt, silbern-wildfarbig mehrfachgesäumt, columbia, gelb-columbia und blau-gesäumt.

EIGENSCHAFTEN

Plymouth Rocks sind anhängliche, ruhige Tiere, die leicht zahm werden. Sie brauchen nicht viel Platz; dennoch sollte man ihnen ein großes Gehege oder freien Auslauf gewähren. Durch ihren etwas schwereren Körperbau neigen sie wenig zum Auffliegen. Bei freiem Auslauf braucht die Einfriedung deshalb nicht sehr hoch zu sein.

Die Tiere bleiben ihren Wurzeln treu und legen daher recht viele cremefarbene, wohlge-

Schwarze Plymouth-Rock-Henne

formte Eier. Untereinander vertragen sie sich sehr gut. Wenn man diese Hühner in sehr großen Gehegen oder gar freilaufend hält, bereitet auch die Vergesellschaftung von mehreren Hähnen mit zahlreichen Hennen keine Schwierigkeiten.

BESONDERES

Diese Hühner sind in den USA wohl die populärste Rasse und haben auch in fast allen anderen Ländern unter den Hobby-Geflügelzüchtern sehr viele Freunde.

Beim gestreiften Farbschlag sind die schwarzen Streifen der Hennen breiter als die weißen, während bei Hähnen beide gleich breit ausfallen. Das liegt am geschlechtsgebundenen Erbfaktor für die Streifenzeichnung. Reinerbige gestreifte Hähne haben gegenüber den Hennen ein zusätzliches Gen: sichtbares Ergebnis sind die schwarzen Streifen, welche schmaler als bei der Henne ausfallen.

Der Erbfaktor für die oben erwähnte Streifenzeichnung hat bei stark „durchgezüchteten" Stämmen zur Folge, dass manche Hühner eine deutlich abweichende Befiederung ausbilden. Normalerweise mausern sich die Tiere bis zum Erreichen des Ewachsenenalters dreimal. Die Schwungfedern von Küken sind deutlich schmaler und haben außerdem spitzere Enden als jene der erwachsenen Tiere. Während der letzten Mauser werden sie in der Regel ausgewechselt; bei gestreiften Plymouth Rocks bleiben die äußersten „Kükenfedern" oft erhalten.

Rhodeländer

HEIMAT

USA.

ENTSTEHUNG

Rhodeländer sind eine echte Nutzrasse, die speziell als Eierproduzent gezüchtet wurde. Die Rasse entstand in der zweiten Hälfte des 19. Jahrhunderts in den Vereinigten Staaten, genauer gesagt im Bundesstaat Rhode Island. Indem man dort allerlei Legehennen mit asiatischen Hühnern wie Cochins und Malaien kreuzte, bildete sich durch gezielte Selektion auf Legeeigenschaften eine neue Rasse aus. Die örtlichen Züchter bevorzugten den roten Farbschlag, da solche Hennen als die besten Legerinnen galten. Erst 1904 wurden Standards für diese Rasse entwickelt, zunächst für Tiere mit Einzelkamm. Zwei Jahre später erkannte man auch weiße Hühner und solche mit Rosenkamm an. Noch vor der Anerkennung in ihrem Heimatland wurden die Tiere nach Kontinentaleuropa exportiert, wo sie als Nutzhuhn viele Anhänger fanden. Bis heute gibt es in vielen Zuchtstämmen, die zur Erzeugung von Legehybriden dienen, noch Erbgut der Rhodeländer.

Roter Rhodeländer-Hahn

ÄUSSERE MERKMALE

Den Typ des Rhodeländer-Huhns prägen der langgestreckte Körper mit stark gewölbter Brust und der mäßig lange, nur selten über die Rückenlinie erhobene Schwanz. Betrachtet man ein Rhodeländer-Huhn von der Seite,

so wird deutlich, dass es sich sozusagen – bis auf Füße und Hals – in ein Rechteck einpassen lässt. In der Fachsprache spricht man vom „Backsteintypus". Die Läufe des Rhodeländer-Huhns sind gelb gefärbt. Es kommen Tiere mit Einzel- und Rosenkämmen vor. Diese Rasse besitzt recht große Augen mit rotbrauner Iris. Die Ohrlappen sind rot – ein Erbe der asiatischen Ahnen.

FARBEN

Von dieser Rasse gibt es zwei Farbschläge: rot und weiß. Die roten Tiere besitzen Einzel-

Rhodeländer-Küken

oder Rosenkämme, die nur in wenigen Ländern anerkannten weißen müssen Rosenkämme haben. Der rote Farbschlag ist viel bekannter als der weiße, so dass Züchter die Rasse oft „Rhode Island Reds" oder einfach „Reds" nennen; das ist allerdings lediglich eine Farbschlag- und keine Rassenbezeichnung.

Rhodeländer-Hennen

EIGENSCHAFTEN

Wie es sich für eine Legerasse gebührt, ist dieses Huhn für seine guten Legeeigenschaften bekannt. Eine Henne kann im Schnitt jährlich etwa 200 hellbraune Eier produzieren; diese wiegen etwa 50–60 g – für so große Hennen nicht besonders viel. Die Rasse ist ruhig und zutraulich. Aufgrund des erheblichen Gewichts sind diese Tiere eigentlich keine „Flieger"; sie könnten es zwar, machen sich aber nur selten die Mühe. Da sie sich gut miteinander vertragen, kann man sie ausgezeichnet in Gehegen halten. Für mehrere Hähne gilt dies nicht immer. Bei freiem Auslauf gibt es allerdings keine Probleme. Sie werden schnell merken, dass die Freilandhaltung und die dadurch breitere Nahrungspalette die Farbe des Dotters und den Geschmack des Eis positiv beeinflussen. Junge Rhodeländer-Küken wachsen normalerweise schnell und sollten schon mit vier bis fünf Monaten die ersten Eier legen. Diese Rasse ist robust und eignet sich wegen ihres freundlichen Wesens auch für Anfänger.

BESONDERHEITEN

Dieses Huhn ist auch unter der Bezeichnung „Rhode Island Red" bekannt, obwohl es auch

weiße Tiere gibt. Letztere sind allerdings noch nicht so beliebt wie die roten Hühner. In Amerika wiederum gelten rote und weiße Hühner als verschiedene Rassen mit jeweils eigenen Standards. In den meisten Ländern beschränken sich die Züchter auf die rote Variante.

Rheinländer

HEIMAT
Deutschland.

GESCHICHTE
Das Rheinländer-Huhn stammt von einer alten, unveredelten Landhuhnrasse ab, die man seit Jahrhunderten in der Eifel hielt. Im Elsass entstand etwa gleichzeitig das Elsässer-Huhn. Beide Rassen zeigen im Typus viele Gemeinsamkeiten. Welche die ältere ist, bleibt ungewiss. Beide wurden durch Einkreuzung anderer Rassen in den alten Landhuhntyp zu leistungsstarken, gesunden und kräftigen Legehühnern. Zu Anfang des zwanzigsten Jahrhunderts wurden sie in Deutschland anerkannt.

Schwarzer Rheinländer-Hahn

ÄUSSERE MERKMALE
Rheinländer sind recht schwere Landhühner mit ziemlich niedrigerer Stellung und auffallend gestrecktem Körperbau. Die Brust ist breit, tief und stark gewölbt. Die Rückenlinie verläuft fast waagerecht und geht fließend in den langen Schwanz über, der ziemlich niedrig und stark gespreizt getragen wird; beim Hahn weist er breite, lange, stark gekrümmte Sicheln auf. Bei den meisten Farbschlägen sind die maßig langen Beine schiefergrau. Der Kopf des Rheinländers ist im Verhältnis zum Körper recht klein. Die Tiere besitzen weiße Ohrlappen und dunkle Augen. Die genaue Irisfarbe hängt vom Farbschlag ab: so besitzen weiße Rheinländer rotbraune Augen, schwarze hingegen dunkelbraune. Die Tiere haben

Schwarze Rheinländer-Henne

Silbern-wildfarbige Kraienkopp-Henne (Twenter)

Rosenkämme, also einen kleinen Kamm mit zierlichen Zacken und kurzem Dorn.

FARBEN

Neben dem ursprünglichen schwarzen Farbschlag gibt es blaugesäumte, gesperberte, wildfarbige, silbern-wildfarbige, weiße, silber- und goldhalsige Tiere. In einigen Ländern wird nur schwarz anerkannt.

EIGENSCHAFTEN

Rheinländer sind kräftige, aktive Tiere. Die Hennen legen auch im Winter gut. In Brutstimmung geraten sie nur selten. Die Rasse wächst rasch, doch dauert es länger als bei anderen schnellwüchsigen Hühnern, bis der Schwanz des Hahns voll ausgebildet ist. Rheinländer sind ruhige Hühner, die ziemlich zutraulich werden. Obwohl sie gut fliegen können, neigen sie wegen ihres Gewichts nicht dazu. Deshalb kann man sie gut auf Grundstücken mit relativ niedrigen Umfriedungen halten. Das Gleiche gilt für entsprechende Gehege. Untereinander vertragen sie sich; selbst junge Hähne kann man recht lange vergesellschaften.

Porträt eines Rheinländer-Hahns

Gesperberte Rheinländer-Henne

Kraienkopp- oder Twenter

HEIMAT

Niederlande und Deutschland.

GESCHICHTE

Das Twenter-Huhn entstand in der ostniederländischen Provinz Drenthe und der angrenzenden Grafschaft Bentheim (Deutschland). Voraus gingen Kreuzungen von Landhühnern mit Malaien und silbern-wildfarbigen Leghorns. Der Öffentlichkeit wurde es erstmals 1884 auf einer niederländischen Ausstellung präsentiert.

Schwarze Rheinländer-Henne

Wildfarbige Kraienköppe (Twenter-Hühner)

ÄUSSERE MERKMALE

Kraienköppe sind zierliche, kräftige Tiere, deren Typ Züge des Land- und des Kampfhuhns vereint. Vom Ersteren haben sie den länglichen, zierlichen Körper und den reich befiederten Schwanz, vom Letzteren die aufrecht-herausfordernde Haltung und die typische Kopfform übernommen. Der Körper ist kurz gebaut. Die Ohrlappen sind klein und rot gefärbt, der Schnabel ist gelb und kräftig. Die orangeroten Augen haben einen lebhaften Ausdruck. Der Kamm ist bei diesen Tieren klein und wie eine mit Warzen bedeckte halbe Walnuss geformt, bei der Henne aber kaum entwickelt. Die Flügel werden eng am Körper getragen. Die Läufe sind gelb gefärbt.

Wildfarbiger Kraienkopp-Hahn (Twenter)

FARBEN

Wildfarbig, silbern-, blau- und blausilbern-wildfarbig.

Silbern-wildfarbiger Kraienkopp-Hahn (Twenter)

EIGENSCHAFTEN

Dass Kraienköppe zum Teil von Kampfhühnern abstammen, ist den Tieren vor allem am Kopf anzusehen. Allerdings zeigt auch ihr Charakter einen entsprechenden Einschlag: die Hähne können untereinander sehr aggressiv werden, so dass man besser einen Hahn und mehrere Hennen hält. Diese Hühner sind vital und robust. Sie gedeihen gleichermaßen freilaufend und in großen Gehegen. Da sie recht gut fliegen können, muss die Einfriedung ihres Geheges entsprechend hoch sein. Nichtsdestotrotz werden die Tiere leicht überaus zahm. Die Hennen geraten zwar nicht sehr häufig in Brutstimmung, legen dafür aber reichlich große Eier. Meist tun sie das auch den Winter hindurch.

Kraienkopp-Hahn (Twenter)

Silbern-wildfarbiges und wildfarbiges Kraienkopp-Küken

BESONDERES

Im niederländischen Teil des Ursprungsgebietes wurden diese Tiere auch mit dem alten Rassenamen „Twenter Graue" belegt, der auf ihre anfängliche Farbe (silbern-wildfarbig) verweist.

Welsumer

HEIMAT
Niederlande.

ENTSTEHUNG
Die Welsumer gingen gegen Ende des neunzehnten Jahrhunderts aus der Mischung von rasselosen Tieren und Rassehühnern hervor. Zu ihren Ahnen gehören vermutlich neben rasselosen „Bauernhühnern" Orpingtons, Malaien und Brahmas.

Die Rasse verdankt ihren Namen dem „Heimatort" Welsum an der Ijssel. Sie wurde 1924 in den niederländischen Rassestandard aufgenommen – was sich als verfrüht erwies, denn erst fünf Jahre später wurde Einstimmigkeit bezüglich des Typus und der Farbe erreicht.

Schon sehr früh interessierte man sich im Ausland für diese Tiere, und ihre Eier wurden dorthin exportiert.

Welsumer-Eintagsküken

ÄUSSERE MERKMALE

Vom Typus her erinnern die Welsumer stark an die bekannten braunen „Batteriehühner": der Schwanz wird recht hoch und bei den Hennen etwas zusammengefaltet getragen. Den Kopf ziert ein mäßig großer Einzelkamm. Die Läufe sind gelb, färben sich aber bei stark legenden Hennen fast weiß um. Die Hennen müssen zu erkennen geben, dass sie gute Legerinnen sind: Anzeichen dafür ist ein voller, tiefer Hinterleib. Welsumer haben leuchtend orangerote Augen.

Welsumer-Hühner

Welsumer-Hahn

Welsumer-Hennen

FARBEN

In ihrer Heimat kommt diese Rasse nur im Farbschlag rot-wildfarbig vor, der als einzig echte „Urfarbe" angesehen wird. In Deutschland hingegen werden Welsumer in verschiedenen Farbschlägen gezüchtet: der rassentypische rot-wildfarbige Farbschlag ist nur eine Variante des bekannten Tons „wildfarbig". Bei Welsumer Hähnen ist die schwarze Brust immer etwas rotbraun gezeichnet.

EIGENSCHAFTEN

Welsumer sind für ihr prächtiges rot-wildfarbiges Gefieder und die dunkelbraunen, leicht gesprenkelten Eier bekannt. Letztere sind relativ groß: manche Hennen dieser Rasse können etwa 80 Gramm schwere Eier legen. In Brutstimmung kommen sie gelegentlich, meist aber erst im Spätfrühling. Im Winter legen die Tiere stets deutlich weniger. Man kann Welsumer in überdachten Gehegen halten, aber auch frei laufen lassen. Die Freilandhaltung hat den Vorteil, dass sie dann zu einem Gutteil für sich selbst sorgen können.

BESONDERES

Züchter sollen eigentlich nicht nur die schönsten Eier ausbrüten lassen: diese stammen nämlich häufig von den am schlechtesten legenden Hennen; bei den besten Tieren verfärben sie sich einige Wochen nach Beginn der Legeperiode hellbraun. Wählt der Züchter also nur dunkelbraune Bruteier aus, so selektiert er unbewusst auf schlecht legende Hennen.

Wyandotte

HEIMAT

USA.

GESCHICHTE

Man weiß nicht genau, welche Rassen zur Entstehung der Wyandotten beigetragen haben, doch vermutlich hatten die Cochins großen Einfluss auf diese Hühnerrasse. Seit 1860 wird von den ersten derartigen Hühnern

Welsumer-Eier

Mehrfachgesäumt wildfarbige Wyandotten

Mehrfachgesäumt wildfarbiges Wyandotte-Küken

berichtet. Diese Tiere waren unter verschiedenen Bezeichnungen bekannt, etwa als „American Sebrights" oder „Excelsiors". Houdlette, einer der ersten Züchter, taufte sie schließlich nach dem Schiff seines Vaters „Wyandotte". Unter diesem Namen wurden sie 1873 in den US-Standard aufgenommen und zehn Jahre später offiziell anerkannt. Die silbern-gesäumte Variante war der erste Farbschlag; später kamen viele andere hinzu.

ÄUSSERE MERKMALE
Wyandotten sind recht große, etwa 3 kg schwere Hühner. Ins Auge fallen die rundli-

chen Körperformen, die durch das üppige Gefieder noch betont werden. Diese Hühner besitzen einen breiten Körper; ihr Rücken ist mittellang und geht kurvig in den halbhoch getragenen Schwanz über. Die Schwanzpartie selbst besteht aus kurzen, steifen Federn. Von

Silbern-schwarzgesäumter Wyandotte-Hahn

Schwarze Wyandotten

Porträt eines Wyandotte-Hahns

hinten gesehen hat der Schwanz die Form eines umgekehrten „V". Beim Hahn wird er völlig durch die kurzen, stark gekrümmten Haupt- und Nebensicheln verdeckt.

Bei Hennen verrät der tiefe Hinterleib die gute Legerin. Die Brust ist tief und kräftig gewölbt. Der Körper liegt bei dieser Rasse recht niedrig über dem Boden und scheint durch die üppige, daunenreiche Befiederung noch tiefer zu sitzen. Die Läufe sind gelb gefärbt.

Wyandotten haben einen typischen runden, kurzen Kopf. Der Kamm gehört zum Rosen-Typ, wobei der Dorn der Halskrümmung folgt. Er selbst weist kleine, erhabene Warzen auf, das sogenannte „Kammwerk". Die Ohrlappen sind rot, die Iris rotbraun.

FARBEN

Wyandotten werden in vielen verschiedenen Farbschlägen gezüchtet, u.a. in weiß, gelb, rot, schwarz, gestreift, blau gesäumt und ungesäumt, golden-schwarzgesäumt, gelb-schwarzgesäumt, silbern-schwarzgesäumt, golden-blaugesäumt, gelb-weißgesäumt, columbia, gelb-columbia, gelb-columbia blaugezeichnet, columbia-blaugezeichnet, gesperbert-wildfarbig, wildfarbig mehrfachgesäumt, blau-wildfarbig mehrfachgesäumt, silbern-wildfarbig mehrfachgesäumt, gestreift und schwarz-weißgeperlt.

EIGENSCHAFTEN

Die Popularität der großen Wyandotten wurde in den letzten Jahren nur von der Zwergrasse übertroffen: Die Tiere sind freundlich und anhänglich. Dank ihres ruhigen Wesens eignen sie sich gut für Leute, die „zahme" Hühner schätzen, da sie leicht handzahm werden. Sie neigen wenig zum Fliegen und lassen sich daher ausgezeichnet im Garten oder in offenen Gehegen halten. Die Rasse ist stark und vital. Hennen geraten leicht und zuverlässig in Brutstimmung; ihre Brut betreuen sie aufopfernd. Die Eier haben verschiedene Farben: das Spektrum reicht je nach Farbschlag von hell- bis dunkelbraun. Da die Hennen oft und dauerhaft in Brutstimmung geraten, muss man ihnen in dieser Zeit verstärkte Aufmerksamkeit widmen.

BESONDERHEITEN

Diese Rasse wirkt durch ihr ungewöhnlich üppiges Daunengefieder schwerer als sie wirklich ist. Merkwürdigerweise entstand die als ursprünglichste geltende gestreifte Variante den Historikern zufolge mit Hilfe von Zwerg-Sebrights. Warum soll ausgerechnet diese kleine Zierrasse an der Wiege eines großen Nutzhuhns gestanden haben? Die Frage nach den Ahnen des silbern-schwarzgesäumten Farbschlags muss also offen bleiben.

Silbern-schwarzgesäumte Wyandotte-Henne

14 Fleischrassen

Alte und neue Rassen

Für Tier- und insbesondere Hühnerfreunde haben die Bezeichnungen „Fleisch-" oder gar „Schlachtrasse" einen recht anstößigen Beiklang. Allerdings darf man nie vergessen, dass die meisten Hühnerrassen ursprünglich als Nutztiere gezüchtet wurden: sie sollten entweder reichlich große Eier oder – durch schnelles Wachstum – einen preiswerten Braten liefern. Bei der Zucht von Fleischrassen selektierte man die Tiere auf schnelles Wachstum und guten Fleischansatz, beides gepaart mit sparsamem Appetit. Heute geschieht dies äußerst professionell, doch in früheren Jahrhunderten entstanden Fleischrassen oft durch puren Zufall. Unbewusste Kreuzungen von Land- und Rassehühnern lieferten oft Nachkommen von abweichender Größe und Schwere. Indem man mit diesen Tieren selektiv weiterzüchtete, bildete sich schließlich ein einheitlicher Typ heraus. Die Rassennamen sind oft vom Heimatort oder -landstrich der Tiere abgeleitet. Einige im letzten Jahrhundert entstandene Rassen waren bereits Resultate gezielter Zuchtprojekte. Im zwanzigsten Jahrhundert sind viele von ihnen zu reinen „Ausstellungsrassen" geworden. In kommerzieller Hinsicht sind sie von den Fleischhybriden überrundet worden, die schneller wachsen und außerdem mit weniger Futter zurecht kommen. Hauptsächlich an Ausstellungstieren interessierte Liebhaber haben dafür gesorgt, dass diese Rassen für die Nachwelt erhalten blieben.

Eigenschaften

Allen Rassen dieser Gruppe ist gemeinsam, dass sie groß und schwer werden. Diese Hühner lassen sich daher kaum von kleinen Kindern hochheben. Nichtsdestoweniger sind sie von Natur aus sehr ruhig: nervöses Verhalten und hektische Aktivität wären dem Fleischansatz nicht förderlich. Deshalb eignen sich die-

Fleischrassen werden auf schnellen Fleischansatz hin gezüchtet.

se Hühner auch für lebhafte Personen oder Haushalte mit Kindern. Problemen mit Größe und Gewicht kann man dadurch aus dem Weg gehen, indem man sich für die jeweiligen Zwergformen entscheidet. Diese Tiere lassen sich auch in kleineren Gehegen halten, doch muss man mehr Sorgfalt auf das Futter verwenden: wenn solche Hühner zu reichlich gefüttert werden, setzen sie sehr schnell Fett an.

Zum Fliegen neigen diese Rassen kaum – ein

Der „Jersey Giant" ist eine imposante Fleischrasse.

Vorteil für jene Menschen, die ihre Hühner hinter nicht allzu hohen Einfriedungen halten wollen. Untereinander sind diese Tiere recht verträglich. Infolge der Selektion auf Fleischansatz ist ihre Legeleistung weniger beeindruckend als die echter Legerassen; dafür geraten Vertreter dieses Rassenkreises allerdings regelmäßig in Brutstimmung, was von Vorteil ist, wenn man seine Eier lieber von den eigenen Hühnern ausbrüten lassen will.

Rassenbeschreibungen

Crève-Cœur

HEIMAT
Frankreich.

GESCHICHTE

In dem 1924 erschienenen Buch „Toutes les poules" werden die Crève-Cœurs als älteste Rasse Frankreichs bezeichnet. Über ihren Ursprung weiß man indes nur, dass sie in diesem Land bereits im sechzehnten Jahrhundert vorkamen. Ihre Urheimat liegt bei der kleinen Ortschaft Crêvecœur in der Normandie. Die Rasse gehört zu einer Gruppe von Hauben-

Blaue Crève-Coeur-Hennen

und Barthühnern, die vermutlich alle vom Paduaner-Huhn, einem im fünfzehnten und sechzehnten Jahrhundert weit verbreiteten bärtigen Haubenhuhn, abstammen. Auch Darwin gibt Crêvecœur als Heimatort dieser Rasse an. In Frankreich züchtete man diese Hühner, weil sie große Mengen schmackhaften Fleisches „produzierten". Da die ursprünglichen Crève-Cœurs nicht sonderlich robust waren, kreuzte man sie im neunzehnten Jahrhundert vor allem mit Dorkings. Das Ergebnis dieser Maßnahme sind die heutigen Crève-Cœurs.

ÄUSSERE MERKMALE

Die ursprüngliche Rolle als „Fleischproduzent" lässt sich am schweren, massigen Bau noch gut ablesen. Der Körper ist breit und recht lang, mit waagerechter Rückenlinie, so dass er nahezu kubisch wirkt. Die Flügel werden eng am Leib getragen; den stark gespreizten Schwanz kennzeichnet die halbhohe Haltung. Das Gefieder ist reich und breit, was sich beim Hahn vor allem in den langen, breiten, stark gekrümmten Sicheln und den zahlreichen Nebensicheln äußert. Die Läufe sind bei dieser Rasse nicht befiedert, mäßig lang und schiefergrau gefärbt. Der Kopf ist das „Gütezeichen" dieser Hühner: neben einem üppigen, auf dem Schädelknauf ansetzenden Schopf und einem vollen, dreiteiligen Bart besitzen die Tiere einen vor dem Schopf angeordneten Kamm. Dieser sogenannte „Hörnchenkamm" besteht aus den ein „V" bildenden „Hörnchen", welche am Ansatz zur kugeligen Kammbasis verwachsen sind. Aus praktischen Gründen waren die französi-

Crève-Cœurs (Abbildung aus dem frühen 20. Jahrh.)

schen Züchter allzeit darauf bedacht, dass diese Nutzhühner ein freies „Blickfeld" behielten. Der Schopf braucht deshalb nicht so lang zu sein wie etwa beim Paduaner. Am besten soll er möglichst kugelrund sein und eine feste Struktur besitzen. Um den Kamm zu behalten, werden bei dieser Rasse kleine Kinnlappen verlangt, die großenteils im „Bart" verborgen sind. Wenn man sie gezielt „wegzüchtet", wird auch der Kamm immer kleiner, bis er ganz verschwindet.

FARBEN
Crève-Cœurs gibt es nur in den Farbschlägen schwarz, weiß und ungesäumt blau.

EIGENSCHAFTEN
Als ursprüngliche Nutzrasse aus der Gruppe der Fleischhühner wachsen auch Crève-Cœurs sehr schnell. Damit sie nicht durch Umtriebigkeit und Aktivität zuviel Energie verschwenden, hat man sie auf einen ruhigen Charakter hin selektiert. Für Amateurliebhaber hat das den Vorteil, dass diese Rasse, wenn man sie von klein auf ruhig angeht, sehr zahm und zutraulich werden kann. Die üppige „Haube" erfordert allerdings eine regelmäßige Kontrolle auf Läuse, die unbedingt unverzüglich bekämpft werden müssen, um Schorfbildung, Infektionen und Beeinträchtigungen der Kondition zu vermeiden. Dank ihres ruhigen Wesens gedeiht diese Rasse auch in geschlossenen Gehegen; allerdings muss man dafür sorgen, dass die Tiere ausreichend Bewegung haben, da diese Fleischproduzenten sonst rasch verfetten. Vor dem Entfliegen braucht man bei diesen Hühnern keine Angst zu haben, doch sollte das Gehege überdacht sein: so sorgt man dafür, dass Schopf und Bart nicht verfilzen. Bei schönem, trockenem Wetter haben Crève-Cœurs viel lieber freien Auslauf. Diese Hühner legen recht viele große, weiße Eier. In Brutstimmung gerät diese Rasse ziemlich oft, meist aber erst zu Beginn des Sommers.

BESONDERHEITEN
Außerhalb Frankreichs ist diese Rasse recht selten, doch hat sie auch im Lande selbst unter den Züchtern keinen großen Anhang.

Es gibt auch eine Zwergform dieser Rasse. Da sie aber bis auf die Größe die gleichen Eigenschaften wie die Stammform hat, wird sie in diesem Buch nicht näher behandelt.

Dorking

HEIMAT
England.

GESCHICHTE
Wie die Dorkings entstanden, lässt sich nicht mehr genau ergründen. Fest steht, dass sie eine sehr alte englische Rasse sind. Bereits im Römischen Imperium finden sich Beschreibungen von Hühnern, die viel mit den Dorkings gemeinsam hatten. Merkwürdigerweise stammen alle Riesenrassen aus Asien, während beim Dorking – das mit vier bis fünf Kilo Gewicht durchaus zu dieser Gruppe zählen darf – nicht gesichert ist, ob überhaupt asiatisches Blut in seinen Adern fließt. Als wahrer Riese unter den Hühnern wurde diese Rasse zu Beginn des neunzehnten Jahrhunderts anerkannt, und wenige Jahrzehnte später fand sie ihren Weg in andere Länder. Im neunzehnten Jahrhundert wurde sie auch zur

Porträt eines Dorking-Hahns

Stammmutter vieler anderer Fleischrassen. Heute können sich leider nur noch wenige Leute für diese schweren Tiere begeistern.

ÄUSSERE MERKMALE

Dorkings sind eine große, breite und schwere Rasse. Die Hähne können bis zu fünf Kilo wiegen; die Hennen bringen es im Schnitt auf vier. Die Tiere haben einen langgestreckten, dicht über dem Boden getragenen Körper. Die Brust ist breit und hoch. Die Rückenlinie geht fast waagerecht in den mittelhoch getragenen Schwanz über. Der lange, gerade Rücken und die hohe Brust lassen den Körper fast rechteckig wirken. Der ziemlich lange Schwanz wird stark gespreizt getragen. Die Läufe sind kurz, besitzen statt der üblichen vier fünf Zehen und sind fleischfarbig. Der Hals ist kurz und voll befiedert. Den ziemlich großen Kopf ziert meist ein ebensolcher Einzelkamm, der sich bei legenden Hennen seitwärts neigt. Es gibt auch rosenkämmige Dorkings. Diese tragen einen vorn breiten Rosenkamm, der hinten in einen nahezu waagerechten Dorn ausläuft. Dorkings haben rote Ohrlappen und orangerote Augen.

FARBEN

Der beliebteste Farbschlag ist silbern-wildfarbig, doch gibt es auch wildfarbige, weiße, rote und gesperberte Tiere.

EIGENSCHAFTEN

Dorkings sind große, schwere Hühner. Sie brauchen nicht sehr viel Platz, aber reichlich Ablenkung, damit sie nicht verfetten. Wenn man ruhig vorgeht, können sie ziemlich zahm werden. Die Hennen legen fast ausschließlich in der „Saison" (Frühjahr und Sommer). Leider sitzt diese Rasse recht „locker" in ihrem Gefieder: die Deckfedern schließen nicht dicht an, und der Schwanz wirkt arg strubbelig. Ein guter Stall mit nicht überdachtem Auslauf (damit die Tiere bei Regen nass werden) sorgt für einen guten Zustand des Federkleides. Zusätzliches Eiweiß in Form von Mehlwürmern kann diesen Hühnern während der Wachstumsphase nicht schaden. Bei Bau und Einrichtung des Stalls muss man „Format" und Länge dieser Tiere in Rechnung stellen. Fallen bspw. die Legeboxen zu klein aus, kommt es rasch zu Beschädigungen des Gefieders.

Silbern-wildfarbiger Dorking-Hahn

BESONDERHEITEN

Dorkings haben an jedem Fuß eine zusätzliche Zehe. Das kommt nicht oft vor, und die meisten derart ausgestatteten Rassen haben Dorkings unter ihren entfernten Vorfahren. Ursprünglich fand sich dieses Merkmal nur bei Dorkings, Seiden- und Sultanhühnern. Wie diese nutzlose Mutation bei drei derart verschiedenen Rassen entstand, weiß man nicht. Die Vererbung der Veranlagung für fünf Zehen erfolgt „unvollständig dominant": wenn man also Rassen mit vier und solche mit fünf Zehen kreuzt, können ihre Nachkommen sehr variabel ausfallen: möglich sind vier oder fünf Zehen pro Bein, aber auch Tiere mit vier *und* fünf Zehen.

Es gibt auch eine Zwergform. Sie verdient zwar wegen ihrer geringen Größe und Seltenheit Beachtung, wird aber in diesem Buch nicht näher beschrieben, da sie ansonsten in allen Eigenschaften der Stammform gleicht.

Faverolles oder Deutsches Lachshuhn

HEIMAT
Frankreich

GESCHICHTE
An der Wende vom achtzehnten zum neunzehnten Jahrhundert bestand in Frankreich ein großer, stets wachsender Bedarf an Schlachthühnern. Von Rassen war dabei nie die Rede, vielmehr griff man zur Fleischproduktion auf die lokalen „Bauernhühner" zurück. Um ihnen mehr Masse zu verleihen, kreuzte man diese Lokalrassen mit Brahmas und Dorkings. Aus dieser Mischung ging das Faverolles-Huhn hervor. Seine Wiege stand im Departement Seine-et-Oise; Schwerpunkt der Zucht war das Dörfchen Faverolles, dem diese Rasse ihren Namen verdankt.

ÄUSSERE MERKMALE
Man züchtet diese Rasse in drei verschiede-

Faverolles-Henne

Silbern-wildfarbiger Dorking-Hahn

lich kleinen Einzelkämmen. Auffällig ist ihr großer, üppiger „Bart". Dieser ist dreiteilig mit einem deutlich längeren Mittelabschnitt. Die Iris ist orangerot. Faverolles haben kurze, fleischfarbige Läufe, die ebenso wie die äußerste Zehe befiedert sind. Diese fünfte Zehe haben sie von den Dorkings geerbt.

FARBEN

Ursprünglich war diese Rasse lachsfarbig, und in den Niederlanden wird beim französischen Typ nur dieser Farbschlag anerkannt. In anderen Ländern (u. a. in Frankreich) züchtet man auch gesperberte Tiere. In Deutschland und England zieht man sie sogar in weiß, schwarz, blau und columbia; diese Farbschläge werden beim „deutschen" Typ auch in den Niederlanden anerkannt.

nen Typen, dem ursprünglichen französischen („Faverolles claire"), dem deutschen („Faverolles foncé") und dem englischen. Gemeinsam ist allen dreien, dass der schwere, hohe und lange Körper sie deutlich als Fleischrasse kennzeichnet. Je nach Typ wird der breite, doch recht kurze Schwanz fast waagerecht („deutsch"), oder halb aufrecht („französisch" und „englisch") getragen. Die Tiere haben breite, runde Schädel mit ziem-

EIGENSCHAFTEN

Faverolles sind eine sehr anhängliche, ruhige und betuliche Rasse, die bei guter Pflege rasch Vertrauen zu ihrem Halter fasst. Man kann sie auch gut in nicht allzu großen Gehegen halten. Bedenken Sie aber, dass diese Hühner

Faverolles (Abb. aus dem frühen 20. Jahrhundert)

leicht zu dick werden! In kleinen Gehegen sollte der Futternapf deshalb schon zwei Stunden vor der nächsten Fütterung geleert sein. Man kann diese Hühner auch gut frei-laufend halten. Die Umzäunung braucht da-bei nicht allzu hoch zu sein, weil die Tiere meist mit beiden Füßen am Boden bleiben. Wie von den Züchtern gewünscht, wächst diese Rasse sehr schnell; das betrifft auch die übrige Entwicklung. Die Hennen legen im Sommer und Winter gut. Ihre Eier wiegen etwa sechzig Gramm und haben hellbraune Schalen. In Brutstimmung kommt diese Rasse nur selten.

BESONDERHEITEN

Besonderes Kennzeichen der Faverolles ist neben der fünften Zehe die „Lachsfarbe": Hahn und Hennen sind dermaßen unter-schiedlich befiedert, dass man sie für ver-schiedene Farbschläge halten möchte. Alle drei Zuchttypen haben ihre eigene Abwand-lung, die hauptsächlich die Grundfarbe be-trifft. Das Spektrum reicht von lachsrosa bis lachsrot. Bei den Hennen zeigt sich die Lachsfarbe an Hals, Rücken, Sattel und Schultern. Grundfarbe der Federn ist ein zar-ter Lachston, wobei der Saum fast weiß ausfällt. Die Brust der Hennen ist weiß mit ei-nem gelblichen Anflug. Beim Hahn sind Brust und Oberschenkel schwarz, der Hals und die Sattelfedern cremefarben. Der Rücken ist rot, die Schulterfedern ebenso, doch mit breiten weißen Säumen, so dass sie meliert wirken. Bei den „französischen" Faverolles sind die Schultern der Hähne oft silberweiß.

Houdan

HEIMAT
Frankreich

ENTSTEHUNG
Die Houdans entstanden in der zweiten Hälf-te des 19. Jahrhunderts im Departement Sei-ne-et-Oise. Ihr ursprünglicher Name war „Normannische Hühner" – ein deutlicher Verweis auf ihre Ahnen, die normannische Crève-Cœur-Rasse.

Porträt eines Houdan-Hahns

Die Letztgenannte wurde mit lokalen Rassen gekreuzt, um schwerere und schneller wach-sende Hühner zu erhalten, die vor allem für die Pariser Kundschaft gedacht waren. Viele dieser Tiere wurden in Houdan, dem zentra-len Ort ihrer Heimat, auf den Markt gebracht. Dieser verlieh der Rasse schließlich ihren Na-men. Um die Tiere noch schwerer zu machen, wurden später noch Kreuzungen mit Dor-kings vorgenommen.

ÄUSSERE MERKMALE
Houdans sind eine schwere, massig wirkende Rasse mit langem, breitem und hohem Rumpf. Der recht lange Rücken wird nahezu waage-recht getragen. Die Brust ist breit und hoch: so entsteht eine nahezu rechteckige Silhouet-te, welche dem sogenannten „Backsteintypus" entspricht. Die Flügel werden fast horizontal und dicht am Körper getragen, der Schwanz halbhoch und nach Möglichkeit ziemlich ge-spreizt. An den weißen Läufen, die eine leich-te schwarze Sprenkelung zeigen, fällt die fünf-te Zehe ins Auge. Ob dieses Merkmal schon vor Einkreuzung der Dorkings vorhanden war oder deren Erbe darstellt, lässt sich nicht

Houdans haben eine zusätzliche Zehe

mehr nachprüfen. Von den Crève-Cœurs haben die Houdans die große, volle Haube geerbt, die einer Erhöhung des Scheitels, dem sogenannten Knauf entspringt. Unter dem Kopf wächst ein voller, deutlich dreigeteilter „Bart". Sein Mittelteil ist groß und schwer. Zwischen Kehl- und Backenbart sitzen jeweils die kurzen Kinnlappen des Hahnes. Der Kamm ist einzigartig: man bezeichnet diese Form als „Blätterkamm", doch handelt es sich wirklich um einen „Becherkamm", der völlig aufrecht steht und hinten keine Verwachsung aufweist. Die beiden Einzelkämme sind also nur am Grund verbunden und erinnern bspw. an den gewellten Rand eines Eichenblatts.

FARBEN

Houdans werden nur in wenigen Farben gezüchtet: es gibt schwarzbunte, weiße und perlgraue Tiere, doch trifft man in der Regel nur die erstgenannten an.

Schwarzbunter Houdan-Hahn

EIGENSCHAFTEN

Als schwere, massige Fleischrasse, deren Hähne es auf etwa 3,5 kg bringen, sind Houdans ruhige, friedliche Tiere. Wegen ihres Charakters und ihrer äußeren Eigenschaften (namentlich des Schopfes und des Bartes) eignen sie sich eigentlich nur für trockene, überdachte Gehege. Houdans sind heute sehr selten geworden. Ihren spezifischen Anlagen als schnell wachsende Hühner hat das nicht gut getan. Sie legten ursprünglich recht zahlreiche und große Eier. Die Tiere gerieten leicht in Brutstimmung, waren aber als Glucken eigentlich zu schwer: es kommt nämlich oft zu Schalenbrüchen, die zur Verschmutzung des Eiinhalts und zum Absterben der Embryonen führten. Man sollte die Eier deshalb lieber von anderen Rassen oder in Brutapparaten ausbrüten lassen. Wegen der stattlichen Hauben und Bärte braucht diese Rasse spezielle Trinknäpfe, damit diese Federn nicht nass werden. Am besten füllt man nur ein wenig Wasser in die Schale.

BESONDERHEITEN

Die Zeichnung der schwarzbunten Houdans

Schwarzbunter Houdan-Hahn

ist kennzeichnend für diese Rasse. Man nennt sie „schwarzbunt", weil sie weniger deutlich als die von schwarz-weißgeperlten Hühnern ausfällt. Die weißen Flecken am Ende der Federn sind hier eher tropfen- oder halbmondförmig.

Typisch für diese Rasse ist der viel höhere Weißanteil im hinteren Schopfabschnitt: so entstehen große weiße Flecken. Nach jeder Mauser werden diese größer. Mehrere Jahre alte Houdans sind daher eher weiß als schwarz.

Jersey Giant

HEIMAT
USA.

ENTSTEHUNG

Diese schwere Fleischrasse entstand im US-Bundesstaat New Jersey. Dort wurde sie um 1880 aus Javas, Brahmas und Croad Langschans gezüchtet. Die Rasse gelangte in den 1920er Jahren auch nach Europa, wo sie als Fleischhuhn lange Zeit sehr beliebt war.

Porträt eines Jersey Giant-Hahns

ÄUSSERE MERKMALE

Am New Jersey Giant fällt – wie der Name vermuten lässt – zuerst die gewaltige Körpermasse ins Auge. Der Körper ist groß, breit, hoch und lang gebaut. Der Rücken ist recht flach, die Brust hoch und stark gewölbt. Der lange Rücken und die hohe Brust verleihen diesen Tieren ihren rechteckigen Umriss (sogenannter „Backsteintypus"). Die Flügel werden eng am Körper liegend getragen, der ziemlich große Schwanz stark gespreizt und halbhoch. Den Schwanz des Hahns zieren zahlreiche Haupt- und Nebensicheln. Der Kopf ist im Verhältnis zum Körper recht klein; ihn schmückt ein mittelgroßer Einzel-

Jersey Giant-Henne

kamm. Die Ohrlappen und das Gesicht sind leuchtendrot gefärbt. Die Iris ist bei dunklen Jersey-Farbschlägen dunkelbraun. Die Beine sind weidengrün bis schwarz mit grünen Glanzlichtern.

FARBEN

Diese Rasse wurde ursprünglich nur in schwarz gezüchtet. Mitte des zwanzigsten Jahrhunderts kam der weiße Farbschlag hinzu. Jüngeren Datums sind die blaugesäumten Jersey Giants.

EIGENSCHAFTEN

Jersey Giants sind eine der größten bekannten Hühnerrassen. Hähne können bis zu sechs Kilo wiegen, im Schnitt jedoch nur fünf. Früher gab es Kapaune (Kastraten), die es auf acht bis neun Kilo brachten – ein ungewöhn-

Jersey Giant-Hahn

Jersey Giant-Henne

zu stärken. Zwischen den beiden besteht ein grundlegender Unterschied: Australorps haben meist schwarze Läufe mit weißen Sohlen, Jerseys hingegen schwarze mit grünen Glanzlichtern und gelben Sohlen. Da die weißen Sohlen gegenüber den gelben dominant sind, ist die erste Nachkommengeneration eindeutig an der Farbe der Sohlen zu erkennen.

Breda oder Kraaikop

HEIMAT
Niederlande.

GESCHICHTE
Das Breda-Huhn ist eine alte niederländische Rasse, die ihren heimischen Namen der Stimmgewalt ihrer Hähne verdankt; die typische Kopfform erinnert jedoch sehr stark an die einer Krähe. Die genaue Entstehung der

Kraaikop-Küken

lich hohes Gewicht! Insofern überrascht es nicht, dass die Küken sehr schnell wachsen. Die Wachstumsphase hält überdies sehr lange an. Um die gewünschte große Körpermasse zu erreichen, sorgen die Züchter meist dafür, dass die Küken im Winter schlüpfen: so haben sie genug Zeit, um bis zur Ausstellungssaison das richtige Gewicht zu erreichen.

Wegen ihrer Größe brauchen diese Hühner viel Platz. Da sie nicht fliegen, kann man sie ohne weiteres frei laufen lassen. Die Hennen dieser Rasse legen recht gut: ihre Eier sind braun und wiegen in der Regel 58–63 Gramm. Die Tiere sind von Natur aus ruhig und untereinander sehr verträglich.

Wenn man es richtig angeht, können diese „schweren Jungens" sehr zahm werden. Für kleine Kinder eignet sich diese Rasse wegen der Größe jedoch weniger.

BESONDERHEITEN
Die Rasse wurde zur Steigerung des Gewichts in verwandte Hühner eingekreuzt. Zu Letzteren gehören etwa die Australorps, welche den Jersey Giants ein wenig ähneln. Umgekehrt sind solche Einkreuzungen auch dazu angetan, die Vitalität dieser recht seltenen Rasse

Rasse ist unbekannt, doch dürften Haubenhühner dabei eine wichtige Rolle gespielt haben. Diese Rasse gilt als der Riese unter den alt-holländischen Hühnern. Das heißt nicht nur, dass diese Hühner riesenhaft proportioniert sind (Breda-Hähne wiegen etwa drei Kilo), sondern die Rasse ist auch schwerer als die anderen alt-holländischen Landhühner. Früher wurden die Hähne oft zu Kapaunen gemacht (kastriert), so dass sie noch schwerer wurden: es kursieren sogar Gerüchte über Kapaune, die mehr als fünf Kilo wogen.

ÄUSSERE MERKMALE

Breda-Hühner nehmen eine aufrechte Haltung ein. Sie müssen kräftig, aber schlank sein. Ihre Rückenlinie fällt gleichmäßig ab. Diese Hühner haben dank ihrer langen Läufe einen sehr hohen Stand. Diese Rasse weist mehrere sehr typische Kennzeichen auf: sie besitzt beispielsweise keinen Kamm. Allerdings zeigt ihr Schädel an der üblichen Stelle des Kamms eine Erhöhung. Dieser Erhebung entspringen haarähnliche, nach hinten gerichtete Federn. Die Kinnlappen sind kurz und rundlich. Auch die sogenannten „geschienten" Nasenlöcher, die „Geierfersen"

und die Laufbefiederung sind kennzeichnend für diese Rasse. Der Schwanz wird recht hoch getragen und weist beim Hahn üppige Schmuckfedern auf.

FARBEN

Von dieser Rasse gibt es verschiedene Farbschläge: schwarz, weiß, blau gesäumt und gesperbert. Das Schwarz darf beim Breda-Huhn nicht glänzen, sondern muss tiefschwarz sein.

EIGENSCHAFTEN

Breda-Hühner sind hübsche, ruhige Tiere, die gleichermaßen in kleinen Gehegen und freilaufend gedeihen. In Brutstimmung geraten sie kaum, so dass man die Eier von „Pflegemüttern" oder Brutmaschinen ausbrüten lassen muss. Obwohl es sich ursprünglich um eine Fleischrasse handelt, entwickeln sie sich insgesamt langsamer als vergleichbare Rassen. Die Hennen legen meist sehr gut, so dass man auch im Winter mit Eiern rechnen darf. Letztere sind weiß.

BESONDERHEITEN

In ihrer Heimat nennt man die Rasse „Kraaikop", während sie andernorts eher als „Breda

Gesperberte Breda-Henne

Fowl" (Großbritannien), „poule de Breda" (Frankreich) oder Breda-Huhn (Deutschland) bekannt ist.

Die Hähne werden als gute Fleischproduzenten aufgezogen und gemästet. Zu Kapaunen

werden sie heute nicht mehr gemacht: beim Hahn liegen die Hoden an der Körperhinterseite; ihre Entfernung erfordert gute anatomische Kenntnisse. Wenn man sie beseitigt, bricht die Produktion männlicher Hormone ab, und die Hähne werden deutlich größer und schwerer. Im achtzehnten und neunzehnten Jahrhundert waren Kapaune sehr gefragt.

Niederrheiner

HEIMAT
Deutschland.

ENTSTEHUNG
Bevor es die heutigen Masthühner (meist Hybriden) gab, brauchte man in Deutschland um 1940 ein schnellwachsendes Schlachthuhn, das weißes, kurzfaseriges Fleisch lieferte. Als Grundlage diente das niederländische Noord-Holland-Huhn, das unter anderem mit dem „Mechelner Kuckuck", dem Orpington und dem Plymouth Rock gekreuzt wurde. Der deutsche Großzüchter Jobs, dem wir diese

Gesperberter Breda-Hahn

Niederrheiner-Hühner

182

Niederrheiner-Hahn

neue Nutzrasse verdanken, fand Gefallen daran, sie in vielen verschiedenen Farben zu ziehen. Dabei ließ er sich vom deutschen Genetiker Regenstein beraten. Als Ergebnis erhielt er viele ausgefallene und oft sogar neue Farbschläge, u. a. gelb- und blau-gesperbert.

ÄUSSERE MERKMALE

Niederrheiner sind recht schwere Hühner: der Hahn bringt es auf drei bis viereinhalb Kilo. Der Körper ist breit, füllig und hoch. Der ziemlich lange Rücken geht in einer kurzen Kurve in die mittellange Schwanzpartie über; diese wird nur mäßig hoch und etwas gesprelzt getragen. Beim Hahn werden die Stoßfedern fast vollständig von den Schmuckfedern verdeckt. Die Flügel werden geradezu waagerecht und dicht am Leib getragen. Der Hinterleib ist voll und hoch – ein Erbe des Noord-Holland- und des Mechelner-Huhns. Die Läufe sind von normaler Länge, unbefiedert und fleischfarbig. Den Kopf ziert ein Einzelkamm, der sowohl beim Hahn als auch bei der Henne aufrecht steht. Die Ohrlappen sind rot, die Augen im Idealfall orangerot.

FARBEN

Bei dieser Rasse erkennt man verschiedene Sonderfarbschläge an: Niederrheiner-Hühner gibt es unter anderem in gelb- und blau-gesperbert, gesperbert-wildfarbig, birkenfarbig und blau.

EIGENSCHAFTEN

Niederrheiner-Hühner gehören – getreu dem ursprünglichen Zuchtziel – zu den schnellwüchsigen und früh erwachsenen Rassen. Dass sie mit Hilfe mehrerer schwerer Rassen zum Fleischhuhn aufgebaut wurden, hatte zur Folge, dass diese Tiere durchweg ein ruhiges, bedächtiges Temperament besitzen. Wer sie gut pflegt, muss denn auch wenig Mühe aufwenden, um aus den Küken zutrauliche, handzahme Hühner zu machen. Diese Tiere fliegen nicht sonderlich gern, so dass man sie gut auch in nicht überdachten Gehegen halten kann. Da die Rasse die Neigung hat, schnell Fett anzusetzen, empfiehlt es sich, ihr viel Auslauf mit guten Bewegungsmöglichkeiten zu gönnen. Streuen Sie ein paar Körner in die lockere Bodenstreu, dann bleiben die Tiere stets aktiv. Niederrheiner-Hühner sind als gute Legehennen bekannt: im Jahr produzieren sie etwa 175 hellschalige, recht große Eier.

BESONDERHEITEN

An dieser Rasse ist vor allem der gelb-gesperberte Farbschlag zu beachten: er stimmt weit-

Niederrheiner-Hahn

Von dieser Rasse gibt es auch eine Zwergform. Da sie mit Ausnahme der Größe die gleichen Eigenschaften wie die Stammform besitzt, wird sie hier nicht näher behandelt.

Noord-Holland (NA)

HEIMAT
Niederlande.

GESCHICHTE
Zu Beginn des 20. Jahrhunderts züchtete man in der „Zaanstreek" (nordwestlich von Amsterdam) neben Legehühnern auch Tiere, die zur „Produktion" von Schlachtküken dienten. An solchen etwa drei Monate alten Küken bestand damals in Amsterdam großer Bedarf. Um größere und schneller wachsende Tiere zu erhalten, importierte man Mechelner-Hühner aus Belgien. Wegen großer Probleme bei der Aufzucht – die genannte Rasse vertrug das kältere, feuchtere Klima nur schlecht – war das allerdings nicht von Erfolg gekrönt. Deshalb kreuzte man die Mechelner mit rasselosen einheimischen Hühnern, die gut an das kühlere (und vor allem feuchtere) Wetter der „Zaanstreek" angepasst waren. Später wurden noch Plymouth Rocks eingekreuzt, um vor allem die Legekapazität zu steigern.

ÄUSSERE MERKMALE
Noord-Holland-Hühner geben deutlich zu erkennen, dass sie ursprünglich als Fleischtiere gehalten wurden: es sind große, breite und schwere Hühner. Das Gewicht der Hähne

gehend mit dem Ton des New Hampshire überein (goldbraun mit einer auf den Hals beschränkten Schachbrettzeichnung bei Hahn und Henne). Durch den „Sperberfaktor" wird die Grundfarbe von Bändern überlagert: dabei bilden sich auf den schwarzen Federabschnitten hell- und dunkelgraue Binden. Auf den goldbraunen Partien wechseln hell- und goldgelbe Binden miteinander ab.

Niederrheiner-Eintagsküken

Noord-Holland-Hühner werden auch „Blaue Nord-Holländer" genannt.

liegt zwischen dreieinhalb und vier Kilo. Trotz ihrer Körpermasse wirken diese Hühner nicht kantig, sondern eher rundlich. Die breite, hohe Brust hat eine kräftig gewölbte Kontur. Der Rücken ist recht lang und breit. Die Rückenlinie geht kurvig in den Schwanz über, der bei Noord-Holländern durch die hohe Tragehaltung, die relativ kurzen Federn und die mäßige Spreizung auffällt. Dadurch wirkt er im Verhältnis zum Rumpf eher klein. Der Kopf dieser Rasse ist groß; er trägt einen mittelgroßen Einzelkamm und rote Ohrlappen. Die Iris ist orangerot. Wichtig ist bei einer Fleischrasse die Hautfarbe: der Konsument schätzt nun mal hellhäutigen Hühnerbraten. Deshalb hat auch diese Rasse eine helle Haut und fleischfarbene Läufe.

FARBEN

Obwohl das Noord-Holland-Huhn anfangs auch in weiß vorkam, werden heute nur noch gesperberte Tiere anerkannt.

EIGENSCHAFTEN

Wichtig ist bei Fleischrassen in erster Linie,

dass sie schnell wachsen und gut Fleisch ansetzen. Das geht mit einem ruhigen Wesen einher, da nervöse Aktivität viel Energie verbraucht, was auf Kosten von Wachstum und Fleischbildung ginge. Als echte Fleischrasse ist das Noord-Holland-Huhn ein ruhiges Tier, das kaum zum Fliegen neigt. Bei guter, behutsamer Pflege werden die Hühner leicht sehr zahm. Für kleinere Kinder eignen sie sich allerdings wegen ihrer Größe weniger: da sollte

Sechs Wochen altes Noord-Holland-Küken (Hähnchen).

185

Noord-Holland-Henne

man lieber die Zwergform bevorzugen. Die Tiere gedeihen in geschlossenen Gehegen und auf engem Raum gut, doch darf man sie dann nicht zu viel füttern, da sie rasch verfetten. Allerdings lassen sich die Tiere auch gut freilaufend halten: wegen ihres großen Gewichts fliegen sie nämlich kaum. Unter sich sind sie sehr verträglich und gar nicht kampflustig. Die Hennen legen auch im Winter reichlich hellbraune Eier: es wurden schon 175 pro Jahr gezählt. Die Eier sind sehr groß.

BESONDERHEITEN

Farbe und Zeichnung verliehen dieser Rasse früher den Namen „Noord-Hollandse Blauwe". Die „Sperberung" entsteht hier nicht durch Schwarz und Weiß, sondern durch miteinander wechselnde dunkel- und hellgraue Binden. Bei den Hennen sind die dunkleren Binden etwa doppelt so breit wie die hellen. Diese Farbverteilung lässt die Tiere aus größerer Entfernung blaugrau wirken. Da dies der einzige bei dieser Rasse zugelassene Farbschlag ist, assoziieren Züchter mit dem Rassenamen sehr leicht die Farbe „blau".

Porträt eines Noord-Holland-Hahns

Sussex

HEIMAT
England.

GESCHICHTE
Das Sussex-Huhn entstand zu Anfang des neunzehnten Jahrhunderts in Südostengland. Zur Entwicklung dieser Rasse bediente man sich rasseloser Landhühner und großer,

Porzellanfarbige Sussex-Hühner

schwerer Rassen, bspw. der Dorkings und Brahmas. Erst ein Jahrhundert später wurde diese Rasse in andere Länder exportiert. Hinsichtlich der Zahl ihrer Freunde liegt sie heute im „Mittelfeld": sie war nie übermäßig populär, drohte aber auch nie in Vergessenheit zu geraten.

ÄUSSERE MERKMALE

Das Sussex ist ein schweres Huhn mit halbhohem Stand und „rechteckigem" Körperbau. Der Schwanz wird halbhoch getragen, niemals oberhalb der Horizontalen. Der Hahn besitzt ziemlich kurze Haupt- und Nebensicheln, welche die übrigen Schwanzfedern gut abdecken.

Die Brust des Sussex ist breit und hoch. Die Läufe sind weiß bzw. fleischfarbig gefärbt, die Ohrlappen sowie die unbefiederte Gesichtshaut rot. Den Kopf ziert ein mittelgroßer Einzelkamm, die Iris ist rot.

Columbia Sussex-Hahn

FARBEN

Man züchtet diese Rasse in rot-porzellanfarben, columbia, gelb- und rot-columbia, braun (wildfarbig), weiß, gesperbert und grau-silbern.

EIGENSCHAFTEN

Das Sussex ist ein sehr freundliches, ruhiges Huhn von angenehmem Temperament. Wer Wert drauf legt, handzahme Tiere zu halten, hat mit dieser Rasse eine gute Wahl getroffen. Untereinander verhalten sie sich ebenso ruhig wie dem Menschen gegenüber. Wenn genug Platz vorhanden ist, kann man sogar mehrere

Porzellanfarbiger Sussex-Hahn

Hähne pflegen. Diese robuste, vitale Rasse eignet sich auch für „Anfänger". Die Hennen legen sehr gut; meist gibt es auch im Winter regelmäßig Eier. Überdies geraten sie oft in Brutstimmung und sind als fürsorgliche Betreuerinnen ihrer Küken berühmt. Die Küken wachsen schnell, sind frühreif und sehr vital. Da ihnen das Fliegen nicht besonders liegt, kann man die Tiere auch in nicht überdachten Gehegen halten.

Sussex-Henne, columbia

15 Mehrzweck- oder Zwierassen

Die Entwicklung von „Zwierassen"

Wie in den vorausgehenden Beschreibungen nachzulesen ist, unterteilt man Hühner nach ihrer ursprünglichen Zweckbestimmung unter anderem in Lege- und Fleischrassen. Neben diesen beiden Hauptgruppen gibt es auch eine Anzahl von Rassen, bei deren Zucht man versuchte, die Veranlagung für gute Legeleistungen mit jener für üppigen Fleischansatz zu vereinen. So kam es, dass sowohl die Hennen als auch die Hähne kommerziellen Wert erlangten. Die Angehörigen dieser Gruppe bezeichnet man als „Zwierassen". Die Mehrzahl von ihnen entstand im zwanzigsten Jahrhundert. Das ist ohne weiteres verständlich, wenn man die Preisentwicklung bei Hühnerfleisch und Eiern betrachtet: Vergleicht man das erste Viertel des vorigen Jahrhunderts mit dem letzten, so kann man kaum Preissteigerungen registrieren: Eier und Hühnerfleisch sind nur um ein Bruchteil teurer geworden. Hingegen sind die „Erstellungskosten" eines Eis oder eines Kilogramms Hühnerfleisch um ein Mehrfaches gestiegen. Die Züchter haben das schon zu Beginn des vergangenen Jahrhunderts geahnt: deshalb versuchten sie, die Unkosten zu senken, indem sie „Mehrzweckhühner" züchteten – die Ahnen der heutigen Rassen.

Amrock-Henne

Eigenschaften

Für Sie als Hühnerfreund haben Zwierassen den Vorteil, dass sie ruhiger als die meisten echten Legerassen sind und weniger zum Fliegen neigen. Außerdem fassen sie schneller Zutrauen zu ihrem Pfleger; einige Rassen können sogar sehr zahm werden. Darüber hinaus sind diese Tiere oft äußerlich attraktiv und legen eine gehörige Anzahl Eier.

Rassenbeschreibungen

Amrock

HEIMAT
USA.

GESCHICHTE
Das Amrock-Huhn wurden auf der gleichen Grundlage wie das Plymouth Rock gezüchtet. Beide Hühner könnten daher eigentlich als

Amrock-Hennen

eine Rasse gewertet werden, in der es zwei Typen gibt: das Plymouth Rock als eine früh zum „Sporthuhn" entwickelte Rasse und das Amrock, welches bis vor etwa vierzig Jahren hauptsächlich als Nutztier gehalten wurde. Beim Amrock spielten äußere Merkmale lange nur ein Nebenrolle; erst in den 1950er Jahren wurde es als Nutztier wirklich beliebt und in vielen Ländern kommerziell gezüchtet. Damals entstanden Legehybriden, welche die Ansprüche der Industrie besser erfüllten, so dass die Rasse zum Liebhabertier wurde.

ÄUSSERE MERKMALE

Amrocks sind recht große Hühner, die etwa dreieinhalb Kilo schwer werden. Ihr Typus entspricht dem sogenannten „Glockenmodell": tatsächlich bilden Rücken- und Schwanzkontur der Hennen zusammen mit dem Hals eine Umrisslinie, die entfernt an die altertümlichen Bronzeglocken denken lässt, welche man in alten Kirchtürmen findet. Die mäßig lange Rückenlinie geht kurvig in die Schwanzkontur über. Der Schwanz selbst setzt breit an und wird fast völlig gespreizt sowie halbhoch getragen. Die Brust ist hoch und kräftig gewölbt. Den Kopf zieren ein Einzelkamm und rote Ohrlappen. Die Iris ist

orangerot. Amrocks haben einen mäßig hohen Stand und unbefiederte Läufe.

FARBEN

Diese Rasse kommt nur im Farbschlag „gestreift" (engl. „barred") vor.

EIGENSCHAFTEN

Amrocks sind recht ruhige, freundliche Hühner, die bei behutsamem Umgang sehr zahm werden können. Die Tiere neigen wenig zum Fliegen und können daher auch gut im Garten gehalten werden, ohne dass die Umfriedung all zu hoch sein muss. Die Hennen sind dafür bekannt, dass sie eine beachtliche Anzahl relativ großer, brauner Eier legen. In Brutstimmung kommen die Tiere selten; dieses Merkmal ist allen zur Gruppe der Legerassen gehörigen Hühnern gemein. Die Küken wachsen schnell und sind früh geschlechtsreif. Die Hennen besitzen zu Beginn der Legeperiode sattgelbe Läufe, die sich bei starker Legetätigkeit jedoch nahezu weiß färben können. Nach der Saison bzw. der Mauser werden sie dann wieder gelb. Ihre Färbung lässt sich beeinflussen, indem man Futter reicht, das mehr natürliche Farbstoffe enthält: die nötigen Pigmente finden sich z.B. in Karotten, Grünkohl und La-Plata-Mais.

BESONDERHEITEN

Die für diese Rasse typische Streifenzeichnung hat eine untrügliche Eigenart: bei Hähnen sind die schwarzen und weißen Streifen nämlich gleich breit,während bei den Hennen

Porträt eines Amrock-Hahns

Sechs Wochen alte Amrock-Küken

Amrock-Hahn

die schwarzen Streifen doppelt so breit wie die weißen ausfallen. Dies liegt an der geschlechtsgebundenen Vererbung der Zeichnung. Männliche Tiere besitzen den Erbfaktor für Streifenzeichnung stets doppelt, wie an ihrem Äußeren abzulesen ist. Amrock-Küken zeigen einen Geschlechtsdichromatismus: dies bedeutet, dass man die Geschlechter schon sehr früh allein anhand ihrer Farbe und Zeichnung unterscheiden kann: die Hennenküken sind am Kopf deutlich dunkler als ihre männlichen Geschwister gefärbt.

Amrock-Henne

Bielefelder oder Bielefelder Kennhuhn

HEIMAT
Deutschland.

GESCHICHTE
Diese bekannte Rasse wurde von G. Roth aus Bielefeld gezüchtet; dieser Stadt verdankt sie auch ihren Namen. Ausgestellt wurde sie zunächst unter der Bezeichnung „Deutsches Kennhuhn"; später nannte man sie „Bielefelder Kennhuhn". In Deutschland wurde sie 1980 anerkannt.

ÄUSSERE MERKMALE
Der Körperbau des Bielefelders lässt sich am besten mit „kubisch" umschreiben. In Geflügelzüchterkreisen nennt man ihn auch „Backsteintypus". Der Schwanz wird in Verlängerung der Rückenlinie stark gespreizt getragen. Diese Rasse besitzt einen Einzelkamm, gelbe Läufe und ein mäßig dichtes Gefieder. Die Iris ist orangerot. Hähne können es auf etwa vier Kilo bringen.

FARBEN
Der ursprüngliche Farbschlag der Bielefelder

Bielefelder-Henne

ist gesperbert-rot-wildfarbig („Kennfarbe"). Diese Kombination von rot-wildfarbiger und gesperberter Zeichnung sorgt dafür, dass alle schwarzen Federpartien durch gesperberte ersetzt werden. Bei der Henne kommt es darauf an, dass die Brust keinerlei Sperberzeichnung aufweist. Einige Züchter bemühen sich darum, eine silberne Variante, den sogenannten „Silber-Sperber" zu schaffen.

EIGENSCHAFTEN

Dieses Huhn wurde als Lege-Fleischrasse entwickelt. Es ist für sein rasches Wachstum und die gute Legeleistung bekannt. Da auch asiatisches Blut in seinen Adern fließt, legen die jungen Hennen sogar den Winter hindurch – ein Kennzeichen vieler „asiatischer" Rassen. Die Eier sind recht groß und hellbraun gefärbt. Vom Wesen her sind die Tiere ruhig und zutraulich: man kann sie also leicht handzahm machen. Bielefelder wissen einen freien Auslauf zu schätzen, fühlen sich aber auch in Gehegen wohl.

BESONDERHEITEN

Da die Erbfaktoren für „gesperbert" und „golden" bei Hühnern geschlechtsgebunden sind, haben reinrassige Hähne eine viel hellere Fär-

bung. Schon bei frisch geschlüpften Hahnenküken fallen das viel hellere Braun der Daunen und der größere weiße Scheitelfleck auf. Dadurch lassen sich Hähnchen und Hennen bereits ohne weitere Prüfung mit hundertprozentiger Gewissheit unterscheiden.

La Flèche

HEIMAT
Frankreich.

GESCHICHTE
Die Rasse ist nach der französischen Stadt La Flèche benannt. Sie ist sehr alt: in Frankreich wird sie schon im 15. Jahrhundert erwähnt. Verwandt ist sie mit den im 17.–18. Jahrhundert in ganz Westeuropa verbreiteten Haubenhühnern. Außerhalb Frankreichs sind diese Tiere sehr selten anzutreffen.

ÄUSSERE MERKMALE
La Flèches sind recht kräftige, hochbeinige Hühner. Der längliche Rumpf ist ziemlich breit. Der große Schwanz wird gespreizt getragen. Hähne besitzen hier gut entwickelte Schmuckfedern aus Haupt- und Nebensicheln. Die Läufe sind bei den meisten Farbschlägen blaugrau gefärbt. Der sogenannte „Teufelskopf" ist eine Besonderheit dieser Rasse; warum sie zu diesem Namen kam, lehrt ein Blick auf die Form des Kammes: er besteht aus einem symmetrischen Paar runder, aufrechter „Hörnchen". Direkt dahinter finden sich einige krause Federn. Dieser letzte Rest einer Haube verrät, dass die Rasse mit den Haubenhühnern verwandt ist. Dies

Porträt einer La Flèche-Henne

La Flèche-Henne

äußert sich auch in den Nasenlöchern des Oberschnabels, die deutlich erhöht und gleichsam „geschient" sind. Die Ohrlappen sind weiß, die roten Kinnlappen recht lang.

FARBEN

La Flèches werden in ihrer Heimat und fast in allen anderen Ländern in vier Farben gezüchtet, nämlich in weiß, schwarz, gesperbert und blau gesäumt. In Skandinavien erkennt man nur den schwarzen Farbschlag an, die ursprüngliche Farbe dieser Rasse.

EIGENSCHAFTEN

Wenn man genügend Platz hat, lassen sich diese Hühner ausgezeichnet freilaufend hal-

La Flèche-Hühner (Abb. Anfang 20. Jahrhundert)

ten. Sie können nämlich hoch fliegen und lassen nicht davon ab. Wenn man sie vor Einbruch der Dunkelheit im Stall füttert, kann man sie daran gewöhnen, dort die Nacht zuzubringen. Andernfalls suchen sie sich mit Sicherheit einen hohen Schlafplatz auf Bäumen. Die Tiere sind nicht aggressiv, werden aber auch nicht wirklich zahm. Sie legen große, weiße Eier, wurden aber ursprünglich wegen ihres raschen Wachstums, kräftigen Körperbaus und schmackhaften Fleisches gezüchtet.

BESONDERHEITEN

In Frankreich wird die Rasse in traditioneller Weise gezüchtet, also auf eine große Körpermasse hin selektiert. Dadurch wirken die Tiere reichlich plump. Deutsche Züchter hingegen haben schlankere, elegantere Tiere kreiert.

Deutsches Langschan

HEIMAT

Langschans sind eine deutsche Züchtung, die zu Anfang des zwanzigsten Jahrhunderts durch Kreuzung der ursprünglichen „Croad Langschans" mit Minorkas und Plymouth Rocks entstand. Die deutschen Züchter planten eine gut legende Rase, die jedoch – anders als die ursprünglichen Croad-Langschans – nackte Läufe haben sollte. Die hochbeinige Haltung der „Croads" blieb erhalten und wurde sogar noch stärker betont. Für die aus China stammenden Croad Langschans bedeutete das allerdings in Deutschland das Ende ihrer Anerkennung als Rasse.

ÄUSSERE MERKMALE

Das „Deutsche Langschan" ist ein großes, schweres Huhn: Hähne können vier bis viereinhalb Kilo wiegen. Diese Hühner haben eine auffallend abschüssige Rückenlinie, welche, ohne geradezu einen Winkel zu bilden, in den kurzen, recht hoch und gespreizt getragenen Schwanz übergeht. Bei den Hähnen werden die Stoßfedern völlig durch die kurzen, breiten Sicheln verdeckt. Der Hals ist ziemlich lang und leicht gebogen, der Kopf klein und recht schmal. Ihn ziert ein kleiner Einzelkamm mit fünf breiten Zacken. Die Ohrlappen sind wie die nackten Gesichtspartien rot. Beim schwarzen Farbschlag ist die Iris braunschwarz, beim weißen dagegen rotbraun.

Bei Langschans wird ein hoher Stand gefordert: dazu müssen die Unter- und Oberschen-

La Flèche-Hahn

Schwarzer Langschan-Hahn

kel überdurchschnittlich lang sein. Das lässt sich nur schwer herbeizüchten.

FARBEN

Diese Rasse wird nur in wenigen Farbschlägen gezüchtet: schwarz, weiß und blaugesäumt. Ein wagemutiger Züchter hat sich jüngst daran gemacht, auch gestreifte Tiere zu kreieren. In Deutschland gibt es diesen Typus leider nicht, und auch in anderen Ländern ist er sehr selten.

EIGENSCHAFTEN

Langschans sind kräftige, robuste Hühner, die schnell wachsen und zahlreiche große Eier mit cremefarbener Schale legen. Sie eignen sich gut für die freilaufende Haltung. Dank ihres stattlichen Gewichts fliegen sie kaum, so dass die Umfriedung nicht sehr hoch zu sein braucht. Auch in Gehegen gedeihen diese Tiere gut. Untereinander halten sie gut Frieden, so dass es kaum Probleme gibt. Die Tiere sind von Natur aus sehr ruhig und mit etwas Geduld leicht zu zähmen. Diese Eigenschaft ist bei Langschans dringend erforderlich, da man den Tieren ihre aufrechte Position vor Ausstellungen erst „antrainieren" muss. Im Gehege nehmen die Hühner die gewünschte Stellung oft perfekt ein, doch auf Ausstellungen, wo sie durch alle möglichen ungewohn-

Weiße Langschan-Hennen

ten Eindrücke abgelenkt werden, neigen sie sich stark nach vorn und lassen die Flügel etwas hängen. Erfahrene Züchter lösen dieses Problem, indem sie die Hühner viel in die Hand nehmen, an die Ausstellungskäfige gewöhnen und mit der Hand in die richtige Position bringen. Schon nach wenigen Trainingsrunden haben die Tiere das

Porträt eines weißen Langschan-Hahns

„Kunststück" gelernt; später sollten sie dann beim geringsten Wink die gewünschte Stellung einnehmen.

BESONDERHEITEN
Es gibt auch eine Zwergform des Langschan; da sie sich aber nur durch ihre Größe von der oben beschriebenen Stammform unterscheidet, wird sie in diesem Buch nicht näher beschrieben.

Sulmtaler

HEIMAT
Österreich (Kärnten).

Langschans

GESCHICHTE
Im steirischen Sulmtal, einer Landschaft südlich und südwestlich der Landeshauptstadt Graz, herrscht ein mildes Klima, und das Futterangebot ist reichhaltig. Die dortigen Kleinbauern machten sich das zunutze und widmeten sich neben dem Wein- und Ackerbau auch der Hühnerzucht. Es bestand Bedarf an großen, schweren Hühnern. Zuerst versuchte man, aus den vorhandenen „Altsteirern" die größten und schwersten Tiere zu selektieren: so erzielte man schlachtreife Kapaune mit einem Gewicht von 3,5 bis 4,5 Kilo. Später kreuzte man die Altsteirer mit Cochins, Brahmas und Langschans. Dabei sank zwar die Legeleistung, doch die Tiere wurden stattlicher. Es folgten weitere Kreuzungen mit Houdans und Dorkings. Armin Arbeiter aus Feldhof machte sich mit diesem Rassenallerlei ans Werk; ihm gelang es schließlich durch Selektion, Typ und Größe dieser Hühner zu verein-

heitlichen. Die neue Rasse taufte er „Sulmtaler". Leider ist sie in vielen Ländern recht selten. In ihrer Heimat und in Deutschland hat sie etwas mehr Freunde. Seit Ende des 20. Jahrhunderts kennt man sie auch in England, doch hat sie dort noch keinen eigenen Standard und wird auf Ausstellungen als „seltene Rasse" („rare breed") präsentiert.

ÄUSSERE MERKMALE

Sulmtaler sind recht kräftige, langgestreckte

Sulmtaler-Hahn

Hühner mit hohem, breitem Rumpf. Der waagerechte Rücken ist ziemlich lang, und der eher kurze Schwanz wird stark gespreizt und halbhoch getragen. Der mäßig lange Hals

Sulmtaler-Hahn

Sulmtaler-Henne

ist beim Hahn üppig befiedert. Den Kopf ziert ein kleiner Schopf, dessen Form der Scheitellinie folgt. Unmittelbar davor sitzt der Einzelkamm: seine Basis ist eher kurz, und die Zähne sind nicht sonderlich tief eingeschnitten. Bei der Henne ist der vordere Kammabschnitt doppelt gekrümmt (S-Form): man spricht in diesem Fall von einem „Wickelkamm". Die Ohrlappen sind weiß, die Augen orangerot gefärbt. Als typische Fleischrasse haben Sulmtaler eine weiße Haut und ebensolche Läufe.

FARBEN

Diese Rasse gibt es nur in den Farbschlägen weizenfarbig und weiß.

EIGENSCHAFTEN

Sulmtaler sind überwiegend ruhige Tiere, die sich leicht zähmen lassen. Man hält diese Hühner am besten in überdachten Gehegen, da sie trotz ihrer stattlichen Erscheinung und des Gewichts – Hähne können bis zu vier Kilo wiegen – ausgezeichnet fliegen können. Die Hennen legen gut: ihre Eier sind stets hellschalig und wiegen im Schnitt etwa 55 Gramm. Sulmtaler geraten indes nur selten in Brutstimmung. Dafür wachsen diese Hühner aber schnell und problemlos. Weizenfarbige Sulmtaler-Küken sind beim Schlupf gelb. Nach zweieinhalb Wochen lässt sich an den durchbrechenden Federn bereits erkennen, ob man es mit Hennen oder Hähnchen zu tun hat.

Vorwerk

HEIMAT
Deutschland.

GESCHICHTE
Diese Rasse verdankt ihren Namen ihrem „Vater", dem deutschen Züchter O. Vorwerk. Dieser wollte Anfang des 20. Jahrhunderts ein gutes Nutzhuhn mit Lakenfelder-Zeichnung schaffen, allerdings nicht mit weißem Körper, sondern mit gelber Grundfarbe: die Tiere sollten nicht so schnell schmutzig wirken wie weiße. An der Wiege der Rasse standen u.a. Lakenfelder, Orpingtons, Ramelsloher und Andalusier. 1919 wurde das Vorwerk-Huhn in Deutschland anerkannt. Nach dem Zweiten Weltkrieg war die Rasse fast erloschen, doch konnte sie mit dem „Restmaterial" und den ursprünglichen Kreuzungen wieder aufgebaut werden.

ÄUSSERE MERKMALE
Auf den ersten Blick wirkt diese Rasse wie ein Lakenfelder-Huhn mit anderer Grundfarbe. Bei näherer Betrachtung gibt es jedoch deutliche Unterschiede. Obwohl sie wie die Lakenfelder zu den Landhühnern gehören, sind die Tiere etwas schwerer und massiger und tragen den Schwanz etwas niedriger. Letzterer ist mäßig lang und wird nicht vollständig gespreizt; durch seine niedrige Haltung wirken die Hühner gestreckter als Lakenfelder. Die Brust ist breit und hoch. Die Läufe sind mäßig lang und schiefergrau gefärbt. Den Kopf zieren ein mittelgroßer Einzelkamm und weiße Ohrlappen. Die Irisfarbe ist gelbrot.

FARBEN
Diese Rasse gibt es nur in schwarzer Lakenfelder-Zeichnung mit gelbem Körper. Diese Zeichnung braucht zur Entwicklung viel Zeit.

Oft lässt sich das endgültige Bild erst nach der ersten Mauser klar erkennen.

EIGENSCHAFTEN
Mit ihrer ungewöhnlichen Zeichnungs- und Farbenkombination steht diese Rasse in der Hühnerwelt ziemlich allein da. Sie stellt wenig Ansprüche an ihre Umgebung und lässt sich gleichgut freilaufend und in Gehegen halten. Bedenken Sie stets, dass diese Hühner gut fliegen können! Die Hennen legen recht viele weiße Eier, meist auch im Winter. Die Tiere sind lebendig und aktiv, überhaupt nicht scheu und mit etwas gutem Willen auch zahm zu kriegen. Wenn man genug Platz hat, vertragen sie sich gut. Die Küken wachsen sehr schnell und sind überaus robust.

Vorwerk-Henne

Vorwerk-Hahn

16 Kampfhuhnrassen

Hintergrund

Bei der Gruppe der Kampfhühner fällt die große Bandbreite der Farben, Haltungen und „Modelle" ins Auge. Eines indes ist allen Vertretern dieser Gruppe gemein: sämtliche Rassen wurden von Anfang an daraufhin selektiert, untereinander lange Kämpfe auszutragen. Die Basis dieser Rassen ist sehr alt: offenbar verspürten die Menschen seit unvordenklichen Zeiten das Bedürfnis, Tiere miteinander kämpfen zu lassen. Dies führte dazu, dass bei vielen Haustierarten entsprechend veranlagte Kämpferrassen entstanden: man denke nur an Kampffische, Pitbull-Terrier und Kampfstiere. Die Praxis, Tiere in Arenen (engl. „pits") zum Kampf gegeneinander antreten zu lassen, gilt in westlichen Ländern durchweg als Grausamkeit; deshalb sind solche Kämpfe in den meisten Staaten der westlichen Hemisphäre verboten. In England – wo sich Tierkämpfe lange Zeit großer Beliebtheit erfreuten – ist dies schon seit 1849 der Fall. In vielen Ländern Asiens hingegen sind Tierkämpfe bis auf den heutigen Tag gesellschaftlich akzeptiert, ja sie gelten als Bestandteil der Lebensqualität oder gar als traditionelles Kulturgut. Viele im Westen heute aus Liebhaberei zu Ausstellungszwecken gezüchtete Rassen stammen übrigens aus Asien.

Je nach Land (oder sogar Region) werden bestimmte Kampfstile bevorzugt: es geht keineswegs immer darum, das Gefecht bis zum Tode eines Kontrahenten auszutragen. Manche Rassen lässt man nur kämpfen, bis einer der Hähne deutliche Anzeichen von Unterlegen-

Hahnenkampf in Indien (Ende des 20. Jahrhunderts)

Sie werden sorgfältig gepflegt und trainiert, so dass sie in optimaler Kondition in den Ring steigen.

Allgemeine äußere Merkmale

Zu den allgemeinen äußeren Merkmalen dieser Gruppe gehören: eine herausfordernde, oft aufrechte Körperhaltung; eine gut entwickelte Muskulatur; hoch ansetzende Schultern und stark bemuskelte Flügel; ein festes, nur mäßig entwickeltes Gefieder. Letzteres verschafft den Tieren im Kampf große Vorteile, da der Gegner weniger Halt findet. Die „knappe" Befiederung fällt bei den meisten Rassen deutlich ins Auge, v.a. durch das unbefiederte Brustbein. Auch die Schmuckfedern an Hals und Sattel sind deutlich kürzer als bei Landhühnern. Häufig ist sogar nur ein Teil des Halses mit Federn bedeckt.

Wichtig war auch der Schutz der verletzlichen Körperpartien: dies äußert sich in den stark entwickelten Hautfalten des Kopfes; so sind die Augen durch sogenannte „Augenbrauen" gut abgeschirmt. Bei den meisten Rassen ist der Kamm sehr klein und niedrig. Ebenso klein sind die Kinnlappen: so hat der Gegner kaum „Angriffsmöglichkeiten". Der Schnabel – eine wichtige Waffe bei Hahnenkämpfen – ist kurz und kräftig.

heit erkennen lässt; dann trennt man die Tiere. Die verschiedenen Kampfstile haben sehr unterschiedliche Rassen hervorgebracht: die Farbe spielt dabei kaum eine Rolle. Nur manchmal wird ein bestimmter Farbschlag bevorzugt, doch normalerweise sind Kraft, Kampfstil und Kampfeswille die wichtigsten Selektionskriterien.

Bevor man die Tiere gegeneinander antreten lässt, müssen sie ausgewachsen und in der Regel wenigstens anderthalb Jahre alt sein.

Asils (Abbildung aus dem frühen 20. Jahrhundert)

Eigenschaften

Bei Tieren, die für Ausstellungszwecke gedacht sind, ist der „Charakter" nach wie vor wichtiger als die Unterschiede in Farbe und Zeichnung. Auf Liebhaber von Kampfhühnern wirken vor allem ihre herausfordernde Haltung und der wache, aufgeweckte Ausdruck anziehend. Wer sich eine dieser Rassen anschaffen will, muss mit eben diesen Charaktereigenschaften rechnen: es sind keine Tiere, die man ohne weiteres mit anderen Hühnern vergesellschaften kann. Auch unter sich können sie Probleme machen. Wenn es um ihren Platz in der Rangordnung geht, sind Hähne und Hennen gleichermaßen streitlustig. Deshalb sollte man nach Möglichkeit keine Tiere aus der Gruppe entfernen oder neue hinzusetzen. Wenn es ans Züchten geht, darf die Gruppe der aufzuziehenden Küken nicht zu groß sein, und es muss genug Versteck- und Ausweichmöglichkeiten geben. Diesen Nachteilen steht entgegen, dass die meisten Kampfhühner ihrem Pfleger gegenüber sehr zahm und zutraulich werden. Deshalb eignen sie sich gut für Leute, die ruhige Tiere wünschen, zu denen sie eine Beziehung aufbauen können. Die Legeleistung ist bei allen Kampfhühnern enttäuschend; Eier legen diese Tiere meist nur im Frühjahr und Frühsommer. Fast alle asiatischen Rassen haben die Veranlagung zum „Glucken". Die Hennen sind aufopfernde und sehr liebvolle Mütter.

Rassenbeschreibungen

Asil

HEIMAT
Indien.

ENTSTEHUNG
Asils gehören zu den ältesten Kampfhuhnrassen. Beim indischen Adel genossen diese Hühner ein hohes Ansehen. Auch in den Nachbarländern kannte man diese Tiere, und es waren viele unterschiedliche Spielarten bekannt. Ab 1750 wurden Hühner dieses Typs regelmäßig von europäischen Händlern in

Wildfarbig-bunter Asil-Hahn

ihre Heimat mitgenommen. Aus diesen Hühnern entstanden die heutigen Ausstellungs-Asils. In manchen Ländern – unter anderem in den Niederlanden und Deutschland – gibt es zwei Zuchtrichtungen: den größeren Madras-Asil und den „normalen" Asil.

ÄUSSERE MERKMALE
Asils sind niedrig gestellte, breit gebaute Tiere mit hohen Schultern und einer herausfordernden Haltung. Ihr kurzer Rumpf ist in etwa eiförmig und wird aufrecht getragen. Infolge des knappen, kurzen Gefieders kann man das Brustbein sehen. Die kurzen Flügel

Wildfarbig-bunte Asil-Henne

werden leicht hängend getragen. Der kleine Kopf besitzt starke Augenbrauen und hell perlmuttfarbige Augen, die dem Tier eine „charaktervolle" Ausstrahlung verleihen. Der Kamm ist dreireihig. Die Kinnlappen sind entweder nur schwach entwickelt oder fehlen ganz, und die Kehlwamme (ein „Sack" aus loser Haut) ist fast unbefiedert. Die muskulösen Oberschenkel sind gut sichtbar. Die Läufe sind unabhängig von Farbe und Zeichnung des Gefieders gelb gefärbt.

FARBEN

Auf die Farbe legt man bei Kampfhühnern weniger Wert als bei den meisten anderen Rassen. Vom Asil sind in Kontinentaleuropa verschiedene Farbschläge bekannt, u.a. weiß, wildfarbig-bunt, weizenfarbig, wildfarbig, schwarz-weiß-gefleckt und blau-silberhalsig. In Großbritannien dürfen diese Hühner jede denkbare Farbe haben.

EIGENSCHAFTEN

Asil-Hähne sind untereinander sehr aggressiv. Bei der Aufzucht von Junghähnen kommt es

Wildfarbig-bunter Asil-Hahn

regelmäßig zu heftigen Kämpfen, um die Rangordnung festzulegen. Voraussetzungen für die erfolgreiche Aufzucht sind daher viel Platz und ausreichende Fluchtmöglichkeiten. Viele Züchter setzen ein ausgewachsenes Tier zu den heranwachsenden Hähnen: dieses bleibt lange der unbestrittene „Boss" und hält die Streitereien in Grenzen. Irgendwann jedoch kehren sich die Verhältnisse um, und die jungen Hähne gewinnen die Oberhand. Von diesem Moment an muss man sie unbedingt einzeln halten. Auch die Hennen können untereinander sehr unverträglich werden. Dies ist aber nicht die Regel, sondern hängt davon ab, ob sie gemeinsam aufgewachsen sind und wie viel Platz man ihnen bieten kann. Asils besitzen kräftige Flügel mit einer beträchtlichen „Tragfähigkeit". Dennoch fliegen sie kaum, da sie überhaupt nicht ängstlich, ja sogar ausgesprochen neugierig sind. Die Rasse lebt meist monogam und sollte daher besser paarweise gehalten werden. Die Hennen legen nur wenige Eier, brüten aber gut und sind aufopfernde Mütter.

BESONDERHEITEN

Neben den „gewöhnlichen" Asils gibt es auch sogenannte Madras-Asils. Diese sind nicht nur größer, sondern auch im Typus verschieden. Auf den ersten Blick wirken sie wie etwas vierschrötige Kampfhühner mit weniger aufrechter Haltung. Die Kehlhaut bildet eine weniger starke Wamme als beim Normaltyp. Madras-Asils kommen nur in der rassentypischen Farbe vor, die am ehesten an blau-weizenfarbig erinnert.

Indischer Kämpfer

HEIMAT
England.

ENTSTEHUNG
Gegen Ende des achtzehnten Jahrhunderts brachten englische Handelsschiffe aus Asien gelegentlich Kampfhühner mit. Oft waren dies Asils verschiedener Zuchtrichtungen. Im Kampf waren sie englischen Kampfhühnern überlegen. Deshalb kreuzten englische Züch-

ein kleiner, dreireihiger Kamm. Die Ohrlappen sind rot, die aufgeweckt wirkenden Augen perlmuttfarbig. Der kurze Schwanz wird zusammengefaltet getragen. Die Oberschenkel sind beim Indischen Kämpfer kurz, breit und muskulös, die gelben Läufe kurz, dick und rund. Die Stellung ist sehr breit, so dass die Läufe sichtlich außerhalb der Körperkontur zu stehen kommen. Diese Hühner besitzen eine stark entwickelte Muskulatur und ein sehr festes, knapp anliegendes Gefieder. Es ist so spröde, dass die Schwanz- und Schwungfedern leicht abbrechen.

Doppeltgesäumter Indischer Kämpfer-Hahn

ter (vor allem in den Grafschaften Cornwall und Devon) diese Asils u. a. mit Alt-Englischen Kämpfern. Bei den „Indern" handelte es sich um den großen, breiten und schweren Madras-Typ. Die Produkte dieser Kreuzungen zeichneten sich durch enorme Breite und einen niedrigen Stand aus. Beim Kampf erwiesen sie sich als schwerfällig und träge, so dass sie sich nicht als Kampfhühner eigneten. Die Züchter merkten das bald und haben die Rasse wegen ihrer enormen Breite zum Fleischhuhn weiterentwickelt. In der Folge wurde der Indische Kämpfer zum Ahnherrn der modernen breitbrüstigen Schlachthybriden.

ÄUSSERE MERKMALE

Man nennt diese Rasse auch die „Bulldogge" unter den Hühnern. Tatsächlich ähnelt sie diesem Hund dank ihres massiven Baus und der enorm breiten Beinstellung stark. Hähne dieser Rasse können es auf vier bis viereinhalb Kilo bringen. Der Körper des Indischen Kämpfers lässt sich als „kubisch" beschreiben, d. h. er ist breiter und höher als lang. Der Rücken fällt steil ab, und die gut entwickelten Schultern ragen über Körperkontur und Rückenlinie hinaus. Der kräftige Hals ist ziemlich breit; am ebenfalls breiten Schädel befinden sich „Augenbrauen", unter denen die tief eingebetteten Augen sitzen. Den Scheitel ziert

Doppeltgesäumter Indischer Kämpfer-Hahn

FARBEN

Bei dieser Rasse werden nur wenige Farbschläge anerkannt: doppeltgesäumt, rot-weiß doppeltgesäumt, weiß und rot-weiß gesäumt.

EIGENSCHAFTEN

Indische Kämpfer eignen sich für Freunde des Ausgefallenen: sie sind nicht leicht zu züchten und brauchen bei der Aufzucht besondere Fürsorge. Zur Ausbildung des enorm breiten und hohen Körpers ist mehr als freier Auslauf und eine Handvoll Körner erforderlich. Die Entwicklung der mächtigen Brustmuskulatur wird durch reichliche Gaben von Kohlenhydraten gefördert. Außerdem muss man verhindern, dass die Tiere zu schnell wachsen und schon in (zu) zartem Alter sehr schwer werden. Ihr Skelett muss nämlich in der Lage sein, das Gewicht ohne Weiteres zu tragen. Diese Rasse ist von Natur aus ruhig und friedlich; sie wird leicht handzahm. Man kann die Tiere sogar in kleineren Gehegen halten, muss dann jedoch verhindern, dass sie zu dick werden. Freier Auslauf auf einer Rasenfläche sorgt für mehr Ablenkung. Die Tiere sind überaus robust und halten jedem Wetter stand. Da sie zu schwer dafür sind, fliegen sie praktisch nie. Obwohl sie kaum noch als Kampfhühner eingesetzt werden, haben sie von den Altenglischen Kämpfern deren Charakter geerbt. Während sie sich Menschen gegenüber zutraulich und zahm verhalten, sind sie untereinander oft unverträglich. Die Hähne leben bei dieser Rasse praktisch monogam. Ein Zuchtstamm besteht daher am besten aus einem Hahn und einer – höchstens zwei – Henne(n). Die Hennen legen nur wenige Eier, und das ausschließlich im Frühjahr; für den Fortbestand der Rasse reicht dies völlig aus.

BESONDERES

Durch ihren extrem breiten Körperbau und den sehr niedrigen Stand lässt sich diese Rasse nur schwer züchten, da die Befruchtung für diese Kolosse ein Problem darstellt. Erfahrene Züchter wählen zur Zucht daher zwar breite, aber nicht allzu tief „gestellte" Hähne aus. Unter diesen Umständen klappt die Befruchtung in der Regel gut.

Der Farbschlag rot-weiß doppeltgesäumt wird auch „jubilee" genannt. Diese Bezeichnung verdanken sie dem Datum, an dem sie dem Publikum erstmals auf einer Ausstellung präsentiert wurden: dem 60-jährigen Thronjubiläum der englischen Königin Victoria.

Malaie

HEIMAT

Asien.

GESCHICHTE

Die ersten Importe dieser asiatischen Rasse erfolgten bereits um 1830. Die Herkunft lässt sich nicht mehr genau ermitteln. Kampfhühner werden schon lange vor Beginn unserer Zeitrechnung in den Schriftquellen erwähnt. Manche Theorien gehen davon aus, dass die ursprünglichen Malaien in direkter Folge von einem heute ausgestorbenen Riesenhuhn abstammen. Tatsächlich haben diese Hühner zur Entstehung zahlreicher Großrassen beigetragen. Die „Urmalaien" wurden nach den ersten Importen vor allem von englischen und deutschen Züchtern zu den heute bekannten „Ausstellungshühnern" umgeformt.

ÄUSSERE MERKMALE

Malaien sind wahre Riesen unter den Hühnern. Sie sind nicht nur groß, sondern auch sehr hoch gestellt und haben lange Hälse. Ein erwachsener Hahn kann es leicht auf vier bis viereinhalb Kilo Gewicht und (bei aufrechter Haltung) etwa 90 cm Scheitelhöhe bringen. Die Rasse besitzt alle typischen Kampfhuhneigenschaften (knapp anliegendes Gefieder, kräftige Muskeln und kurzer Kopf). Den Scheitel ziert ein kleiner „Walnusskamm". Der Schädel ist breit und weist starke „Augenbrauen" auf. Dadurch liegen die Augen et-

was vertieft und sind gut geschützt. Der gelbe Schnabel ist kurz und kräftig, die Iris perlmuttfarbig. Den Typus der Malaien bezeichnet man als „Dreibogentyp": den ersten Bogen bildet der lange Hals, den zweiten die Flügel (deren Spitzen auf dem Sattel liegen) und die stark abfallende Rückenlinie, den dritten schließlich der zusammengefaltet und hängend getragene Schwanz. Die breiten, eckigen Schultern stehen immer leicht vom Körper ab. Der „Stand" ist enorm hoch: dazu sind lange Oberschenkel und Läufe erforderlich. Die Tiere strotzen förmlich vor Kraft.

FARBEN

Diese Rasse wird meistens in „weizenfarbig" gezüchtet. Außerdem gibt es weiße, rotschultrige und rot-porzellanfarbige Tiere.

EIGENSCHAFTEN

Malaien sind echte „Gestaltvögel" und wurden allein darauf hin gezüchtet. Die Rasse ist von Natur aus selbstsicher. Sie fassen daher schnell Zutrauen zu ihrem Betreuer und können sehr zahm werden. Untereinander sind sie weniger verträglich. Die überaus selbst-

bewussten Hähne gehen einander nicht aus dem Weg, sondern suchen den Kampf. Auch unter einander unbekannten Hennen kann es zu heftigen Gefechten kommen. Halten Sie die Tiere nie in größeren Gruppen: das führt unweigerlich zum Streit. Am besten pflegt man nur einen Hahn mit höchstens zwei Hennen. Trennen Sie die Küken schon früh nach Geschlechtern. Setzen sie die Junghähne in ein großes Gehege zu einem dominanten alten Hahn, dann kann man sie länger beisammen lassen. Sobald sie zu kämpfen beginnen, muss man die Tiere trennen. Malaien sind kräftige, robuste Vögel, die bei jedem Wetter draußen bleiben können; sie brauchen bloß einen trockenen, zugfreien Schlafstall für die Nacht. Bei der Anordnung der Futter- und Trinknäpfe muss man mit der enormen Größe dieser Tiere rechnen: stellen Sie die Näpfe nie direkt auf dem Boden, sondern auf einer etwa 45 cm hohen Ablage auf. Die Hennen legen nur wenige Eier, und das nur während weniger Monate.

Moderner Englischer Kämpfer

HEIMAT
England.

ENTSTEHUNG
Der Moderne Englische Kämpfer entstand, nachdem Hahnenkämpfe in England 1849 verboten wurden. Von da an mussten die Kampfhühner nur noch auf Ausstellungen gegeneinander „antreten", wo es nicht mehr um Kampfeslust und Ausdauer ging, sondern le-

diglich auf äußere Schönheit ankam. Die Meinungen über den „Idealtyp" waren anfangs geteilt. Einige Züchter kreuzten Malaien mit (Alt-)Englischen Kämpfern; außerdem selektierte man die Tiere streng auf einen schlan-

Wildfarbige Moderne Englische Kämpfer-Henne

ken Bau hin: das Endziel waren dabei schöne, ausstellungswürdige Kampfhühner, die mit der eher gedrungenen, breit gebauten (Alt-)Englischen Rasse keine Ähnlichkeit mehr hatten.

ÄUSSERE MERKMALE

An dieser Rasse fallen die überaus langen Beine ins Auge, denen sie ihren sehr hohen Stand verdankt. Verstärkt wird dieser Eindruck durch den langen, dünnen Hals, der durch die eng anliegenden Federn noch länger wirkt. Der Schwanz wird stark zusammengefaltet und fast waagerecht getragen. Der Kopf ist zierlich, schmal und lang. Diese Hühner haben einen Einzelkamm. Ihr Rumpf ist eher kurz und vorn breiter als am Sattel, doch erfolgt die Verjüngung nicht so stark wie beim Alt-Englischen Kampfhuhn. Die Rückenlinie fällt zum Sattel hin ab. Die Flügel werden geschlossen und eng am Körper getragen. Die Schultern ragen über die Rückenlinie hinaus. Von oben gesehen verläuft die Vorderkante des Flügelbugs parallel zur Brustkontur. Die Oberschenkel sind sehr lang. Die Tiere stehen oft mit „durchgedrückten" Beinen, so dass Schenkel und Läufe fast eine Gerade bilden.

FARBEN

Diese Rasse kommt in verschiedenen Farbschlägen vor, u.a. birkenfarbig, golden-birkenfarbig, wildfarbig, silbern-wildfarbig, rotschultrig weiß, rotschultrig silbern-wildfarbig, schwarz, blau und weiß. Bei den wildfarbigen und weißen Varianten sind die Läufe gelb; birken- und golden-birkenfarbige sowie schwarze Tiere hingegen haben dunklere.

EIGENSCHAFTEN

Die Rasse ist im Umgang sehr zutraulich. Da sie von Anfang an für Ausstellungen gezüchtet wurden, sind die Tiere weniger streitlustig als andere Kampfhühner. Dies hat den Vorteil, dass man sie besser in Gruppen halten kann; Fremdlinge werden überdies leichter akzeptiert. Die Legeleistung der Hennen ist freilich bescheiden: sie legen nur während weniger Monate. Obwohl die Tiere in Brutstimmung geraten, eignen sie sich wegen ihrer langen Beine und des knappen Gefieders besser als Glucken denn als Brüterinnen. In einigen Ländern (unter anderem in den Niederlanden) ist die Population leider sehr klein, so dass die Vitalität der Rasse zu wünschen lässt.

BESONDERES

Vor Ausstellungen muss man den Tieren die „ideale" Haltung antrainieren. Die Beine müssen dabei gut durchgedrückt sein. Dank ihres ruhigen Charakters lassen sich diese Hühner gut trainieren. Nach ein paar Tagen Übung haben sie begriffen, was man von ihnen erwartet, und bleiben ruhig stehen. Das macht die Rasse sehr geeignet für Menschen, die ruhige Tiere halten wollen und ungewöhnliche Formen schätzen.

Früher wurden diesen Hühnern die Kämme gestutzt; das ist heute in vielen Ländern verboten. Damals zielte dieser Eingriff darauf ab, die Tiere beim Kampf besser zu schützen: Kamm und Kehllappen sind stark durchblutete und daher stets verletzliche Körperteile. Um trotz des Coupierverbotes den typischen Kopftyp „coupierter" Tiere zu bewahren, hat man in Deutschland einen Modernen Englischen Kämpfer mit abweichender Kammform gezüchtet, nämlich einem von Natur aus kompakten „Erbsenkamm". Diese Variante ist allerdings noch nicht sonderlich populär.

Wildfarbiger Moderner Englischer Kämpfer-Hahn

Shamo-Kämpfer

Schwarzbunte Shamos

HEIMAT
Japan.

GESCHICHTE
Eigentlich ist der in Westeuropa für diese Hühner gebräuchliche Rassenname falsch. „Shamo" bedeutet – aus dem Japanischen übersetzt – schlichtweg „Kämpfer". Dieser Name bezeichnet dort alle Kampfhühner und keine besondere Rasse. Was wir heute als Shamo-Kämpfer kennen, heißt in Japan selbst „Ô Shamo". Nach japanischen Angaben stammt diese Rasse ursprünglich aus China. Um 1880 brachten Deutsche die ersten Shamo-Kämpfer nach Europa.

ÄUSSERE MERKMALE
Auch Laien stufen die Shamo-Kämpfer spontan als Kampfhühner ein: die aufrechte, herausfordernde Haltung und der rassige Kopf lassen keinen Zweifel daran bestehen. Alles, was den Tieren im Kampf Vorteile gibt, ist hier gut ausgeprägt. Das kurze, knappe Federkleid bietet dem Gegner keine leichten Angriffsflächen. Die Körperhaltung ist nahezu

Weißer Shamo-Hahn

vertikal. Die Brust ist breit, fest und sehr muskulös; die hoch ansetzenden Schultern stehen deutlich vom Körper ab. Der lange Hals wird immer leicht gekrümmt getragen. Der Halsbehang der Hähne ist recht kurz und bedeckt nur den oberen Abschnitt. Am breiten Kopf bietet der gewölbte Schädel den Augen guten Schutz. Ihn ziert ein kleiner, dreireiliger Erbsenkamm. Die Kinnlappen sind beim Hahn sehr klein und fehlen den Hennen ganz. Ferner besitzen die Tiere nackte Kehlwammen. Die Augen schauen wach und aufmerksam drein; sie haben eine perlweiße Iris. Der Schwanz wird ziemlich zusammengefaltet und hängend getragen. Die Schmuckfedern

Porträt einer Shamo-Henne

sind beim Hahn nur mäßig entwickelt. Dank ihrer langen Schenkel und Läufe haben Shamo-Kämpfer einen sehr hohen Stand. Die Läufe sind gelb oder – bei dunklen Tieren – schwarz mit gelben Sohlen.

FARBEN

Eigentlich sind die Farben dieser typischen Kämpferrasse weder von Belang noch exakt festgelegt. Deshalb wurden nur für „Typentiere" einige Farbschläge definiert, die überdies bei der Bewertung keine Rolle spielen. Dazu gehören weizenfarbig, rothalsig-schwarz, silberhalsig-schwarz, schwarz, weiß, blau gesäumt und porzellanfarbig.

EIGENSCHAFTEN

Shamo-Kämpfer sind eine Rasse für jene Liebhaber, die ungewöhnliche Formen und einen eigenständigen Charakter zu schätzen wissen. Obwohl Hahnenkämpfe heute in Westeuropa verboten sind, wird das Wesen dieser Hühner nach wie vor durch die Jahrhunderte lange Selektion auf diese Eigenschaften geprägt. Ihrem Pfleger gegenüber können die Tiere sehr zutraulich werden. Untereinander sieht es anders aus: die Hähne kennen nur ein Ziel – der Stärkste zu sein. Wenn man ihnen Gelegenheit zum kämpfen gibt, tun sie das so lange, bis Sie ein Huhn weniger haben ... Gehört der Gegenspieler nicht zu einer Kämpferrasse, gewinnt der Shamo meist rasch die Oberhand. Sind beide Tiere Shamos, wird der Streit schließlich zum Abnutzungskampf. Folglich muss man diese Tiere in gut gesicherten Gehegen halten – am besten paarweise, da sie praktisch monogam leben. Wer mehrere Paare pflegen will, muss für dicht geschlossene Trennwände sorgen, damit die Tiere einander nicht bemerken: das verschafft ihnen die nötige Ruhe.

Die Hennen legen nur wenig: die Eierzahl reicht jedoch für die zum Überleben der Rasse erforderliche Anzahl Küken völlig aus. Die Haltungsanforderungen dieser robusten Rasse sind spartanisch: es reicht völlig aus, wenn die Tiere vor Nässe und Zugluft geschützt sind.

Porzellanfarbiger Shamo-Kämpfer-Hahn

Weiße Shamo-Kämpfer-Henne

17 Zier und Langschwanzrassen

Geschichtlicher Hintergrund

Zur Gruppe der Zier- und Langschwanzhühner gehört eine große Vielfalt von Rassen, die nur eines gemeinsam haben: sie wurden von Anfang an nicht als Fleisch-, Lege- oder Kampfhühner gezüchtet. Einige von ihnen sind schon Jahrhunderte alt.

In Europa kam es während des achtzehnten Jahrhunderts bei sehr wohlhabenden Leuten in Mode, in sogenannten Lusthäusern zu wohnen: diese schmückte man mit allem denkbaren Luxus, um zu demonstrieren, dass man zumindest reicher als der eigene Nachbar war. Zum Schmuck dieser Lusthäuser pflanzte man deshalb allerlei exotische Bäume und andere Gewächse an; in ihren Gärten hielt man auch Hühner, die ausschließlich exotisch und schön zu sein hatten. Alte Gemälde verschaffen uns historische Informationen und einen optischen Eindruck von mehreren dieser Rassen: Werke aus dem achtzehnten Jahrhundert zeigen u.a. Holländer Weißhauben, Paduaner und Zwerg-Chabos.

In anderen Kulturkreisen – etwa in Japan – züchtete man sogar Zierhühner, die äußerst hohe Pflegeansprüche stellten, aber absolut keinen Nutzwert besaßen. Diese Tiere wurden ausschließlich zum Vergnügen ins Haus aufgenommen (letzteres kann man bisweilen sogar wörtlich nehmen). Als Beispiel wären hier die Japanischen Langschwanzhühner zu nennen:

Gelbe Seidenhuhn-Henne

Phönix-Hahn mit ungewöhnlich langem Schwanz (Abb. aus dem frühen 20. Jahrhundert)

Onagadori- und Phönix-Hähne haben beispielsweise Sichelfedern, die niemals ausfallen; da sie ständig weiterwachsen, werden sie mehrere Meter lang! In Japan hält man die besten Hähne, sobald ihr Schwanz auf dem Boden zu schleifen beginnt (was etwa im Alter von sechs Monaten der Fall ist) einzeln in speziellen Käfigen. Jedes Tier hat seinen eigenen: diese Käfige ähneln in etwa einer auf dem Boden stehenden Glocke: Meist hockt der Hahn ganz oben auf seiner Stange, manchmal wechselt er auch eine Stange tiefer nach unten. Auf jeden Fall kann der Schweif frei durchhängen, ohne dass er beschmutzt oder beschädigt wird. Um den Hähnen die nötige körperliche Bewegung zu verschaffen, lässt man sie tagsüber ins Freie: Dabei trägt der Besitzer den Schwanz des Hahnes, um dessen Gewicht aufzufangen (und natürlich auch, um Verunreinigungen oder Beschädigungen zu vermeiden). Unter den auf diese Weise gepflegten Hähnen gibt es Exemplare, die mit vier Jahren über zehn Meter lan-

Golden-schwarzgetupfte Niederländer Eulenbart-Henne

Porträt eines golden-schwarzgetupften Niederländer Eulenbart-Hahns

ge Schwänze besitzen. Selbstverständlich erfordert ein solches Wachstum eine speziell angepasste, sehr eiweißreiche Nahrung.

Europäer haben in der Regel nicht die dafür nötige Zeit (und erst recht nicht die Geduld) und begnügen sich daher normalerweise mit Hähnen, deren Schwänze „nur" zwei bis drei Meter messen. Selbstverständlich brauchen auch diese Tiere ungewöhnlich viel Fürsorge und Pflege. Gerade diesen letzten Punkt sollten Sie vor dem Kauf einer derartigen Zierrasse unbedingt bedenken! Unabhängig von der Rasse machen diese Hühner auf jeden Fall viel mehr Arbeit als die Vertreter anderer Gruppen, ohne sich dafür etwa durch mehr Eier zu revanchieren. Oft legen sie gerade genug, um den Fortbestand der Rasse zu sichern, aber dabei bleibt es dann auch. Freude bereiten sie uns vor allem durch ihren Charakter, ihr Äußeres und die bloße Beschäftigung mit diesen Tieren.

EIGENSCHAFTEN

In dieser Gruppe findet man Rassen mit besonderen erblichen Merkmalen, z.B. Fußbefiederung, Haube, Bart, ungewöhnlich langem Schwanz, eigenartigem Gefieder und sehr kurzen Beinen. Diese Eigenschaften werden von Leuten, die sich nicht mit Hühnern auskennen, häufig kritisiert: Angeblich ist es nicht tierfreundlich, solche Merkmale zu züchten.

Dabei gibt es manche dieser Rassen schon seit Jahrhunderten; die Ahnen der heutigen Tiere kann man auf alten Gemälden sehen. Insofern kann man sie als „historisches Erbe" einstufen. Nachteilig werden diese Eigenschaften den Vögeln nur bei mangelnder Pflege. Leider werden solche attraktiven Hühner oft spontan erworben – nachgedacht wird meist erst später ... Nach der Lektüre unseres Buches sollten Sie diesen Fehler nicht begehen. Diese Hühnerrassen benötigen oft spezielle Ställe. Näheres dazu findet sich in den Rassenbeschreibungen.

Rassenbeschreibungen

Brabanter

HEIMAT

Nordeuropa.

ENTSTEHUNG

Brabanter sind eine altertümliche Haubenhuhnrasse, die vermutlich bereits im siebzehnten Jahrhundert in Nordeuropa (unter anderem in den Niederlanden) vorkam; man hält

sie oft für eine niederländische Rasse, doch war sie von alters her keineswegs nur in diesem Land bekannt. Um 1900 war sie dort sogar fast ausgestorben, doch konnte man sie (unter anderem mit Hilfe deutschen Erbmaterials) wieder „aufbauen". Brabanter sind eng mit den Niederländer Eulenbärten verwandt. Diesen Umstand machte – und macht – man sich wiederholt zu Nutze, um die Vitalität der Rasse zu erhalten.

ÄUSSERE MERKMALE

Brabanter sind typische Vertreter des „Landhuhntyps". Sie haben einen halbhohen Stand und eine leicht aufgerichtete Haltung. Ihr ziemlich langer Rücken fällt leicht ab, und der lange Schwanz wird gespreizt und halbhoch getragen. Die Sichelfedern des Brabanter-Hahns sind lang, breit und stark gekrümmt; sie werden durch zahlreiche Nebensicheln ergänzt. Die Läufe sind bei den meisten Farbschlägen schiefergrau. Auffälligstes Merkmal der Rasse ist ihr Kopf: die Tiere besitzen volle, dreiteilige Bärte aus deutlich geschiedenen Kehl- und Backenpartien. Der Kamm ist zweiteilig, und die Hörnchen sind fast exakt v-förmig angeordnet. Die charakteristische Haube erinnert stark an die Appenzeller Spitzhauben. Sie besteht aus vertikal wachsenden Federn, die als kompakte, seitlich abgeflachte Masse auf dem Schädeldach stehen; ein „Scheitel-

knauf" fehlt dieser Rasse. Diese typische Schopfform nennt man bisweilen „Rasierpinselhaube".

FARBEN

Diese Rasse gibt es in mattschwarz, weiß, blau gesäumt, gesperbert, golden-schwarzgetupft, silbern-schwarzgetupft, golden-schwarzgetupft, golden-blaugetupft und perlgrau.

EIGENSCHAFTEN

Brabanter haben ein auffallendes Äußeres, kommen in zahlreichen Farben vor und haben ein angenehmes Wesen. Umso unverständlicher ist, dass man diese Rasse immer noch so selten antrifft.

Die Hennen legen recht große, aber leider wenig zahlreiche Eier. Meist geschieht das hauptsächlich im Frühjahr und Sommer, doch kann man auch im Herbst und Winter mit vereinzelten Eiern rechnen. Brabanter sind durchweg ruhige Hühner, die nur wenig Platz brauchen. Man kann sie auch in kleineren Gehegen halten, solange dafür gesorgt ist, dass die Tiere genug Bewegung bekommen, damit sie nicht verfetten. Da ihre ziemlich kleinen Hauben nicht so rasch wie die anderer Haubenrassen verschmutzen, lassen sie sich auch sehr gut freilaufend halten: sie sind und bleiben Landhühner, was zur Folge hat, dass die Tiere bei richtigem Umgang recht zahm werden können (das fällt allerdings nicht ganz leicht).

BESONDERHEITEN

Züchter dieser recht seltenen Rasse machen sich ihre enge Verwandtschaft mit dem Niederländer Eulenbarthuhn zunutze. Beide Rassen wurden oft miteinander gekreuzt. Das ist möglich, weil sich der Kamm dominant vererbt. Aus solchen Kreuzungen gehen daher immer direkt Brabanter hervor. Wie oft dies passiert, lässt sich am Verschwinden der typischen Rassenmerkmale ablesen: so besitzen Brabanter oft dreiteilige Bärte, während Eulenbärte einen runden haben sollten.

Brabanter werden in mehreren getupften Farbschlägen gezüchtet, wogegen Eulenbärte eben nicht getupft sein dürfen, sondern „gelackt" sein müssen. Infolge der erwähnten Kreuzungen besitzen Brabanter oft weder die richtige Zeichnungs- noch die korrekte Bartform.

Brahma

HEIMAT
Indien.

GESCHICHTE
1852 wurde diese Rasse erstmals nach Europa importiert. Die betreffende Sendung kam aus Nordamerika. Man nannte sie zunächst „Chittagong" oder „Shanghai", später jedoch wurde die Rasse auf „Brahma" getauft. Man weiß nicht genau, ob sie zuerst tatsächlich direkt über den Hafen Lakkipur (am Brahmaputra/ Bangladesch) importiert wurde oder in Amerika durch Kreuzung von Cochins und Malaien entstand. Sie ist als eine der größten Rassen bekannt und wird deshalb oft als der „König unter den Hühnern" bezeichnet. Brahmas haben denn auch zur Entstehung zahlreicher neuer Rassen (und neuer Farbschläge bei schon bestehenden) beigetragen.

Mehrfachgesäumt-wildfarbige Brahma-Henne

Brahma-Hahn, columbia

ÄUSSERE MERKMALE

Bei dieser Rasse fällt der große, massig gebaute Körper ins Auge; verstärkt wird der Gesamteindruck noch durch das üppige Federkleid. Diese Hühner halten sich aufrecht, haben jedoch einen niedrigen Stand. Ihr Körper ist breit, füllig und hoch. Der eher kurze Rücken geht fließend in den niedrig getragenen Schwanz über. Dieser ist kurz und wird meist stark gespreizt. Dank des breiten Körpers wirken die Hühner von hinten eher hufeisen- als v-förmig. Die Flügel tragen sie eng am Körper. Brahmas haben kurze, üppig befiederte Hälse. Der Kopf ist im Verhältnis zum Körper recht klein. Die kräftigen Augenbrauen des breiten Schädels ragen weit über die Höhlen hinaus. Die Tiere besitzen kleine, dreiteilige Erbsenkämme und kurze Kinnlappen, zwischen denen eine befiederte Hautfalte, die Wamme, sitzt. Die gelben Läufe sind voll befiedert (auch die Zehen, so dass die Füße groß und geschlossen wirken).

FARBEN

Diese beliebte Rasse gibt es in verschiedenen Farbschlägen, u.a. mehrfach gesäumt wildfarbig, silbern- und blau-wildfarbig, columbia, gelb-columbia, columbia-blaugezeichnet, gelb-columbia-blaugezeichnet, gesperbert, birkenfarbig, weiß, schwarz, gelb und ungesäumt blau. Allerdings werden nicht alle Farbschläge auch in allen Ländern anerkannt. Am häufigsten und beliebtesten sind die mehrfach-

Silbern-wildfarbiger Brahma-Hahn

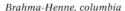

Brahma-Henne, columbia

gesäumt-wildfarbigen Tiere und die Columbia-Zeichnung.

EIGENSCHAFTEN

Brahmas sind sehr ruhige, zutrauliche Hühner, die bei guter Pflege sehr schnell zahm werden. Wer mehrere dieser Tiere halten will, muss allerdings bedenken, dass diese Hühner sehr viel Platz brauchen: sie werden nämlich sehr groß und schwer: Hähne können es auf bis zu vier Kilo bringen. Nicht zuletzt wegen ihres stattlichen Gewichts sind Brahmas für Kinder weniger geeignet. Da sie nicht fliegen, braucht ihr Gehege nicht überdacht zu sein, und man kann sie auch in Gärten mit niedrigen Umzäunungen frei laufen lassen: 50 cm hohe Hecken oder Zäune reichen hier völlig aus.

Junge Brahmas wachsen nur langsam. Es dauert lange, bis sie ausgewachsen sind: bei Hähnen ist dies erst mit etwa anderthalb Jahren der Fall. Ähnlich verhält es sich mit den Hennen: sie legen frühestens mit sechs oder sieben Monaten ihre ersten Eier. Diese sind – wie häufig bei so großen Rassen – recht klein (kaum größer als die von stattlichen Zwerghühnern). Ihre Schalen sind cremefarben. Diese Hühner legen auch im Winter. Die Hennen geraten leicht in Brutstimmung und sind in dieser Hinsicht verlässlich.

Untereinander verhalten sich die Hühner friedlich. Bei Hennen gibt es auch keine Probleme, wenn man sie zusammen mit anderen Rassen hält. Selbst die Hähne vertragen sich gut miteinander. Wer diese Riesenhühner züchten will, darf den Hähnen keinen zu großen „Harem" gönnen: zwei bis drei Hennen reichen für diese „schweren Jungens" völlig aus. Ungeachtet ihres Gewichts treten diese Hühner bescheiden auf: die Hähne halten sich sogar mit dem Krähen zurück, indem sie nur leise und recht selten rufen. Das alles macht sie bei Hühnerfreunden sehr beliebt.

Cochin

HEIMAT
China.

GESCHICHTE
Über die Ursprünge dieser Rasse weiß man nur wenig: sie gelangte im neunzehnten Jahrhundert nach England, wurde aber später über Shanghai auch in andere Länder exportiert. Die ursprünglichen Cochins haben mit dem heutigen Typ nur wenig gemein: dieser wurde von europäischen und amerikanischen Züchtern durch gezielte Selektion geschaffen.

Brahma-Henne, columbia

Gelber Cochin-Hahn

ÄUSSERE MERKMALE

Cochins zählen zu den größten und schwersten Rassen, die wir kennen: Hähne bringen es leicht auf fünfeinhalb Kilo. Diese Hühner sind nicht nur groß, sondern vor allem breit. Der Gesamteindruck wird durch das enorm üppige Gefieder noch verstärkt. Ihr Stand ist niedrig. Durch diesen Umstand, den hohen Körperbau, das üppige Federkleid und die starke Fußbefiederung sind die gelben Läufe unsichtbar. Die breite Brust ist kräftig gewölbt, der kurze Hals voll befiedert. Den im Verhältnis zum Körper recht kleinen Kopf ziert ein Einzelkamm. Die Ohrlappen sind rot, die Augen rotbraun. Diese Tiere haben eine freundliche Ausstrahlung. Ihre Federn sind kurz, breit und von weicher Struktur.

FARBEN

Diese Rasse wird in schwarz, blau, weiß, gelb, schwarzbunt, gesperbert und wildfarbig (mehrfach gesäumt) gezüchtet.

EIGENSCHAFTEN

Cochins sind große, aber auch sehr ruhige Hühner, die recht wenig Platz brauchen. Da

sie nicht fliegen, kann man sie ohne weiteres auch in Gärten mit niedriger Umzäunung frei laufen lassen. Eine 60 cm hohe Hecke reicht bei diesen Tieren völlig aus. Wegen ihrer Fußbefiederung und des niedrigen Stands werden Ausstellungsexemplare bevorzugt auf sauberem, trockenem Untergrund gehalten, d.h. in überdachten Gehegen. Cochins sind nicht scheu und daher leicht zu zähmen. Die Hennen legen recht viele hellbraune Eier. Sie gera-

Porträt einer gelben Cochin-Henne

ten auch verlässlich in Brutstimmung. Da sie nicht fliegen und keine Leichtgewichte sind, sollte man die Sitzstangen im Stall nicht zu hoch anordnen.

BESONDERES

Diese riesenhafte Rasse ist vielerorts recht selten. Die Tiere wachsen langsam, dafür jedoch sehr lange. Erst mit anderthalb Jahren sind sie ausgewachsen. Am häufigsten werden sie in gelb gezüchtet. Diese Farbe ist sehr lichtempfindlich: bei praller Sonne kommt es zum Ausbleichen; dieser Prozess wird durch Regen noch beschleunigt, weshalb man solche Tiere in schattigen Ställen halten sollte.

gen Tiere. Altholländische Meister malten im siebzehnten Jahrhundert Vorläufer dieser Rasse (oft mit schwarzem Körper und weißer Haube). Man nimmt an, dass alle altniederländischen Rassen mit Haube und/oder Bart von den russischen Pawlowa-Hühnern abstammen, die schon im Mittelalter nach Westeuropa gelangten.

ÄUSSERE MERKMALE

Das Holländer Haubenhuhn ist ein schlankes, zierliches Landhuhn mit stets aufrechter Hal-

Holländer Haubenhühner mit schwarzer Haube (Abb. von ca. 1900)

Holländer Haubenhuhn

HEIMAT

Niederlande.

ENTSTEHUNG

Diese Rasse hat eine lange Geschichte: vermutlich kam sie schon im fünfzehnten Jahrhundert in den Niederlanden vor, doch war sie damals noch nicht so reinrassig wie die heuti-

tung. Ihre Rückenlinie fällt leicht ab und geht in den recht langen, eher hoch und stark ge-sprcizt gctragcncn Schwanz übcr. Dic IIähne besitzen gut entwickelte Schmuckfedern, v.a. viele Sicheln. Die Flügel werden dicht am Kör-per getragen und zeigen stets etwas nach un-ten. Die Läufe sind bei den meisten Farbschlä-gen schiefergrau. Kennzeichen dieser Rasse ist ihre große, volle, kugelige Haube, die dem „Haubenknauf", einer Erhöhung des Schädel-dachs, entspringt. Bei den Hennen ist sie im Idealfall groß und kugelförmig, aber sehr kom-pakt, bei den Hähnen hingegen im Aufbau et-was lockerer und nicht ganz kugelförmig: das liegt daran, dass die Federn dort länger und schmaler geformt sind. Ihre Größe muss im Verhältnis zu der des Körpers stehen: zu große Hauben werden nicht zugelassen, da solche Hühner zu wenig sehen können. Die Iris ist orangerot. Im 18./19. Jahrhundert gab es auch Weißhauben mit krausen Federn; diese Va-riante wird heute in den Niederlanden erneut gezüchtet, ist aber z.Zt. noch sehr selten.

FARBEN

Es gibt drei Arten Holländer Weißhauben: Tie-re mit gleichfarbiger Haube und Körper, solche

Schwarzbunter Holländer Haubenhuhn-Hahn

mit weißen und schließlich solche mit schwar-zen Hauben. Die ersten beiden werden u.a. in schwarz, weiß, gesäumt blau, gelb-weißge-säumt, gesperbert und schwarzbunt gezogen. Die „Schwarzhauben" gibt es nur in weiß (als sogenannte Weiße Schwarzhauben).

EIGENSCHAFTEN

Holländer Weißhauben sind freundliche,

Blaues Holländer Haubenhuhn

Schwarze Holländer Weißhauben-Henne

gemütvolle Tiere, die jedoch wegen ihres beschränkten Gesichtsfeldes manchmal schreckhaft reagieren. Ihr Blickfeld ist durch die
„Haube" seitlich und oben stark einge-
schränkt: wenn sich etwas unbemerkt von
oben nähert, erschrecken sie deshalb unfehlbar. Dies lässt sich verhüten, indem man die
Tiere anspricht und die Hände in ihrer Augenhöhe bewegt. Wegen ihrer voluminösen
Hauben sollten sie keinen freien Auslauf bekommen: eher empfiehlt sich hier ein sauberes,
überdachtes Gehege, das gar nicht groß zu sein
braucht. Damit die Tiere nicht nass oder
schmutzig werden, schafft man am besten speziell für Haubenhühner bestimmte Fress- und
Trinknäpfe an. Die großen, warmen Hauben
sind auch ideale Brutstätten für Läuse. Durch
regelmäßige Kontrollen und die Bekämpfung
dieser Parasiten mit Sprays oder Pudern ver-
meidet man Ärger. Die Hennen legen reichlich
weißschalige Eier, kommen aber kaum je in
Brutstimmung. Wer also Küken haben will,
muss die Eier von Leihmüttern oder in Brutmaschinen ausbrüten lassen. Die Küken der
Weißhauben sind allerliebst anzusehen: dank
des andersfarbigen Schädelknaufs scheinen sie

einen kleinen „Bollenhut" auf dem Kopf zu
tragen.

BESONDERES

Die weiße Variante mit schwarzer Haube ist

Weißer Holländer Haubenhuhn-Hahn

schon Jahrhunderte alt, doch war sie vollständig ausgestorben. Zu Anfang des zwanzigsten Jahrhunderts startete der niederländische Genetiker Dr. Vriesendorp ein Zuchtprogramm zu ihrer „Wiederbelebung". Dabei verwendete er unter anderem Lakenfelder und Mohrenkopf-Eulenbärte. Etwa 75 Jahre später sind solche Tiere noch immer recht selten; hinzukommt, dass nicht nur die Haube, sonder auch der oberste Teil des Halses (wie beim „Mohrenkopf") schwarz ist.

Nackthalshuhn

HEIMAT
Österreich/Ungarn.

GESCHICHTE
Der für Hühner mit nacktem Hals verantwortliche Erbfaktor ist als spontane „Verlustmutation" an mehreren Orten unserer Erde entstanden: es gibt solche Tiere in der Karibik und in Frankreich (mit einem „Jabot" an der Halsvorderseite); in Osteuropa wurden die lokalen Nackthalsrassen am Anfang des zwanzigsten Jahrhunderts zu den heutigen Ausstellungstieren fortentwickelt.

ÄUSSERE MERKMALE
Nackthalshühner sind kräftig gebaute Landhühner: ein erwachsener Hahn bringt etwa zweieinhalb Kilo auf die Waage; die Henne ist circa fünfhundert Gramm leichter. Der langgestreckte Körper nimmt eine leicht aufgerichtete Haltung ein. Die lange Rückenlinie fällt schräg

Schwarze Nackthals-Henne

Schwarzbunte Nackthals-Henne

ab, und der Schwanz wird ziemlich gespreizt und halbhoch getragen. Hähne besitzen stark gekrümmte, recht breite Haupt- und Nebensicheln. Die unbefiederten Läufe sind bei schwarzen Tieren dunkel-schiefergrau. Kennzeichnend für diese Rasse ist der beim Hahn hochrote, bei der Henne blassere (eher fleischfarbige), ungefiederte Hals. Der nackte Halsabschnitt erstreckt sich etwa bis zum Kropf. Der wiederum normal befiederte Kopf wirkt durch den Kontrast zum nackten Hals wie ein kleiner Schopf (was jedoch nicht der Fall ist). Die Ohrlappen sind rot, und die Iris muss bei dieser Rasse orangerot sein. Nackthalshühner haben meist Einzelkämme, doch werden auch solche mit einem Rosenkamm anerkannt.

FARBEN
Nackthalshühner gibt es in verschiedenen anerkannten Farben, u.a. schwarz, weiß, gesperbert, gesäumt blau, schwarzbunt, gelb, rot und wildfarbig.

EIGENSCHAFTEN
Ihr nackter Hals lässt die Tiere empfindlich erscheinen; das ist jedoch keineswegs der Fall:

diese Hühner kommen seit Jahrhunderten sehr gut mit den strengen osteuropäischen Wintern zurecht. Man braucht daher im Stall keine besonderen Vorkehrungen zu treffen, wenn man diese Hühner pflegen will. Sie sind robust und vital; daher eignen sie sich gut für die freilaufende Haltung. Allerdings gedeihen sie auch in überdachten Gehegen hervorragend.

Da sie zu den schwereren Landhühnern gehört, neigt diese Rasse weniger stark zum Fliegen. Außerdem sind die Tiere ruhiger als andere Landhuhnrassen; sie lassen sich daher auch zähmen. Diese Hühner legen recht gut und geraten sogar manchmal in Brutstimmung. Da sie jedoch insgesamt recht knapp befiedert sind, können sie ihre Eier nicht so gut warm halten wie die Glucken anderer Rassen. Wenn man das berücksichtigt, kann man den Hennen ruhigen Gewissens Bruteier unterschieben.

BESONDERES

Viele Menschen finden Nackthalshühner hässlich und vergleichen sie mit Geiern. Beiden ist in der Tat der nackte Hals gemeinsam, doch sind sie vom Charakter her völlig verschieden: Nackthalshühner sind im Umgang sehr angenehm; außerdem können Sie so ihren Hühnerhof mit etwas Besonderem bereichern.

Die Küken schlüpfen schon mit nackten Häl-

sen – anders als Nackthalstauben, die dieses Merkmal erst nach der ersten Mauser ausbilden. Es sind possierliche Tiere, die man sofort von den Küken anderer Rassen unterscheiden kann.

Niederländer Eulenbart

HEIMAT

Niederlande.

ENTSTEHUNG

Diese auffällige Rasse kann auf eine lange Geschichte zurückblicken. Sie entstand aus Landhühnern und war schon im siebzehnten Jahrhundert fast reinrassig. Ölgemälde aus dieser Epoche zeigen die Tiere in vielerlei Formen und Farben. In der Literatur werden sie erstmals 1882 erwähnt. Ende des neunzehnten Jahrhunderts war es beinahe um sie geschehen, doch konnte ihnen mit Hilfe rasseloser Hühner, die einige Eigenschaften mit ihnen teilten, neues Leben eingeblasen werden. Außerdem kreuzte man sie mit Thüringer Eulenbärten und La-Flèche-Hühnern. Niederländer Eulenbärte sind gegenwärtig ziemlich selten, haben aber eine feste Gemeinde von Anhängern.

Gelb-weißgetupfte Niederländer Eulenbart-Henne

ÄUSSERE MERKMALE

Vom Typus her erinnern Niederländer Eulenbärte an Paduaner: die Rasse wirkt wie ein Landhuhntyp mit hoch getragenem Schwanz. Der Rumpf ist langgestreckt und vorn recht breit. Die Flügel werden etwas schräg nach unten weisend am Körper getragen. Die Iris ist braunrot. Die Farbe der Läufe variiert je nach Farbschlag von graublau bis weiß.

Markenzeichen dieser Rasse ist ihr Kopf: den Namen verdankt sie dem vollen, runden „Bart", der nach Möglichkeit keine Einschnitte aufweisen sollte.

Diese Hühner besitzen einen sogenannten „Hörnchenkamm". Direkt dahinter sitzen noch einige wenige krause Federn – die allerletzten Überreste einer Haube. Die Verwandtschaft der Tiere mit den Paduanern liegt daher auf der Hand.

Die Nasenlöcher im Oberschnabel sind vergrößert und ziemlich weit geöffnet – ein typisches Merkmal der Haubenhühner und aller mit ihnen verwandten Rassen.

FARBEN

Die bekanntesten Farbschläge sind schwarz, blau, weiß und gesperbert. Daneben gibt es Tiere in goldlack, silberlack und gelb-weißgetupft. Auch golden und silbern geflockte Hühner werden anerkannt, kommen aber praktisch nicht mehr vor. Der typischste Farbschlag sind wohl die schwer zu züchtenden und überaus seltenen „Mohrenköpfe".

EIGENSCHAFTEN

Niederländer Eulenbärte sind leider recht selten. Angesichts ihrer vielen positiven Eigen-

Niederländer Eulenbart-Hahn („Weißer Mohrenkopf")

schaften ist das ein Rätsel. Es sind kräftige, äußerlich auffällige Tiere, die sowohl freilaufend als auch im Gehege gut gedeihen. Die meisten Tiere halten etwas Abstand, doch ein ruhiger Pfleger, der diese Hühner geschickt behandelt, kann sie recht zahm machen. Hektische Menschen mit wenig Geduld erreichen bei diesen Tieren das Gegenteil. Die Hennen legen gut, bei guter Pflege auch während des Winters. Die weißschaligen Eier wiegen 50–60 Gramm.

Niederländer Eulenbart-Henne, silberlack

Niederländer Eulenbart-Henne („Weißer Mohrenkopf")

Schwarzer Niederländer Eulenbart-Hahn

Niederländer Eulenbart-Henne, „goldener Mohrenkopf"

BESONDERES

Kennzeichnend für die Rasse ist die „Mohren-kopf-Zeichnung", die man sonst nirgendwo antrifft. Der Name sagt eigentlich alles: der Rumpf ist einfarbig weiß oder goldbraun, der Kopf samt dem obersten Halsabschnitt schwarz. Deutlich wird dies erst, wenn die Küken nach der dritten Mauser ihr endgültiges Federkleid ausbilden; vorher sind sie überwiegend schwarz. Die Konzentration der schwarzen Pigmente auf den Kopf- und oberen Halsbereich macht züchterisch viel Mühe. Das Schwarz neigt zum Verschwinden oder zur Ausdehnung. Hähne dieses Typs neigen zur „Hennenfiedrigkeit": ihnen fehlen also die üblichen Schmuckfedern am Schwanz. Das erleichtert die Zucht, da sich Hahn und Henne in ihrer Zeichnung nun viel stärker ähneln. So lassen sich auch die potenziellen Zuchtqualitäten des Hahns besser einschätzen.

Dreiwöchiges schwarzes Niederländer Eulenbart-Küken

Niederländer Eulenbart-Hahn, goldlack

224

Sultanhuhn

HEIMAT
Türkei.

ENTSTEHUNG
Diese Hühner stammen ursprünglich aus der Türkei, wo man sie der Überlieferung nach in den Palastgärten der Sultane im alten Konstantinopel hielt. Im Jahre 1854 wurden einige weiße Exemplare nach England exportiert. Außerdem gibt es auch Hinweise darauf, dass diese Rasse von Sibirischen Haubenhühnern abstammt, die angeblich – ebenso wie die heutigen Sultanhühner – fünf Zehen besessen haben sollen.

Auf einer Abbildung von 1881 sieht man merkwürdigerweise Sultanhühner mit gelben Läufen (heute haben sie nämlich blaue). Unter dem Einfluss der beiden Weltkriege starb diese Rasse in Europa (mit Ausnahme der englischen Zuchtstämme) fast völlig aus. Später baute man sie aus verschiedenen bestehenden Rassen wieder auf. Die meisten heute auf dem Kontinent lebenden Sultanhühner stammen daher leider nicht mehr von den ursprünglichen „Hühnern des Sultans" ab.

ÄUSSERE MERKMALE
Sultanhühner sind eine recht kleine Rasse. Diese recht gedrungen gebauten Tiere haben einen niedrigen Stand. Ihr Gewicht beträgt bei erwachsenen Hähnen etwa zwei Kilo. Die Tiere haben ein volles Gefieder. Das betrifft auch den Hals; infolgedessen wirkt der Rücken kürzer als er wirklich ist. Den Kopf ziert eine vol-

Sultanhühner (Abb. aus dem frühen 20. Jahrhundert)

le, große, kugelige Haube. Vor dieser sitzt ein Hörnchenkamm, welcher bei Hennen nahezu in der Haube verschwindet. Ein voller, dreiteiliger Bart verdeckt auch die Kehllappen. Der stark gespreizte Schwanz wird halbhoch getragen. Die schiefergrauen Läufe sind voll befiedert: an den Hacken findet sich eine gut entwickelte „Geierfersen-Befiederung". Zu guter letzt besitzen die Tiere jeweils fünf statt vier Zehen.

FARBEN
Es werden nur rein weiße Tiere anerkannt. Diese besitzen blaugraue Läufe, rote Ohren (welche infolge der üppigen Federn unsichtbar sind) und rotbraune Augen. Einige Züchter arbeiten an weiteren Farbschlägen: so gab es in der Vergangenheit auch blaue und schwarze Sultanhühner.

EIGENSCHAFTEN
Diese Rasse ist nicht sehr häufig, hat jedoch in fast allen Ländern, wo Hühner gezüchtet und ausgestellt werden, einen kleinen, aber festen Freundeskreis. Sultanhühner sind ruhige, freundliche Tiere. Die Hennen legen recht gut;

ihre Eier haben braune Schalen. Wegen der üppigen Kopfbefiederung brauchen diese Hühner unbedingt spezielle Trinknäpfe: sogenannte Rundumtränken eignen sich dafür hervorragend. So verhindert man, dass der Bart nass wird: die Tiere sähen ansonsten schnell nicht mehr so attraktiv aus.

Da Sultanhühner überdies reich befiederte Läufe besitzen und die weißen Federn schnell verschmutzen, hält man sie am besten in überdachten, sauberen Gehegen. Die Sitzstangen im Stall sollte man nicht zu hoch anbringen. Nur wenige Züchter befassen sich mit diesen hübschen, vitalen, vom Wesen her ruhigen Hühnern.

BESONDERES

Wer diese Juwelen unter den Hühnern nicht bloß halten, sondern auch vermehren will, muss unbedingt einige Regeln beachten: so lassen sich Fünfzehen-Rassen nicht leicht züchten, da die zusätzliche Zehe nicht konstant vererbt wird. Ferner muss man bei Rassen mit vollen, großen Hauben die Zucht auch auf feste, stabile Hauben ausrichten: so sorgen die Züchter dafür, dass die Tiere ein natürliches, ausreichendes Blickfeld behalten. Dies kann

indes nur mit viel züchterischer Erfahrung oder unter sachkundiger Anleitung gelingen. Bei dieser Rasse gilt also: „Erst denken, dann handeln"!

Sumatra-Huhn

HEIMAT

Sumatra (Indonesien).

GESCHICHTE

Sumatra-Hühner sind eine alte Rasse, die sich mit keiner anderen vergleichen lässt. Nach alten Berichten stammen sie von halbwilden Kampong-Hühnern und einer heute ausgestorbenen Wildhuhnart ab. Die Sumatras gehören zu den Ahnen der Asil-Gruppe und gelten als Langschwanz-Kampfhühner. Um die Mitte des 19. Jahrhunderts wurden einige Exemplare von Amerikanern in die USA mitgenommen. Von dort fanden diese zierlichen Tiere ihren Weg in europäische Länder (unter anderem nach Großbritannien und Deutschland).

ÄUSSERE MERKMALE

Das Sumatra-Huhn ist eine zierliche, lebhafte,

Sultanhuhn-Henne

Sumatra-Hahn

schlanke und üppig befiederte Rasse. Ins Auge fällt besonders der intensiv grüne Glanz des Gefieders. Der lange Schwanz wird fast waagerecht getragen; seine reichen Schmuckfedern bestehen unter anderem aus langen Sicheln. Letztere sind breit und kräftig, so dass sie sich weniger leicht biegen und nicht auf dem Boden schleifen. Der kleine Kamm ist dreiteilig; auch die Kinnlappen sind sehr klein.

Ein weiteres augenfälliges Merkmal bildet die dunkle Purpurfarbe von Kamm, Gesichtshaut und Kehllappen. Die dunklen Läufe besitzen eine olivgrüne Wachsschicht und gelbe Sohlen. Anders als alle übrigen Rassen haben Sumatras Anlagen für mehrere Sporne: die meisten Hähne besitzen nur einen, Sumatra-Hähne jedoch oft zwei oder mehr pro Lauf. Dieses Phänomen wird als typisches Rassenmerkmal angesehen.

FARBEN

Diese Rasse wurde ursprünglich nur in schwarz (mit kräftigen grünen Glanzlichtern) gezüchtet. Später entstanden in Deutschland durch Kreuzungen mit Yokohamas auch weiße Tiere, und heute gibt es außerdem weiß-rote Exemplare.

Porträt eines Sumatra-Hahns

Sumatra-Hahn

Die beiden letztgenannten Farbschläge werden bisher aber noch nicht allgemein anerkannt. Außerdem werden auch blaue Sumatras gezüchtet: für diesen eigenartigen Farbschlag gilt allerdings, dass ihm die charakteristischen grünen Glanzlichter fehlen.

EIGENSCHAFTEN

Sumatras sind eine kräftige, noch sehr naturnahe Rasse. Wegen des langen, reich befiederten Schwanzes und ihres lebhaften, aktiven Wesens brauchen diese Hühner sehr viel Auslauf. Wenn man sie freilaufend hält, werden sie selbst bei strengem Frost der Übernachtung im Freien den Vorzug geben. Die Freilandhaltung beugt außerdem Kämpfen zwischen den heranwachsenden Hähnen vor.

Diese Hühner sind nicht scheu; wenn man ruhig mit ihnen umgeht, werden sie das bald durch zutrauliches Verhalten belohnen. Wenn Sumatras im Stall übernachten sollen, muss man die Sitzstangen ziemlich hoch anbringen (wenigstens 1 m über dem Boden), damit ihre Schwänze nicht beschädigt werden. Sumatras wachsen nicht gerade schnell und werden auch später geschlechtsreif als Landhühner. Damit sich die reichen Schmuckfedern entwickeln können, ist mehr als Standard-Hühnerfutter nötig.

Auffälligerweise legen Sumatras weiße Eier: bei allen anderen asiatischen Rassen sind sie nämlich braun bzw. farbig. Da diese naturnahe Rasse kaum „Veredelungen" unterworfen war, legt sie relativ wenige Eier. Die Hennen „produzieren" nur ein paar Monate, was jedoch zur Fortpflanzung völlig ausreicht.

Sumatra-Henne

BESONDERHEITEN

Die kräftigen grünen Glanzlichter machen das Sumatra-Huhn zu einer attraktiven Rasse. Angesichts dieser Färbung, der reichen Schmuckfedern und des niedrig getragenen Schwanzes fragen sich viele Laien, ob sie es mit Hühnern oder Fasanen zu tun haben. Die heißbegehrten dunklen Kopfverzierungen lassen sich leider vor allem bei Hähnen nur schwer züchten. Bei Hähnen sind sie in der Regel purpurrot. Das wird auf Ausstellungen toleriert, solange sie nicht geradezu hellrot geraten.

Wenn man Junghähne in einem überdachten Gehege aufzieht, kommt es unfehlbar zu Kämpfen um die Rangordnung. Diese Rangstreitigkeiten lassen sich aber gut in Grenzen halten, indem man einen erwachsenen Hahn zu den „Halbstarken" setzt. Der „alte Boss" wird bei Kämpfen stets einschreiten und seine Überlegenheit zur Geltung bringen. Wenn die jungen Hähne größer und stärker werden, nutzen sie aber ihre Chance, wenn der alte (beispielsweise während der Mauser) in schlechter Kondition ist: trennen Sie die Tiere also rechtzeitig!

Von dieser Rasse gibt es auch eine Zwergform; da diese aber bis auf die Größe die gleichen Eigenschaften wie die Stammform besitzt, wird sie in unserem Buch nicht näher beschrieben.

Yokohama

HEIMAT

Japan.

GESCHICHTE

Yokohamas sind eine der zierlichsten Hühnerrassen, die wir kennen. Sie wurden zum ersten Mal 1864 von Missionaren nach Europa importiert.

Wahrscheinlich kam es dabei zu Verständigungsproblemen zwischen den japanischen Züchtern und dem französischen Importeur, weil es in Japan keine Hühnerrasse dieses Namens gibt beziehungsweise gegeben hat. Allerdings existiert eine gleichnamige Hafenstadt, und genau dort wurden diese Hühner nach Frankreich eingeschifft. Über ihre Entstehungsgeschichte ist daher ansonsten lediglich bekannt, dass die Ahnen der heutigen Yokohamas aus Japan stammen.

Weiße Yokohamas (Abbildung von ca. 1900)

ÄUSSERE MERKMALE

Yokohamas gehören zu den Langschwanzhühnern. Es handelt sich um zierliche Tiere mit langgestrecktem Körperbau. Ihr auffälligstes Merkmal ist der sehr reich befiederte und lange Schwanz. Dieser wird nahezu waagerecht getragen. Die Sichelfedern des Hahnes sind lang und schmal, aber stabil gebaut. Deshalb krümmen sie sich nur ganz allmählich abwärts. Die Sattelpartie ist beim Hahn reichlich mit schmalen Federn besetzt, die fast bis zum Boden reichen. Auch Hennen besitzen lange Schwänze, deren oberste Federn meist leicht gekrümmt sind. Der kleine, kissenförmige Kamm steht flach auf dem Kopf. Diese Rasse besitzt kleine Kinnlappen und eine ebensolche Wamme. Auffällig ist auch der charakteristische (und häufigste) Farbschlag „rot-gezeichnet". Yokohamas haben gelbe Läufe.

Yokohama-Henne

FARBEN

Die Rasse kommt am häufigsten in rot-ge-zeichnet und weiß vor. In Großbritannien wer-den außerdem noch weitere Farbschläge aner-kannt.

Früher wurden rot-gezeichnete Tiere auch mit der Farbbezeichnung „rotsattlig-weiß" be-nannt; da bei dieser Rasse aber gerade der Sat-tel weiß ist, wurde dieser Name abgeändert. Auffällig an dem genannten Farbschlag ist die weiße Perlzeichnung der Brustfederspitzen (die Federn selbst sind überdies rotbraun).

EIGENSCHAFTEN

Yokohamas sind bewegliche, charaktervolle Tiere, die sehr viel Platz brauchen. Diese Rasse eignet sich nicht für Leute, die „tüchtige Lege-hennen" brauchen. Der lange Schwanz erfor-dert eine sehr spezielle Unterbringung. Die Hähne sind Menschen gegenüber recht aggres-siv, untereinander jedoch kaum.

Da die Hähne sehr lange, schnell verschmut-zende Schwanzfedern besitzen, die auch

Yokohama-Hahn

schnell abbrechen, bringt man die Sitzstangen am besten recht hoch an, d.h. wenigstens 1 m über dem Boden. Aus dem gleichen Grund muss man die Tiere auf sauberem, trockenem Grund halten, also am besten in überdachten Gehegen, die man häufig reinigt. Im Hinblick auf den Schwanz und das „Hackverhalten" bringt man besonders schöne Hähne am bes-ten separat unter – andernfalls bleiben diese nur schwer „in Form". Im Zuchtstamm würde der prächtige Schwanz nämlich bald beschä-digt oder beschmutzt. Die Hennen legen nicht sonderlich gut, und ihre Eier sind eher klein. Sie geraten aber leicht in Brutstimmung und widmen sich dann ausschließlich dieser Auf-gabe.

BESONDERES

Es gibt auch eine Zwergform; da diese aber le-diglich in der Größe von der Stammform ab-weicht, wird sie in unserem Buch nicht näher behandelt.

Seidenhuhn

HEIMAT

China.

Weißer Seidenhuhn-Hahn mit „Bart"

Das Seidenhuhn blickt auf eine sehr lange Geschichte zurück: schon vor über 1000 Jahren gab es in China zumindest Vorläufer mit ähnlicher Federstruktur. Nach Europa gelangten diese Hühner vor mehreren hundert Jahren. Damals wurden sie ahnungslosen Käufern als Kreuzung zwischen Kaninchen und Hühnern angeboten! Heute ist das Seidenhuhn aus dem Kreis der beliebten und bekannten Hühnerrassen nicht mehr wegzudenken.

ÄUSSERE MERKMALE

Seidenhühner sind relativ kleine „Großhühner": die Schwankungsbreite ihres Gewichts ist recht groß und von Land zu Land verschieden; insgesamt reicht sie von 1000 bis 1600 Gramm. Leichtere Varianten wiegen also nicht mehr als Zwerghühner. Das Seidenhuhn verdankt seinen Namen der eigenartigen Federstruktur, welche eher an ein Haarkleid erinnert. Seidenhühner sollten einen rundlichen

Mehrfachgesäumt wildfarbiger Seidenhuhn-Hahn

Gelbe Seidenhuhn-Henne mit „Bart"

230

Rumpf und einen niedrigen Stand aufweisen. Die kurze Schwanzpartie wird beim Hahn von ebenfalls „seidenen" Sichelfedern bedeckt. Neben der auffälligen Federstruktur besitzt das Seidenhuhn noch andere „Markenzeichen", etwa die blau-violette Haut (deren Farbe sich auch an Schnabel, Läufen und Kopfanhängseln findet) und ein fünftes Zehenpaar. Seidenhühner haben Erdbeerkämme. Neben der Nominatform gibt es auch eine „bärtige" Variante.

FARBEN

Diese Rasse wird in verschiedenen Farben gezüchtet, u.a. weiß, schwarz, mehrfachgesäumt und silbern-wildfarbig, perlgrau, gesperbert, rot, gelb und ungesäumt blau. Allerdings werden nicht alle Farbschläge in allen Ländern anerkannt.

EIGENSCHAFTEN

Die Vertreter dieser Rasse sind als ruhige,

überaus freundliche und zutrauliche Hühner bekannt. Seidenhühner lassen sich sehr einfach handzahm machen; daher eignen sie sich gut für Kinder und Leute, die gern Kontakt mit ihren Haustieren haben. Da sie nicht fliegen, kann man sie ruhig im Garten laufen lassen: eine niedrige Hecke reicht aus, um sie „in Schranken" zu halten. Seidenhühner brauchen nur wenig Platz und lassen sich daher auch in kleinen Gehegen pflegen.

Die Hennen dieser Rasse sind nicht gerade für ihre Legeleistung berühmt: pro Jahr kann man im Schnitt mit hundert Eiern rechnen, und das hauptsächlich im Winter und Frühjahr. Weithin bekannt ist diese Rasse dafür, dass die Hennen häufig und dauerhaft in Brutstimmung kommen. Wenn man ihnen keine Eier zum Ausbrüten lässt, brauchen sie regelmäßig zusätzliche Fürsorge, um sich nicht übermäßig zu verausgaben. Da sie im Hinblick auf den Bruttrieb verlässlich sind, verwendet man sie

Weiße Seidenhuhn-Henne mit „Bart"

Mehrfachgesäumt silbern-wildfarbige Seidenhuhn-Henne mit „Bart"

oft als „Leihmütter". Anders als ihr künstlich wirkendes Äußeres vermuten lassen könnte, ist diese Rasse sehr kräftig, vital und unempfindlich gegen Kälte und dergleichen.

BESONDERES

Typisch für diese Rasse ist die deutlich erkennbare Blaufärbung von Haut und Kopfanhängseln. Weniger bekannt ist, dass auch das Fleisch und sogar das Skelett dieser Tiere sehr stark pigmentiert sind.

Die Chinesen schreiben dieser starken Pigmentierung deshalb noch heute eine heilkräftige Wirkung zu und verarbeiteten (beziehungsweise verarbeiten noch heute) verschiedene Teile des Seidenhuhns zu allen möglichen Arzneien. Trotz seiner eigenartigen Farbe unterscheidet sich das Fleisch in Struktur und Geschmack nicht von „normalem" Hühnerfleisch. Neben diesen stark pigmentierten Seidenhühnern gibt es auch eine hellhäutige

Variante. Die typische Federstruktur entsteht dadurch, dass den Federstrahlen der sogenannte „Bart" fehlt; es handelt sich um ein rezessiv vererbtes Merkmal; das bedeutet, dass es bei Kreuzungen von Seidenhühnern und „normalen" Rassen zu Nachwuchs mit beiden Gefiedertypen kommt.

Der äußerst hartnäckige Bruttrieb (das „Glucken") dieser Rasse wird oft als lästig empfunden, hat aber früher zu ihrem Überleben beigetragen. Bis ins zwanzigste Jahrhundert hinein gab es noch keine Brutmaschinen, deshalb verwendeten Hühner-, Fasanen-, Rebhuhn- und Entenzüchter diese Hühner als natürlichen „Ersatz". Wenn Eier einer weniger gut „gluckenden" Rasse zu zeitigen sind, kann ein Seidenhuhn fast immer einspringen.

Teil 3:
Zwerghühner und Zwergformen

Einleitung

In der Fachsprache unterscheidet man zwischen Zwerghühnern (Zwergrassen) und Zwergformen: Zwerghühner sind von Natur aus sehr kleine Hühnerrassen, von denen es keine große Form gibt. Viele von ihnen sind sehr alt, etwa die Chabos, Sebrights und Zwerg-Javas. Der Name der letztgenannten Rasse kann für Verwirrung sorgen, da es in den USA auch Java-Hühner gibt. Dieses Huhn hat mit den Zwerg-Javas jedoch absolut nichts gemeinsam.

Neben diesen Zwergrassen wurden – vor allem seit der Wende vom neunzehnten zum zwanzigsten Jahrhundert – auch zahllose Miniaturausgaben der „großen" Hühnerrassen gezüchtet. Sie alle werden als „Zwergformen" bezeichnet. Dennoch nennt man ihre Vertreter im täglichen Sprachgebrauch ebenfalls „Zwerghühner": die Zwergform des Friesenhuhns heißt beispielsweise „Zwerg-Friesenhuhn".

Angesichts des immer stärker beschränkten Wohnraums passen Zwergformen und Zwerghühner gut in unsere Zeit: wer keine Großhühner halten kann, hat oft noch genug Platz für einen Stall mit ein paar Zwerghühnern. Zwerghühner sind überdies für Kinder besser geeignet als große Tiere, da man wegen des geringeren Gewichts leichter mit ihnen hantieren kann. Da es von den meisten Hühnerrassen auch eine Zwergform gibt, kann man sich fast immer für diese entscheiden, wenn einem die große gefällt.

Meist stimmen die Eigenschaften der Großrassen weitgehendst mit jenen ihrer Zwergformen überein; das kommt daher, dass man stets Kreuzungen der ursprünglichen „großen" Hühner mit Zwerghühnern vornahm, um eine Zwergform zu erhalten.

Wachtelfarbiger Grubbe-Bartzwerg-Hahn

Schwarz-weißgeperlter Zwerg-Ancona-Hahn mit Einzelkamm

18 Legerassen

Rassenbeschreibungen

Zwerg-Ancona (NA)

HEIMAT
Italien.

GESCHICHTE
Das Zwerg-Ancona entstand um 1910 in England durch Kreuzung von Anconas mit Zwergrassen. Ab 1930 wurde es in verschiedene Länder exportiert. Die Qualität dieser jungen Zwergrasse war indes so beschaffen, dass man fast überall erneut Anconas mit echten Zwerghuhnrassen kreuzte. Die Stammbäume der heutigen Zwerg-Anconas sind daher meist jünger als hundert Jahre.

ÄUSSERE MERKMALE
Vom Typ her erinnert diese Rasse stark an das Zwerg-Leghorn vom „deutschen" Typus. Es

Schwarz-weißgeperlter Zwerg-Ancona-Hahn mit Rosenkamm

Schwarz-weißgeperlte Zwerg-Ancona-Henne mit Rosenkamm

Schwarz-weißgeperlte Zwerg-Ancona-Henne mit Rosenkamm

handelt sich um einen gestreckten Landhuhntyp mit hoch getragenem, stark gespreiztem Schwanz. Die Federn sind breit und an der Spitze abgerundet. Die Hähne besitzen reich entwickelte Schmuckfedern, vor allem am Schwanz. Die Flügel fallen bei dieser Zwergrasse recht lang aus und ragen daher über das Körperende hinaus, doch das ist nicht von Belang.

Zwerg-Anconas besitzen entweder Einzelkämme oder Rosenkämme mit einem nach hinten weisenden Kammdorn. Ihre mittelgroßen Ohrlappen sind ungefähr ellipsenförmig und weiß. Die Iris des Auges ist orange bis rotbraun gefärbt. Die gelben Läufe zeigen regelmäßig verteilte dunkle Flecken, können aber auch rein gelb sein.

FARBEN
Die Rasse kommt in zwei Farbschlägen vor: dem ursprünglichen schwarz-weißgeperlten und dem jüngeren blau-weißgeperlten.

EIGENSCHAFTEN
Zwerg-Anconas sind aktive Tiere: im Stall sind sie ständig damit beschäftigt, den Boden nach etwas Fressbarem abzusuchen. Bei freiem Auslauf scharren sie auch zwischen den Pflanzen und Sträuchern umher. Daher kommt es nicht

infrage, die Tiere frei in gepflegten Gärten umherlaufen zu lassen, wenn man Wert auf ein ordentliches Erscheinungsbild legt.

Sorgen Sie für genug Ablenkung, indem Sie ein wenig Körnerfutter unter die Bodenstreu harken.

Zwerg-Anconas sind gute Flieger und gehören daher in überdachte Gehege. In kleineren Ställen bzw. Ausläufen können sie Vertrauen zu ihrem Pfleger fassen. Ihre Legeleistung ist durchweg befriedigend. Die Eier sind weiß. In Brutstimmung geraten diese Tiere kaum jemals.

BESONDERHEITEN

Die beiden Kammformen werden immer noch „durcheinander" gekreuzt; da der Rosenkamm gegenüber dem einzelnen dominant ist, haben die Küken stets Rosenkämme. Allerdings ist der Kamm meist nicht sonderlich schön geformt: er ist oft zu glatt, besitzt kein „Kammwerk" und gerät viel zu hoch. Man sollte deshalb besser gezielt selektieren anstatt zu kreuzen.

Die typische Ancona-Zeichnung (mit einem kleinen, perlförmigen weißen Fleck am Ende der schwarzen oder blauen Federn) ist stark altersabhängig: nach jeder Mauser wird der weiße Fleck größer. Ältere Tiere wirken daher viel weißer als junge.

Zwerg-Ardenner

HEIMAT
Belgien.

Weiße Zwerg-Ardenner

Silberhalsiger Zwerg-Ardenner-Hahn

ENTSTEHUNG

In ihrer Heimat sind die Meinungen zur Herkunft der Rasse geteilt: Nach Ansicht des „Landsbond" handelt es sich um eine Zwergform der „großen" Ardenner, einige belgische Hühnerfreunde glauben hingegen, dass wir es mit einer echten Zwerghuhnrasse zu tun haben.

Am häufigsten kann man der Meinung begegnen, die Tiere seien zu Anfang des zwanzigsten Jahrhunderts durch Kreuzung von Bassetten, Altenglischen Kämpfern und Ardennern entstanden.

Goldhalsiger Zwerg-Ardenner-Hahn

236

Goldhalsige Zwerg-Ardenner-Hennen

Silberhalsige Zwerg-Ardenner-Henne

ÄUSSERE MERKMALE

Vom Typ her gehören die Zwerg-Ardenner zu den Landhühnern. Die Tiere haben eine ziemlich aufrechte Haltung und sind recht schlank und klein: Hähne dieser Rasse wiegen nur etwa 650 Gramm. Der mäßig lange Rücken fällt vom Hals zum Schwanz hin leicht ab. Der Schwanz selbst wird halbhoch und etwas zusammengefaltet getragen. Die Schwanzfedern sind lang; der Hahn besitzt breite, lange, leicht zugespitzte Sichelfedern. Die Flügel werden leicht schräg hängend getragen. Diese Rasse hat einen halbhohen Stand.

Zwerg-Ardenner haben einen kleinen, zierlichen Kopf, den ein nur mäßig großer Einzelkamm ziert. Auffällig ist die Färbung von Kamm, Ohren und Gesichtshaut: bei den Hennen sind sie rotblau. Die Belgier vergleichen diesen Farbton treffend mit reifen Pflaumen. Bei Hähnen zeigen diese Partien mehr Rot, doch sind sie immer noch viel dunkler als bei

anderen Rassen pigmentiert. Als logische Folge sind die Augen tief dunkelbraun mit schwarzen Augenlidern, die unbefiederten Läufe hingegen fast schwarz gefärbt. In Belgien gibt es auch eine schwanzlose Variante der Zwerg-Ardenner. Diese „Ardenner Bolstaarts" gleichen bis auf den fehlenden Schwanz der Normalform der Rasse.

FARBEN

Anerkannte Farbschläge sind goldhalsig schwarz, silberhalsig schwarz, schwarz, weiß, lachsfarbig, wildfarbig und silbern-wildfarbig. Praktisch begegnet man jedoch fast nur gold- und silberhalsigen Tieren.

EIGENSCHAFTEN

Obwohl diese Hühner klein sind, brauchen sie recht viel Platz: das liegt an ihrem aktiven, lebhaften Wesen. Am besten hält man sie freilaufend, so dass sie nach Herzenslust scharren und wühlen können. Wenn für genügend Ablenkung und Bewegung gesorgt ist, lassen sie sich auch in geschlossenen Gehegen halten: streuen Sie etwas Kükensaat in die Bodenstreu und hängen Sie das Grünfutter hoch auf. Bei dieser Haltungsweise fassen die Tiere auch schneller Vertrauen. Andernfalls bewahren sie ihr von Natur aus etwas scheues Wesen.

Bei dieser Rasse spielt der Pfleger eine große Rolle: wenn Sie selbst hektisch sind, werden Sie die Tiere nur aus der Entfernung bewundern können. Die Hennen legen ziemlich gut; ihre Eier wiegen circa 38 Gramm. Wenn Gelegenheit dazu besteht, legen sie diese an einer gut versteckten Stelle ab, um sie dort auszubrüten. Als Mütter verteidigen sie ihre Küken eifrig. Letztere wachsen schnell und gut behütet auf.

Zwerg-Ardenner-Küken

Zwerg-Australorp

Zwerg-Australorp-Hahn

HEIMAT

England.

GESCHICHTE

Zwerg-Australorps sind sozusagen die „Zwerg-form" der großen Australorps. Die „Verkleine-rung" ist das Werk englischer Züchter. Es waren allerdings deutsche Liebhaber, denen die Rasse ihre gegenwärtige hohe Qualität verdankt: sie wurde mit Hilfe kleinwüchsiger Australorps und verschiedener Zwerghuhnrassen (u. a. von Zwerg-Langschans und Zwerg-Wyandotten) geschaffen. 1960 erfolgte die Anerkennung der Zwerg-Australorps.

ÄUSSERE MERKMALE

Zwerg-Australorps sind eine lebhafte, recht kompakt gebaute Zwerghuhnrasse. Den Kopf ziert ein mittelgroßer, mit vier bis fünf Zacken

Zwerg-Australorp-Henne

Zwerg-Australorp-Hahn

versehener Einzelkamm. Die Ohrlappen sind ebenso wie die unbefiederten Hautpartien des Kopfes lebhaft rot gefärbt. Die Iris ist schwarzbraun. Die Rückenlinie geht fließend in den halbhoch getragenen Schwanz über. Dieser wird bei Hahn und Henne stark gespreizt getragen. Den Schwanz des Hahnes zieren zahlreiche Schmuckfedern, so dass die eigentlichen Schwanzfedern nahezu unsichtbar werden. Die Läufe sind schwarz gefärbt, die Sohlen weiß.

FARBEN

Diese Rasse gibt es in schwarz, weiß und gesäumt blau. Der erste Farbschlag ist sehr beliebt.

EIGENSCHAFTEN

Zwerg-Australorps sind lebhafte, aber zutrauliche Tiere, die nicht zum Fliegen neigen. Als Umfriedung des Geheges reicht daher ein etwa 120 cm hoher Zaun aus. Die Hennen legen gut; ihre Eier wiegen im Schnitt etwa vierzig Gramm. Sie brüten ausgezeichnet, und auch die Aufzucht verläuft problemlos.

Diese vitalen Tiere wachsen schnell. Untereinander sind sie verträglich, so dass man die Hähne gemeinsam aufziehen kann. Zwischen den einzelnen Blutlinien bestehen diverse Unterschiede. Deutsche Zwerg-Australorps sind immer etwas aggressiver, was sich u. a. in der größeren Unverträglichkeit heranwachsender Hähne zeigt.

Zwerg-Barnevelder

HEIMAT

Deutschland / England.

ENTSTEHUNG

Die Wurzeln der Rasse liegen in Deutschland und England. Die Engländer kamen zwar den Deutschen zuvor, doch waren die dort gezüchteten Hühner bald wieder verschwunden; deutsche Züchter haben die Rasse mit Hilfe von Zwerg-Rhodeländern, -Wyandotten, -Langschans und rasselosen Tieren wieder „aufgebaut". Das Resultat entsprach zwar dem gewünschten Typ, besaß aber nicht die typische doppeltgesäumte Barnevelder-Zeichnung. Mit Hilfe Indischer Kämpfer hatte man endlich Erfolg. In den Niederlanden entstand durch Kreuzung von Indischen Kämpfern mit kleinwüchsigen Barneveldern später eine eigene Li-

Doppeltgesäumte Zwerg-Barnevelder-Henne

Doppeltgesäumte Zwerg-Barnevelder-Henne

Doppeltgesäumter Zwerg-Barnevelder-Hahn

nie. Zwerg-Barnevelder gehören dort zu den beliebtesten Rassen.

ÄUSSERE MERKMALE

Zwerg-Barnevelder müssen in jeder Hinsicht ein Miniaturausgabe der „großen" Barnevelder sein. Es ist eine mittelgroße Zwergrasse, deren Hennen als gute Legerinnen zu erkennen sind: ihr Hinterleib ist voll und hoch. Der mäßig lange Rücken geht kurvig in den halbhoch getragenen Schwanz über. Dieser wird beim Hahn großteils durch die breiten Haupt- und Nebensicheln verdeckt. Beide Geschlechter spreizen ihre Schwänze stark. Einzelkamm und Kehllappen sind bei dieser Rasse mittelgroß, die Ohrlappen rot und die Augen rotbraun. Zwerg-Barnevelder haben sattgelbe Läufe, deren Vorderseiten bei der Henne einen rötlichen Anflug aufweisen.

FARBEN

Diese Rasse kommt in schwarz, weiß, doppeltgesäumt und blau-doppeltgesäumt vor. Am beliebtesten (und typischsten) ist die doppeltgesäumte Variante mit schwarzen oder blauen Säumen.

EIGENSCHAFTEN

Zu den Rassenmerkmalen der Zwerg-Barnevelder gehören – wie bei der großen Form – die dunkelbraunen Eier. Da es sich um eine echte Legerasse handelt, geraten die Hennen selten in Brutstimmung. Deshalb lässt man die Eier von anderen Hühnerrassen oder in Maschinen ausbrüten. Wenn die Tiere doch einmal in Brutstimmung geraten, tun sie ihre Pflicht und betreuen die Küken hervorragend. Zwerg-Barnevelder – auch die Hähne – sind ruhige, zutrauliche Vögel. Dank ihrer guten Legeleistung und Robustheit eignen sie sich auch für Anfänger. Diese Tiere gedeihen in Gehegen und bei freilaufender Haltung gleich gut. Die Einfriedung braucht bei diesen Hühnern nur etwa 120 Zentimeter hoch zu sein.

Bassette

HEIMAT

Belgien.

GESCHICHTE

In Belgien nennt man diese Rasse manchmal noch „Lütticher Bassette": dieser Name liefert

Wachtelfarbige Bassette-Henne

einen Hinweis auf die vermutliche Heimat der Tiere, nämlich die Umgebung von Lüttich (Liège/Luik) im Süden der belgischen Provinz Limburg. Zu ihren Ahnen zählen sehr kleine lokale Bauernhühner, die man vermutlich mit Zwergrassen kreuzte. Zu Anfang des zwanzigsten Jahrhunderts wurden diese Tiere in der Fasanen- und Rebhuhnzucht häufig als „Leihmütter" verwendet.

ÄUSSERE MERKMALE

Das Bassette-Huhn wird manchmal auch als „Halb-Zwerghuhn" bezeichnet, weil es kaum kleiner als ein leichtgebautes Großhuhn ist. Es besitzt einen langen Rumpf; bei Hennen ist der Hinterleib hoch und ausladend – ein Anzeichen für gute Legeleistung. Der hoch getragene Schwanz sollte stark gespreizt werden. Hähne verfügen dort über reiche Schmuckfedern. Die Haupt- und Nebensicheln sind lang, breit und

Wachtelfarbiger Bassette-Hahn

Wachtelfarbiger Bassette-Hahn

stark gekrümmt. Die Flügel werden nicht übermäßig dicht angezogen, sondern hängen immer leicht schräg herab. Den ziemlich großen Kopf ziert ein mittelgroßer Einzelkamm, dessen hinterer Teil sich bei legenden Hennen im Idealfall seitwärts neigen sollte. Die Ohrlappen sind weiß, die Augen dunkelbraun.

FARBEN

Bei Bassetten wird eine ganze Reihe von Farben anerkannt: wachtel-, silbern-wachtel-, blau-wachtel- und perlgrau-wachtelfarbig sowie weiß, schwarz und gelb-columbia; der letztgenannte ist zwar anerkannt, wird aber kaum gezüchtet: in Belgien trifft man ihn bei anderen Hühnerrassen bisweilen unter dem Namen „vaal" (dt. „fahl") an. Es handelt sich um eine noch nicht „kultivierte" Abart von gelb-columbia. Wahrscheinlich ist sie nur deshalb in diversen Standards verzeichnet worden, weil es in Belgien früher solche „fahlen" Bassetten gab. In ihrem Heimatland werden auch wildfarbige Tiere anerkannt. In Deutschland züchtet man die Rasse hauptsächlich in wachtel- und silbern-wachtelfarbig.

EIGENSCHAFTEN

Bassetten sind genau die richtige Wahl für Leute, die nur wenig Platz haben und schon bald Eier einsammeln wollen. Im Grunde wurden sie als einzige echte Zwerghuhnrasse auf ihren Nutzwert hin selektiert. Die Tiere legen eine beachtliche Menge weißer Eier und sind lebhaft, stark und vital. Sie lassen sich gut in kleinen Gehegen halten, gedeihen aber bei viel

freiem Auslauf weit besser. Als Zuchttiere sind sie für ihre große Fruchtbarkeit bekannt. Ihr Renommee als „Pflegemütter" für Fasanen und Rebhühner verrät, dass sie zuverlässig in Brutstimmung geraten und fürsorgliche Glucken sind. Diese Veranlagung ist indes nicht übermäßig stark und wird erst im Spätfrühling wirksam. Dank ihres ruhigen Wesens lassen sich die Tiere leicht zähmen.

BESONDERES

Der Farbschlag perlgrau-silbern-wachtelfarbig ist nur bei dieser Rasse anzutreffen. Bei solchen Tieren wird das Schwarz durch Perlgrau ersetzt: so entsteht ein hübscher Pastellton. Nachteilig ist, dass dieser Farbschlag die Struktur der Federn beeinflusst: die schmalen Haupt und Nebensicheln des Hahnes sind sichtlich „geriffelt".

Zwerg-Brakel

HEIMAT

Niederlande und Deutschland.

GESCHICHTE

Um 1935 wurden auf einer Ausstellung erstmals niederländische Zwerg-Brakels präsentiert, die durch Kreuzung von Brakels und Sebrights entstanden waren. Sie verschwanden aber rasch wieder von der Bildfläche. Um 1950 unternahm man in Nordrhein-Westfalen einen neuen Anlauf: der Züchter Werthmann kreuzte Brakels mit schwarzen Deutschen Zwerghühnern. Schnell zeigte sich, dass die erwünschte Bänder-Flockung der Brakels bei

Silberner Zwerg-Brakel-Hahn

Goldenes Zwerg-Brakel-Paar

Silberne Zwerg-Brakel-Hennen

dieser Kreuzung nur schwer herauszuzüchten war. Fünf Generationen züchterischen Einsatzes kostete es die schwer arbeitenden Züchter, bis dieses Ziel erreicht war.

ÄUSSERE MERKMALE

Zwerg-Brakels sind eine Zwergform der Großrasse mit nicht sehr hohem Stand. Sie erinnern noch ziemlich stark an den gestreckten Landhuhntyp. Der Schwanz wird recht hoch und auch gut gespreizt getragen. Die Hähne dieser Zwergrasse besitzen ziemlich lange, stark gekrümmte Hauptsicheln. Die Flügel werden leicht schräg nach unten weisend am Körper getragen. Die stark gewölbte Brust wird dabei stets etwas vorgereckt. Der zierlich gebogene Hals dieser Hühner weist einen vollen Behang auf. Den Kopf ziert ein Einzelkamm, der sich bei legenden Hennen hinten leicht seitwärts neigen sollte. Die starke Pigmentierung des Kopfbereichs äußert sich in den schwarzen Augen, den dunklen Augenlidern und der etwas schwarzblau pigmentierten Kammbasis der Henne. Die Ohrlappen sind bei Zwerg-Brakels weiß.

FARBEN

An Farbschlägen sind beim Zwerg-Brakel „silbern" und „golden" anerkannt. Bei beiden handelt sich tatsächlich um geflockte Farbvarianten, wobei die Flocken zu beiden Seiten des Federkiels an den Rücken-, Schulter- und Brustfedern der Henne in einander übergehen. So entstehen Querstreifen, die man als Bänder-Flockung bezeichnet.

EIGENSCHAFTEN

Das Zwerg-Brakel ist eine perfekte Kopie der Großrasse. Es gleicht ihr nicht nur äußerlich perfekt, sondern hat auch gut vergleichbare Nutzeigenschaften: die robusten, vitalen Tiere wachsen rasch und sind früh ausgewachsen. Diese Zwerghennen legen über das Jahr verteilt recht viele Eier, die jeweils etwa 35 Gramm wiegen. Da diese Hühner selten oder nie in Brutstimmung kommen, ist man zur Zucht auf andere Rassen oder auf Brutmaschinen angewiesen. Die Tiere sind überaus lebhaft und ein wenig unruhig. Sie sind nur mit Mühe zahm zu kriegen (erst recht nicht handzahm). Dank ihres lebhaften Wesens brauchen Zwerg-Brakels sehr viel Platz, etwa in einem großen Gehege mit vielen Ablenkungsmöglichkeiten. Freier Auslauf auf dem Grundstück oder einer Wiese wäre ideal, kommt aber in Wohngegenden kaum infrage, da Zwerg-Brakels ausgezeichnet fliegen. Wenn man ihnen die Wahl lässt, schlafen sie am liebsten auf Bäumen. Deshalb lockt man sie am besten spätabends in den Stall und schließt ihn danach ab.

BESONDERHEITEN

Der gebändert geflockte Farbschlag ist einer der schönsten unter allen Hühnerrassen. Hennen zeigen diese Zeichnung fast am ganzen Körper (mit Ausnahme des Halses). Dieser Körperteil muss völlig zeichnungslos bleiben und sticht daher stark vom übrigen Körper ab.

Zwerg-Drenther (NA)

HEIMAT
Niederlande.

GESCHICHTE
Über die Entstehung der Zwergform des Drenther-Huhnes weiß man wenig. Um 1960

silbern-, gesäumt blausilbern-, gesäumt gelb-, und gesäumt blausilbern-wildfarbig, gold- und silberhalsig schwarz, goldhalsig blau, silberhalsig schwarz, gold- und silberhalsig blau, gesperbert-wildfarbig, rotgezeichnet und rotgezeichnet silbern-wildfarbig. Bei der schwanzlosen Variante werden ferner gesperbert, diverse geflockte Farbenschläge sowie schwarz, weiß und ungesäumt blau anerkannt.

EIGENSCHAFTEN

Zwerg-Drenther sind aktive Tiere, die nicht unbedingt sehr viel Platz brauchen, aber immer etwas zu tun haben müssen. Die Hennen legen weiße, relativ große Eier; diese wiegen im Schnitt 40 Gramm. Die Hennen geraten regelmäßig in Brutstimmung und sorgen gut für ihren Nachwuchs. Anders als die meisten Landhuhnrassen lassen sie sich gut zähmen. Wirklich handzahm werden sie indes kaum. Man pflegt sie am besten in überdachten Gehegen, da sie sonst gern Ausflüge unternehmen.

wurden die ersten Zuchtanläufe unternommen: man kreuzte schwanzlose Drenther mit Holländischen Zwerghühnern. Jahre später zog man auch Zwerg-Friesenhühner und abermals Holländische Zwerghühner heran, um weitere Farbschläge zu erzielen. Zur Zeit gibt es bei dieser Zwerghuhnrasse einen harten Kern engagierter Züchter.

ÄUSSERE MERKMALE

Es gibt zwei Varianten dieser Zwergform des Drenther Huhns: neben den „normalen" existieren auch schwanzlose „Bolstaart"-Zwerghühner. Zwerg-Drenther sind vom Typ her gestreckt und leicht gebaut. Ihre Brust ist kräftig gewölbt. Der Schwanz wird hoch und stark gespreizt getragen; beim Hahn weist er stark gekrümmte Haupt- und Nebensicheln auf. Die Rasse hat einen halbhohen Stand. Ihre Läufe sind hell-blaugrau. Neben einem Einzelkamm besitzen die Tiere weiße Ohrlappen und orangerote Augen.

FARBEN

Diese Rasse gibt es in wildfarbig, silbern-, blau-, gelb- und gesäumt wildfarbig, gesäumt

Schwanzlose gelb-wildfarbige Zwerg-Drenther-Henne

Wildfarbiger Zwerg-Drenther-Hahn

Zwerg-Drenther-Hahn

Zwerg-Friesen-Küken

Huhns erfolgte 1930. Von diesen Tieren wird überliefert, dass sie aus der Kreuzung von Friesen-Hühnern und Sebrights hervorgingen. Spätere Anläufe, auf dieselbe Weise Zwerg-Friesen-Hühner zu züchten, missglückten indes. Mehr Erfolg brachten dann Kreuzungsversuche zwischen Friesen-Hühnern und Holländischen Zwerghühnern.

ÄUSSERE MERKMALE

Zwerg-Friesen-Hühner vertreten eindeutig den Landhuhn-Typ. Es handelt sich um ziemlich kleine, im Schnitt sechshundert Gramm schwere Zwerghühner. Die Tiere sind schlank gebaut und nehmen stets eine ziemlich aufrechte Haltung ein. Der Schwanz wird immer gut gespreizt getragen und ist beim Hahn mit einer reichen Schmuckbefiederung aus zahlreichen langen, stark gekrümmten Haupt- und Nebensicheln versehen. Die Flügel zeigen leicht schräg nach unten, werden aber dicht am Leib getragen. Die stets weit vorgereckt getragene Brust ist kräftig gewölbt. Zwerg-Friesen-Hühner haben einen Einzelkamm und weiße Ohrlappen. Die Läufe sind unbefiedert und schiefergrau.

BESONDERHEITEN

Die Rasse ist in den Niederlanden, Deutschland und Belgien recht beliebt, in anderen Ländern jedoch sind Zwerg-Drenther kaum anzutreffen.

Der Farbschlag „gesäumt wildfarbig" kommt von alters her nur bei der Groß- und Zwergform des Drenther Huhnes vor. Bei der „normalen" Wildfärbung sind die Rückenfedern der Henne graubraun und gleichmäßig schwarzgrau gesprenkelt („Pfefferung"). Dieses Muster fehlt bei gesäumt wildfarbigen Tieren: statt dessen finden sich dort mattschwarze, rechteckige, der Federform folgende Linien. Diese Zeichnung setzt sich bei der Henne bis auf die Brust fort, welche beim Hahn lachsfarbig ist.

Die schwanzlose Variante ist eine hübsche Spielart dieser Rasse. Der Erbfaktor für Schwanzlosigkeit ist unvollständig dominant: dies bedeutet, dass es bei der Kreuzung von geschwänzten Hühnern mit schwanzlosen Tieren immer „gemischten" Nachwuchs (mit und ohne Schwanz) gibt.

Zwerg-Friesen

HEIMAT

Niederlande.

ENTSTEHUNG

Die erste Erwähnung des Zwerg-Friesen-

Zwerg-Friesen-Hahn vom Farbschlag zitrone geflockt

FARBEN

Beim Zwerg-Friesen-Huhn werden die Farbschläge golden-, silbern-, zitrone-, gelb-weiß-
und rotgeflockt, sowie schwarz, weiß, ungesäumt blau, gesperbert und schwarz-bunt
anerkannt. Am gefragtesten sind die geflockten
Varianten. Geflockte Zwerg-Friesen-Hühner
weisen eine kleinteilige, feine Flockung auf.
Auf den Brust-, Rücken- und Schulterfedern
der Hennen finden sich drei bis vier Paar in
etwa ovaler „Flocken". Züchter vergleichen
ihre Form mit der eines Weizenkornes.

Zwerg-Friesen-Hahn, zitrone geflockt

EIGENSCHAFTEN

Zwerg-Friesen-Hühner haben einen lebhaften
Charakter. Von Natur aus halten sie etwas Abstand von ihrem Betreuer und werden nicht
leicht zahm. Ruhige Pfleger, die diese Tiere in
geschlossenen Gehegen halten, können die
Hennen dazu bringen, aus der Hand zu fressen. Dank ihres geringen Gewichts sind diese
Hühner gute Flieger: Zäune oder sonstige
hohe Umfriedungen bilden für sie daher kein
Hindernis. Daher sollte man sie besser in Volieren unterbringen.

Zwerg-Friesen-Hahn, zitrone geflockt

Diese robuste, vitale Rasse weiß sich im Freien
zu behaupten; man kann ihr daher guten Gewissens freien Auslauf auf dem Hof oder der

Wiese bieten. Untereinander können sie etwas schwierig sein, doch gibt es bei genügend Ablenkung keine Probleme.

Hängen sie Grünfutter hoch über den Zwerghühnern auf und mischen Sie Körner unter die Bodenstreu, dann haben die Tiere genug zu tun! Die Hennen legen weißschalige Eier. In Brutstimmung kommen sie selten. Wenn man die Tiere züchten will, ist man daher auf Brutmaschinen oder brutwillige Hennen anderer Rassen angewiesen.

Zwerg-Hamburger

HEIMAT
England.

Zwerg-Hamburger-Hähne (ca. 1900)

Zwerg-Hamburger-Henne, silberlack

Zwerg-Hamburger-Henne, silberlack

Zwerg-Hamburger-Hahn, silberlack

ENTSTEHUNG
Sowohl in den Niederlanden als auch in England versuchten einige Züchter schon bald nach der Entstehung des Hamburger- (oder „Holländer") Huhnes, eine Zwergform zu züchten. Die Engländer präsentierten diese als erste gegen Ende des 19. Jahrhunderts auf Ausstellungen. Die Tiere stammten von dem Engländer Farnsworth, der sein Ziel mit Hilfe von großen „silberlack" Hamburgern, Sebrights und Zwerg-Javas erreichte. Noch vor dem Ersten Weltkrieg tauchte die Rasse in den Niederlanden auf, von wo sie ihren Weg in viele andere Länder fand.

ÄUSSERE MERKMALE
Das Hamburger Zwerghuhn ist eine kleine, schlanke und zierliche Zwergrasse: die Tiere wiegen etwa 400 Gramm. Ihr Körper wirkt sehr langgestreckt, wozu der stattliche Schwanz noch verstärkt beiträgt. Der Schwanz wird stark gespreizt und halbhoch getragen. Hähne besitzen lange, breite Sicheln, die in ei-

ner stumpfen Spitze enden. Zum attraktiven Gesamtbild tragen der üppig befiederte Sattel und eine große Anzahl von Nebensicheln bei. Die ziemlich langen Flügel werden leicht schräg nach unten weisend getragen. Die Läufe sind schiefergrau gefärbt. Zwerg-Hamburger ähneln vom Kopf her in gewissem Maße Zwerg-Javas. Ihren schönen, eher kleinen Schädel ziert ein Rosenkamm mit stracks nach hinten zeigendem Dorn und kleinen „Perlen", dem sogenannten Kammwerk. Die Kinnlappen sind rundlich und kurz, die ziemlich großen Ohrlappen ebenfalls rundlich und weiß.

FARBEN

Diese Rasse gibt es in gold- und silberlack, golden-, silbern-, zitronen-, gelb-weiß- und gelb-blaugeflockt, schwarz, weiß, ungesäumt blau und gesperbert.

EIGENSCHAFTEN

Holländische Zwerghühner – vor allem die Hähne – sind sehr schmucke Tiere. Da sie gern und häufig aktiv sind, eignen sie sich hervorragend für die freilaufende Haltung. Man kann die Tiere auch in Gehegen halten, sofern dort

Zwerg-Hamburger-Hahn, silberlack

für genügend Platz und Ablenkung gesorgt ist. Trotz ihrer geringen Größe kommen sie für kleine Gehege überhaupt nicht infrage. Leider werden diese Hühner auch bei noch so guter Pflege und ruhigem Vorgehen selten wirklich zahm, doch gibt es auch einige „ruhige" Zuchtstämme. Es handelt sich eher um „Schautiere", und in dieser Hinsicht haben sie Einiges zu bieten. Die Hennen legen weiße Eier. In Brutstimmung gerät diese Rasse nur selten, weshalb man die Eier meist von Pflegemüttern oder in Brutapparaten ausbrüten lässt. Die Küken wachsen rasch und sind sehr früh ausgewachsen.

BESONDERHEITEN

Auf den ersten Blick unterscheiden sich silber- und goldlack Tiere nur in der Grundfarbe. Es gibt aber noch weitere Abweichungen: Erstere haben weiße Schwänze, deren Federenden jeweils einen großen, runden, schwarzen Fleck tragen. Die Letztgenannten hingegen besitzen rein gelbe Schwänze. In den letzten Jahren versuchte man auch Tiere zu züchten, deren gelbe Schwanzfedern ebenfalls schwarze Endflecken tragen. Das ist an sich nicht schwer, geht aber leider mit dem Ausbleichen der Grundfarbe einher. Dadurch sind solche Tiere eher gelb- als goldbraun gefärbt. Vermutlich büßt der Grundton seine Intensität durch das Fortzüchten der schwarzen Federanteile ein.

Zwerg-Lakenfelder

HEIMAT

Niederlande/Deutschland.

GESCHICHTE

Diese Zwergform des Lakenfelder-Huhns entstand an verschiedenen Orten und zu unterschiedlichen Zeitpunkten. Die ersten Exemplare der „Zwergrasse" züchtete in den 30er Jahren des zwanzigsten Jahrhunderts der Niederländer Scheper. Dieser Zuchtstamm starb mittlerweile nahezu aus. Die meisten heutigen Zwerg-Lakenfelder stammen von jüngeren, deutschen Stämmen ab: einem Hamburger glückte 1972 die erste deutsche Zwergform dieser Rasse.

Zwerg-Lakenfelder-Hahn

Zwerg-Lakenfelder-Hahn

Blaugezeichneter Zwerg-Lakenfelder-Hahn

Blaugezeichneter Zwerg-Lakenfelder-Hahn

ÄUSSERE MERKMALE

Das Zwerg-Lakenfelder-Huhn ist ein leichtgebauter Vertreter des Landhuhntyps. Sein Körper ist gestreckt, und der Schwanz wird recht hoch und stark gespreizt getragen. Beim Hahn ist dieser Körperteil reich mit breiten, langen und stark gekrümmten Haupt- und Nebensicheln versehen. Die Flügel werden leicht schräg und eng zusammengefaltet am Körper getragen. Das Zwerg-Lakenfelder-Huhn hat einen mittelgroßen, ebenmäßig gezähnten Einzelkamm. Seine Ohrlappen sind weiß, die Augen orangerot oder rotbraun gefärbt. Die Brust ist kräftig gewölbt. Die Läufe schließlich sind von schiefergrauer Farbe.

FARBEN

Ursprünglich gab es diese Rasse nur in

Zwerg-Lakenfelder-Hahn

schwarz. Der blaugezeichnete Farbschlag entstand erst Jahrzehnte später. Bei ihm ist das Schwarz zu Blaugrau aufgehellt.

EIGENSCHAFTEN

Zwerg-Lakenfelder sind aktive, lebhafte Tiere, die man am besten freilaufend hält. Für Wohngegenden sind diese attraktiv gezeichneten Hühner weniger geeignet, da sie viel Platz brauchen und hoch fliegen können (weshalb sie selten im Garten bleiben). Man kann sie zwar in geschlossenen Gehegen unterbringen, doch langweilen sie sich dort rasch: die überschüssige Energie entlädt sich bald gegen die Artgenossen. Außerdem kommt es zu Verhaltensstörungen wie Federpicken. Die Tiere brauchen daher unbedingt Ablenkung; sie bleiben selbst bei bester Pflege und ruhigem Verhalten scheu. Ihre Eier sind meist weiß oder leicht getönt. Die Rasse gerät selten in Brutstimmung.

BESONDERHEITEN

Beim Zwerg-Lakenfelder sind die blauen Federpartien hell-blaugrau. Dieser Ton ist nicht zuchtrein und wird intermediär vererbt, d.h. aus einem Paar blaugezeichneter Tiere gehen nur zu etwa 50% auch blaugezeichnete Küken hervor; die andere Hälfte ist schwarzgezeichnet oder sogar rein weiß. Den zweiten Farbschlag nennt man „schmutzigweißgezeichnet", da sich vom weißen Grund viele schwarze Flecken abheben. Der blaue Farbton ist sehr empfindlich: für Ausstellungen gedachte Tiere hält man daher besser in beschatteten Gehegen.

Zwerg-Leghorn

HEIMAT
Es gibt verschiedene Zuchtformen dieser Rasse; die sich an unterschiedlichen Orten unabhängig voneinander entwickelt haben. Züchter aus England, den USA und Deutschland haben das Meiste dazu beigetragen. Die Ahnen des Leghorns stammen aus Italien.

GESCHICHTE
Die verschiedenen Zuchtformen hatten zur Folge, dass sich deutlich abweichende Typen von Zwerg-Leghorns herausbildeten: es gibt englische, deutsche (sowie niederländische) und amerikanische Typen. Der deutsche Typus des Zwerg-Leghorns wurde als erster 1919

Weißer Zwerg-Leghorn-Hahn vom amerikanischen Typ

Weiße Zwerg-Leghorn-Henne vom amerikanischen Typ

vom Züchter Schuhmann kreiert und in seinem Heimatland auf einer Ausstellung vorgestellt. Der amerikanische Typus entstand in den USA, wo er 1940 anerkannt wurde. In England wurde diese Rasse mit Hilfe von Zwerg-Minorkas gezüchtet; ihre Anerkennung erfolgte dort schon im frühen 20. Jahrhundert.

ÄUSSERE MERKMALE
Zwischen den drei Typen gibt es große Unterschiede, aber auch gemeinsame Merkmale: so besitzen alle Zwerg-Leghorns sattgelbe Läufe. Die Ohrlappen sind immer weiß (mit einem leichten Anflug von Gelb), die Augen orangerot. Der Körperbau ist leicht und gestreckt. Die Unterschiede betreffen hauptsächlich den Schwanz und den Kamm: beim deutsch-niederländischen Typ wird der ziemlich zusammengefaltete Schwanz recht niedrig getragen; Hähne dieser Kategorie besitzen zahlreiche breite, stark gekrümmte Haupt- und Nebensicheln. Neben dem vorherrschenden Einzelkamm gibt es gelegentlich auch Rosenkämme (die sich bei legenden Hennen hinten seitwärts neigen).

Der amerikanische Typ trägt den Schwanz stärker gespreizt; auch hier ist dieser beim Hahn mit vielen Nebensicheln versehen. Der Sattelbehang fällt länger und üppiger als bei der deutsch-niederländischen Variante aus, während die Haupt- und Nebensicheln schmaler geraten sind. Der Kamm ist bei den „Amerikanern" kleiner und zierlicher strukturiert und neigt sich bei legenden Hennen ebenfalls hinten seitwärts. Das Kammende ragt fast waagerecht nach hinten, während es bei „deutschen" Hühnern der Halslinie folgt. Die englische Zuchtlinie trägt ihren Schwanz stark gefaltet. Verglichen mit den anderen besitzt sie die wenigsten Schmuckfedern. Ferner haben diese Hühner einen hohen Stand und neigen stärker zum Minorka-Typ. Auffällig ist hier auch der große Kamm, der bei legenden Hennen ganz „umfällt". Auch in der Größe gibt es Unterschiede: so wiegen „Amerikaner" etwa 700, „Engländer" circa 950 und „Deutsche" ungefähr 800 Gramm.

FARBEN
Die Zusammenstellung der anerkannten Farb-

schläge wechselt von Land zu Land: die weiße Variante wird fast allerorts akzeptiert. Daneben gibt es – je nach Typus – viele andere, beispielsweise gelb, schwarz, gestreift, silbern-, gelb- und blau-wildfarbig, wildfarbig, blau und rot.

Beim niederländischen und englischen Typ kennt man unter anderem auch den als „Exchequer" bekannten schwarzbunten Schlag.

EIGENSCHAFTEN

Diese Rasse ist für ihre beachtliche Legeleistung bekannt. Die Eier sind – unabhängig von der Hennenfarbe – stets weiß. Als echte Legehennen geraten die Tiere von Natur aus kaum jemals in Brutstimmung. Oft werden die Eier von andersrassigen „Leihmüttern" oder mit Hilfe von Brutapparaten ausgebrütet. Die Tiere sind lebhaft, und man muss sich ihnen bedächtig nähern. Sie werden selten so handzahm, dass man sie „mal eben" anfassen darf. Eine positive Ausnahme bildet in dieser Hinsicht die amerikanische Zuchtlinie: diese Tiere sind oft etwas ruhiger. Ihre reich befiederten Schwänze erfordern zusätzliche Pflege. Zwerg-Leghorns können sehr gut fliegen und sollten deshalb nur in überdachten Gehegen gepflegt werden.

BESONDERHEITEN

Der schwarzbunte „Exchequer"-Farbschlag kommt nur bei dieser Rasse vor. Ursprünglich war er unter Leghorn-Betriebsstämmen oft anzutreffen, was sich im weniger „kultivierten" Typus niederschlägt. Der Schwanz wird oft recht hoch und stark gefaltet getragen, in geringerem Maße auch bei den Zwerghühnern. Der größte Teil der Federn sollte möglichst reinweiß sein. Weniger als die Hälfte trägt an der Spitze einen unregelmäßig geformten schwarzen Fleck.

Zwerg-Marans

HEIMAT

England.

GESCHICHTE

Die meisten heutigen Zwerg-Marans stammen

Kupferschwarze Zwerg-Marans-Henne

von englischen Zuchttieren ab. Diese wurden in den 1930er und 1940er Jahren aus dem großen Marans entwickelt. Ihre Anerkennung in England erfolgte 1948. Später kreierten auch Züchter in anderen Ländern unabhängig voneinander eine Zwergform dieser Rasse.

ÄUSSERE MERKMALE

Als Miniaturausgabe des Marans-Huhns ist das Zwerg-Marans eine recht robuste Rasse. Sein Körperbau ist etwas gestreckt – Kennzeichen einer guten Legehenne. Ihr Stand ist halbhoch,

Kupferschwarzer Zwerg-Marans-Hahn

Junge kupferschwarze Zwerg-Marans-Henne

Gesperberte Zwerg-Marans-Henne

und die Tiere besitzen breite, dicht aneinander schließende Federn. Der Einzelkamm und die Iris sind orangerot gefärbt. Da sie braune Eier legen, haben diese Tiere rote Ohrlappen.

Auffälligster Unterschied ist die Laufbefiederung: sie fehlt den englischen und amerikanischen Zwerg-Marans, während es in Frankreich nur Hühner mit befiederten Läufen gibt. Einige andere Länder – unter anderem die Niederlande – haben sich dazu entschlossen, dem Ursprungsland in diesem Punkt zu folgen.

FARBEN

Diese Rasse gibt es unter anderem in kupferschwarz, gesperbert und golden-gesperbert. In den Niederlanden wird nur der kupferschwarze Farbschlag anerkannt. Mittlerweile züchtet man auch wildfarbige Tiere. Diese Variante lässt sich am ehesten als weizenfarbig, doch mit leicht rötlichem Grundton beschreiben.

EIGENSCHAFTEN

Zwerg-Marans sind für ihre recht großen, dunkelbraunen Eier bekannt. Allerdings können sie in dieser Hinsicht meist nicht mit den großen Marans mitziehen. Das ist in sich logisch und hat verschiedene Gründe: im Verhältnis zu den großen Hühnern legen diese Zwerge viel größere und schwerere Eier. Entsprechend ungünstig gestaltet sich beim Zwerg-Marans die Relation zwischen der Schalenoberfläche des Eis und der Kapazität der Farbdrüse. Folglich sind die Schalen hier deutlich blasser gefärbt. Hinzu kommt, dass die Rasse aus Kreuzungen (unter anderem mit dem Zwerg-Cochins) hervorgegangen ist. Schließlich wurde die Zwergform bei der Zucht (anders als das große Marans) nur nach äußeren Merkmalen selektiert. Daher sehen viele Zwerg-Marans hübsch aus, legen aber nur hellbraune Eier. Das Zwerg-Marans ist ein sehr zutrauliches Zwerghuhn, wird aber niemals völlig zahm. Dank der erwähnten Einkreuzung anderer Rassen gerät es etwas leichter in Brutstimmung als das große Marans.

Zwerg-Minorka

HEIMAT
Deutschland und England.

GESCHICHTE
In England und Deutschland haben Züchter unabhängig voneinander diese Zwergform des Minorka-Huhns geschaffen. Schon 1910 schickte der Engländer McFarlane schwarze und weiße Zwerg-Minorkas auf eine Ausstellung, und wenige Jahre später tauchte die Rasse auch in Deutschland auf. Die weißen Tiere waren die ganze Zeit hindurch immer viel weniger beliebt und jahrzehntelang fast verschwunden, bis man sie in den siebziger Jahren des zwanzigsten Jahrhunderts erneut zu züchten begann.

Zwerg-Minorka-Henne

Zwerg-Minorka-Henne mit typischen großen Ohrlappen

Viel später entstanden einige andere Farbschläge.

ÄUSSERE MERKMALE

Das Zwerg-Minorka ist eine schlank gebaute Rasse mit ziemlich hohem Stand und leicht aufrechter Haltung. Die Kopfverzierungen sind im Verhältnis zum Körper auffallend groß. Meist hat diese Rasse einen Einzelkamm, doch werden auch Tiere mit Rosenkamm anerkannt (in England darf die Zwergform des Minorka-Huhns allerdings keinen solchen haben). Der große Einzelkamm neigt sich bei Hennen im hinteren Abschnitt seitwärts. Die Ohrlappen sind ebenfalls groß, von ovaler Form und dicker, glatter Struktur. Ihre Farbe ist weiß.

Dunklere Farbschläge des Zwerg-Minorkas besitzen dunkelbraune Augen. Diese langgestreckten Hühner haben einen recht langen Rücken. Der Schwanz wird halbhoch getragen und wirkt durch die stark zusammengefalteten Federn sehr schmal. Die Läufe sind bei den dunklen Schlägen dieser Rasse blaugrau gefärbt.

FARBEN

Schwarz ist weltweit die häufigste Farbe. Außerdem gibt es weiße, ungesäumt blaue, gelbe, gestreifte und perlgraue Tiere. Der letztgenannte Farbschlag entstand in den Niederlanden.

EIGENSCHAFTEN

Zwerg-Minorkas sind wegen ihre zierlichen, eleganten Erscheinung en vogue. Leider werden sie kaum gezüchtet. Sie fliegen recht hoch und sollten am besten in geschlossenen Volieren gehalten werden. Die Hennen legen gut, geraten aber nur selten in Brutstimmung und sind in dieser Hinsicht sehr unzuverlässig. Die Eier lässt man am besten von Leihmüttern oder in Brutmaschinen ausbrüten; sie sind weiß und ziemlich groß. Wenn sich ein ruhiger Pfleger Zeit nimmt, lohnen es die Tiere mit Zutrauen.

Der große Kamm, die langen Kehllappen und die großen Ohren sind frostempfindlich. Im Winter muss man daher vorbeugende Maßnahmen gegen Erfrierungen treffen: cremen Sie die Kopfanhängsel ein, damit die Kehllappen nicht nass werden. In der Brutsaison können die weißen Ohren leicht schrumpfen und einen bräunlichen Anflug bekommen.

Zwerg-Minorka-Küken

Zwerg-Minorka-Hahn

Zwerg-Minorka-Henne

BESONDERHEITEN

Diese Rasse ist in England ziemlich beliebt, wird aber in anderen Ländern weniger häufig gezüchtet. Am meisten geschieht dies in schwarz. Bei diesem Farbschlag kommen der große rote Kamm und die ebenfalls stattlichen weißen Ohren besonders gut zur Geltung.

Neben dem hier besprochenen Zwerg-Minorka gibt es auch eine große Rasse. Diese unterscheidet sich bis auf die Größe nicht von der Zwergform und hat in verschiedenen Ländern einen festen Freundeskreis.

Zwerg-New-Hampshire

HEIMAT
Niederlande.

GESCHICHTE
Die Niederlande erheben den Anspruch, diese Zwergrasse geschaffen zu haben. Nach einer etwas unsicheren Anlaufphase ist die Rasse in vielen Ländern ungemein populär geworden. In kleinerer Zahl kann man sie regelmäßig auf niederländischen Ausstellungen bewundern.

Rotbraun-blaugezeichnete Zwerg-New-Hampshires

ÄUSSERE MERKMALE
Das Zwerg-New-Hampshire muss in jeder Hinsicht eine Miniaturausgabe des großen sein. Natürlich klappt das nicht immer, da die Proportionen bei einer Zwergrasse anders als bei Großhühnern ausfallen. Kopf und Augen geraten beispielsweise bei Zwerghühnern relativ größer. Die Zwergform des New Hampshire ist ein recht kräftiges Zwerghuhn, das einen robusten, vitalen Eindruck macht. Die Flügel werden leicht hängend dicht am Körper getragen, der Schwanz halbhoch in Verlängerung der kurvig endenden Rückenlinie. Die Tiere besitzen kräftig gelbe Läufe und rote Ohrlappen.

FARBEN
Ursprünglich wurde diese Rasse im Farbschlag rotbraun gezüchtet. In dieser Variante werden die Tiere weltweit anerkannt. Außerdem wer-

den noch rotbraun-blaugezeichnete und weiße Zwerg-New-Hampshires gezüchtet und ausgestellt. Nur in wenigen Ländern erkennt man alle drei Farbschläge an. In den Niederlanden werden weiße Tiere nicht zugelassen, da sie praktisch von den in diesem Land vorkommenden weißen Zwerg-Barneveldern nicht zu unterscheiden sind.

EIGENSCHAFTEN

Zwerg-New-Hampshires sind dank ihres schnellen Wachstums und der hohen Legeleistung echte Nutztiere. Auch auf Ausstellungen sorgen sie stets für Aufsehen. Die Hennen dieser Rasse legen pro Jahr circa 130 bis 145 im Schnitt etwa 40 Gramm schwere Eier. Übermäßig brutwillig sind diese Tiere jedoch nicht; das ist ein Erbteil ihrer Nutzfunktion, denn brutwillige Hennen würden keine Eier mehr legen. Diese werden deshalb auch häufig künstlich in Brutmaschinen gezeitigt, oder man lässt sie von anderen Rassen (etwa Wyandotten) ausbrüten. Die Tiere können gut fliegen, doch reichen ca. 180 cm hohe Umfriedungen meist aus, um sie in Schranken zu halten. Auch die Hähne sind zutraulich und von ruhigem Charakter.

BESONDERHEITEN

Der rotbraune Farbschlag ist eine Spezialität des Zwerg-New-Hampshire. Er lässt sich nur schwer ziehen, und die Nachkommen von Zwerg-New-Hamsphires zeigen daher unterschiedliche Grundfarben und Zeichnungsmuster; der rotbraune Grundton neigt bei ihnen dazu, rot zu werden. Hähne müssen den sogenannten „Dreiklang" aufweisen, d.h. ihr Federkleid muss drei verschiedene Rottöne zeigen. Den hellsten Ton findet man am Halsbehang, den mittleren an den Sattelfedern und den dunkelsten auf dem Rücken. Bei den meisten Hähnen sind Hals und Sattel jedoch fast identisch gefärbt.

Der Nachteil der rotbraunen Farbe besteht darin, dass sie bei Freilandhaltung Witterungseinflüssen wie Sonne und Regen unterliegt. Hennen, die zu Beginn der Legeperiode ein fast gleichmäßig-warmes Rotbraun zeigen, weisen am Ende eine unschön fleckige Färbung auf.

Zwerg-Orpington

HEIMAT

Deutschland.

GESCHICHTE

Die Zwergrasse entstand zu Anfang des 20. Jahrhunderts. Der deutsche Züchter Kühn kreuzte dazu (englische) Orpingtons mit Zwerg-Cochins und -Javas. Später kreuzte man auch Zwerg-Langschans ein, schließlich u.a. noch Zwerg-Wyandotten, um weitere Farben zu erzielen.

ÄUSSERE MERKMALE

Auf den ersten Blick wirken Zwerg-Orpingtons robust. Das liegt am breiten, hohen Körperbau und am vollen, üppigen Gefieder. Hinzu kommt, dass viele Tiere recht grobschlächtig sind. Ihre Brustlinie ist hoch und verläuft nahezu senkrecht. Die Flügel müssen eng am Körper liegen; bei Hähnen hängen sie oft etwas herab. Die Läufe sind nur kurz. Deshalb (und wegen des üppigen Federkleids) scheinen die Tiere einen sehr niedrigen Stand zu haben. Den breiten Schädel ziert ein Einzelkamm.

FARBEN

Diese beliebte Rasse gibt es in verschiedenen Farbschlägen, u.a. in schwarz, blaugesäumt, weiß, gelb, rot, gelb-schwarzgesäumt, gestreift, gelb-columbia und birkenfarbig.

EIGENSCHAFTEN

Diese Rasse eignet sich gut für Anfänger in städtischen Wohnlagen. Die Tiere sind durchweg robust und werden bei guter Pflege schnell zutraulich. Das gilt meist auch für die Hähne; sie krähen wenig und verhältnismäßig leise.

Schwarze Zwerg-Orpingtons

Blaugesäumte Zwerg-Orpingtons

Gestreifte Zwerg-Plymouth-Rock-Henne

Blaugesäumte Zwerg-Orpington-Henne

Gelbe Zwerg-Plymouth-Rock-Henne

Die Hennen legen ausgezeichnet, auch im Winter. Sie geraten leicht in Brutstimmung und ziehen ihre Küken meist problemlos auf. Zwerg-Orpingtons kann man ruhig freilaufend halten, da sie sehr ruhig sind und selten oder gar nicht fliegen. Eine etwa sechzig Zentimeter hohe Umfriedung reicht völlig aus.

BESONDERHEITEN

Der Farbschlag gelb – bei Zwerg-Orpingtons weniger beliebt als bei der Großrasse – erfordert besondere Maßnahmen: er kann nämlich unter dem Einfluss von Sonne und Regen stark „verschießen" und seine Gleichmäßigkeit einbüßen. Man spricht hier von einer „Verschiebung" der Farbe.

Wenn man die Tiere bei Regenwetter im Trockenen hält und im Gehege für Schattenzonen sorgt, wird der Ausbleichungsprozess verlangsamt.

Zwerg-Plymouth-Rock

HEIMAT
Verschiedene Länder.

GESCHICHTE

Zwerg-Plymouth-Rocks sind die Zwergform des Plymouth Rock, einer amerikanischen Nutzrasse. Wir verdanken sie Züchtern aus verschiedenen Ländern. Anfang des 20. Jahrhunderts wurden in England, Deutschland und den USA die ersten Zwerg-Plymouth-Rocks gezüchtet. Durch Einkreuzung von Wyandotten mit Einzelkamm (die ab und zu schlüpfen) wurde die Farbpalette erweitert.

ÄUSSERE MERKMALE

Zwerg-Plymouth-Rocks sind eine treue Kopie der Großrasse. Es handelt sich um kräftige Tiere mit länglichem Rumpf. Der gestreckte Eindruck wird durch den fast waagerechten Schwanz, in dem sich die Rückenlinie nahtlos fortsetzt, noch verstärkt. Dieser selbst ist eher kurz und wird halb gespreizt getragen. Beim Hahn verdecken die Haupt- und Nebensicheln die Stoßfedern fast ganz. Die Brust ist hoch und stark gewölbt. Die Läufe sind gelb gefärbt. Den Kopf ziert ein mittelgroßer, roter Einzelkamm. Die Ohrlappen sind ebenfalls rot. Die großen Augen haben eine rote Iris und einen lebhaften Ausdruck.

FARBEN

Die Rasse kommt in mehreren Farben vor, unter anderem in schwarz, weiß, gelb, columbia, gelb-columbia, mehrfachgesäumt wildfarbig und silbern-wildfarbig, gestreift, rotgestreift, blaugesäumt und rot-porzellanfarbig. Die gestreifte Variante war ursprünglich die häufigste.

EIGENSCHAFTEN

Es handelt sich um eine starke und ziemlich beliebte Rasse. Die Hennen legen früh und reichlich, sind aber nicht oft brutwillig. Ihre Eier haben hell-cremefarbene Schalen. Zwerg-Plymouth-Rocks fliegen kaum, brauchen aber eine etwa anderthalb Meter hohe Einfriedung. Wenn man sie gut behandelt, werden diese sehr ruhigen, kaum aggressiven Tiere schnell zutraulich. Die Jungtiere wachsen schnell und bereiten bei der Aufzucht kaum Probleme.

BESONDERHEITEN

Beim gestreiften Farbschlag wirken die Hennen dunkler als die Hähne. Das liegt daran, dass die schwarzen Streifen der Federn bei den Hennen breiter als die weißen Intervalle sind, während bei den Hähnen die schwarzen und weißen Binden in etwa gleich breit ausfallen. Ursache hierfür ist der geschlechtsgebundene Erbfaktor für die Streifenzeichnung. Vögel und ihre Verwandten unterscheiden sich im Hinblick auf die Vererbung des Geschlechts von Säugetieren: Männchen besitzen zwei Geschlechtschromosomen („XX"), Weibchen hingegen nur eines („X"). Dort sind auch die erwähnten Erbfaktoren verankert: da die Hähne zwei davon besitzen, ist auch der Erbfaktor doppelt vorhanden. Als Folge davon sind die schwarzen Streifen beim Hahn schmaler als bei der Henne.

Zwerg-Rhodeländer

HEIMAT

Deutschland/England.

GESCHICHTE

Diese Zwergrasse entstand in Deutschland und England durch Kreuzung von Zwerg-

Zwerg-Rhodeländer-Hahn

Zwerg-Rhodeländer-Henne

huhnrassen mit Rhodeländern („Reds"), und zwar zu Anfang des zwanzigsten Jahrhunderts.

ÄUSSERE MERKMALE

Der ziemlich langgestreckte Körper sollte in der Seitenansicht wie ein „Backstein" wirken,

Zwerg-Rhodeländer-Hahn

an dem vor allem die gerade, waagerechte Rückenlinie auffällt. Die Brust ist kräftig gewölbt, der Schwanz mäßig lang. Er wird etwas höher als der Rücken getragen. Es kommen Einzel- und Rosenkämme vor. Die Augen sind rotbraun, die Läufe stets gelb, doch oft mit einem roten Anflug.

FARBEN

Diese Rasse kommt in der „Standardfarbe" rot vor. Daneben gibt es auch weiße Tiere mit Rosenkamm, doch sind diese viel seltener. Beim roten Farbschlag können beide Kammarten auftreten.

EIGENSCHAFTEN

Diese Zwergform des Rhodeländer-Huhns legt auch im Winter Eier mit hellbraun gefärbten Schalen. Zwerg-Rhodeländer sind ruhige Tiere, die sich leicht handzahm machen lassen. Man kann sie sowohl freilaufend als auch in Gehegen halten. Die Tiere entwickeln sich rasch, so dass die Hennen schon im Alter von etwa vier Monaten zum ersten Mal legen. Manche Zuchtstämme kommen regelmäßig und verlässlich in Brutstimmung.

BESONDERHEITEN

Zwerg-Rhodeländer – vor allem der ursprüngliche rote Farbschlag – haben sowohl in Europa als auch in den USA viele Freunde. Hinsichtlich der Idealfarbe gibt es von Land zu Land unterschiedliche Ansichten, doch bevorzugen die Preisrichter im Allgemeinen tief dunkelbraune Tiere. Dieser Farbton schlägt bis auf die Daunen durch und ist unauflöslich mit einer schwarzen Zeichnung verbunden, die sich bei Hähnen auf Flügeln und Schwanz, bei den

Hennen dagegen an den unteren Enden der Halsfedern zeigt.

Zwerg-Rheinländer

HEIMAT
Deutschland.

GESCHICHTE
Diese Rasse wurde in Deutschland aus „großen" Rheinländern und rasselosen Zwerghühnern gezüchtet und dort 1932 anerkannt.

ÄUSSERE MERKMALE
„Ideale" Zwerg-Rheinländer sind Miniaturausgaben ihrer großen Namensvettern. Die Praxis sieht meist anders aus, denn die Tiere wirken insgesamt zierlicher als die schweren großen Rheinländer. Dies liegt weniger am Gewicht (obwohl diese Rasse – wie die meisten Zwerghühner – nur ein Drittel des Gewichts ihrer großen Vettern erreicht). Die Tiere vertreten den gestreckten Landhuhntyp mit fast horizontaler Körperhaltung. Die Flügel werden ebenfalls horizontal und dicht am Körper ge-

Weißer Zwerg-Rheinländer-Hahn

Weiße Zwerg-Rheinländer-Henne

Blauer Zwerg-Rheinländer-Hahn

Schwarzer Zwerg-Rheinländer-Hahn

Iris ist rot, bei dunklen Farbschlägen indes dunkelbraun. Zwerg-Rheinländer haben einen recht niedrigen Stand und dunkle Läufe.

FARBEN

Zuerst wurden schwarze Tiere gezüchtet. Später kamen weiße, blaugesäumte, wildfarbige und gesperberte Varianten hinzu.

Blaue Zwerg-Rheinländer-Henne

tragen. Der Schwanz dieser Zwergrasse ist reich befiedert und wird stark gespreizt und halbhoch getragen. Die obersten Schwanzfedern der Hennen sind meist deutlich gekrümmt. Der Hahn besitzt reiche Schmuckfedern: sein „Markenzeichen" bilden lange, breite, stark gekrümmte Haupt- und Nebensicheln. Den kleinen Kopf ziert ein kleiner Rosenkamm mit kurzem, der Halslinie folgendem Kammdorn. Auf ihm befinden sich kleine, feine Warzen, das sogenannte Kammwerk. Die

EIGENSCHAFTEN

Die großen Rheinländer-Hennen sind für ihre Legeleistung berühmt, und die Zwerge stehen ihnen darin nicht nach. Ihre kleinen Eier haben weiße Schalen. Da sich der Bruttrieb selten regt, bleibt man auf Leihmütter oder Brutmaschinen angewiesen. Die Tiere sind von ruhigem Wesen: wenn man sie in kleinen Gehegen hält und bedächtig mit ihnen umgeht, werden sie zahm. Sie können recht gut fliegen, machen aber nur selten Gebrauch davon. Ihre Küken sind in der Regel sehr robust und wachsen rasch. Es dauert indes recht lange, bis der Schwanz des Hahns voll ausgebildet ist. Bei

Wildfarbiger Zwerg-Rheinländer-Hahn

Schwarze Zwerg-Rheinländer-Hennen

der Anordnung der Sitzstangen ist der lange, reich befiederte Schwanz zu berücksichtigen: bringen Sie diese hoch über dem Boden und nicht zu nah an den Schmalseiten an. In Ställen mit mangelnder Hygiene, wo den Hühnern außerdem Mäuse Gesellschaft leisten, kommt es bei zu niedrigen Sitzstangen leicht zu Mäusefraß an den Schwanzfedern – offenbar sind diese für die Nager eine verlockende Eiweißquelle. Nach derartigen nächtlichen Besuchen sehen Ihre Hühner nicht mehr so schön aus ...

BESONDERHEITEN

Durch die Selektion auf breite, große Schwänze kommt es gelegentlich vor, das diese Tiere mehr Schwanzfedern als üblich ausbilden. Normalerweise besitzen Hühner an jeder Schwanzhälfte sieben Stoßfedern; infolge der erwähnten Selektion kann ihre Zahl jedoch durchaus auf acht anwachsen.

Zwerg-Kraienkopp (Zwerg-Twenter)

HEIMAT

Niederlande.

GESCHICHTE

Diese Zwergform des Kraienkopps wurde um 1940 gezüchtet. Welche Rassen bei ihrer Entstehung eine Rolle spielten, ist unbekannt, doch waren vermutlich asiatische Kämpfer und Leghorns beteiligt. Für diese Hypothese spricht, dass auch die großen Kraienköppe durch Kreuzung von Bauernhühnern mit Malaien, Leghorns u. a. entstanden.

ÄUSSERE MERKMALE

Zwerg-Kraienköppe lassen deutlich ihre Verwandtschaft mit Zwerg-Leghorns und Kampfhühnern erkennen. Diese Zwergrasse ist schlank gebaut und hat einen recht langen Rücken. Der Schwanz wird recht niedrig und halboffen getragen; als Erbteil des Leghorns besitzt er beim Hahn reiche Schmuckfedern. Die Hauptsicheln sind lang und stark gekrümmt. Die Flügel werden dicht am Körper getragen und sind stets leicht nach unten gerichtet. Zwerg-Kraienköppe haben sattgelb gefärbte Läufe. Der Kopf erinnert sehr deutlic[

Silbern-wildfarbige Zwerg-Kraienkopp-Henne

Silbern-wildfarbiger Zwerg-Kraienkopp-Hahn

Dieser Zwerg-Kraienkopp-Hahn lässt deutlich Kampfhuhneinfluss erkennen.

an Kampfhühner. Der Schädel ist kurz und breit, der ziemlich kurze Schnabel kräftig. Die nackten Hautpartien des Schädels sind von lebhaft roter Farbe. Als Schmuck findet sich hier ein Walnusskamm, dessen Fleisch feine Warzen („Perlen") zieren, das sogenannte Kammwerk; die gesamte Struktur erinnert stark an die Schale einer Erdbeere. Der Kamm an sich ist recht klein und bei den Hennen kaum entwickelt.

FARBEN

Diese Rasse gibt es in wildfarbig und silbern-wildfarbig.

EIGENSCHAFTEN

Die Hähne sind für ihre lauten Stimmen bekannt, und manche Individuen können sich von Zeit zu Zeit aggressiv gebärden. Untereinander sind diese Tiere unverträglich – ein Erbteil ihrer Kämpfer-Ahnen. Im Allgemeinen werden diese lebhaften, behänden Hühner bei guter Pflege und Betreuung ihrem Eigentümer gegenüber zutraulich.

Zwerg-Kraienköppe können sehr gut und hoch fliegen, so dass man sie am besten in überdachten Volieren hält. Die Hennen geraten regelmäßig in Brutstimmung, und bei der Aufzucht der Küken gibt es so gut wie keine Probleme. Die Tiere legen eine stattliche Anzahl cremefarbene Eier.

Zwerg-Welsumer

HEIMAT

England und Deutschland.

Zwerg-Welsumer-Henne

Zwerg-Welsumer-Hahn

GESCHICHTE

Diese hübsche Rasse entstand in der dreißiger und vierziger Jahren des zwanzigsten Jahrhunderts durch Kreuzung der ursprünglichen Welsumer mit verschiedenen Zwerghuhnrassen.

Die englischen Züchter benutzten dazu Zwerg-Rhodeländer („Reds") und wildfarbige Alt-Englische Zwergkämpfer. In Deutschland griff man ebenfalls auf Zwerg-Rhodeländer („Reds") sowie auf Zwerg-Wyandotten zurück. Seit 1950 wird die Zwergrasse auch in den Niederlanden gezüchtet.

ÄUSSERE MERKMALE

Zwerg-Welsumer sind ziemlich kräftig gebaut, mit mittellangem Rumpf und breiter, hoher, stark gewölbter Brust. Die Hennen haben einen breiten, recht tiefen Hinterleib. Diese Rasse trägt den Schwanz recht hoch, bei den Hennen leicht zusammengefaltet. Der Hahn besitzt zahlreiche breite, stark gekrümmte Sichelfedern. Die Tiere haben mäßig große Einzelkämme; ihre Ohrlappen sind rot. Die gelben Läufe werden deutlich heller, wenn die Hennen viele Eier legen. Die Iris ist lebhaft orangerot.

FARBEN

Ursprünglich gab es nur rot-wildfarbige Tiere. Dieser Farbschlag gilt als „Urfarbe" und wird in fast allen Ländern anerkannt. In den 1960er Jahren wurden in Deutschland auch gelb-wildfarbige Hühner gezüchtet; später kamen noch silbern-wildfarbige hinzu.

EIGENSCHAFTEN

Die attraktiv gefärbten Tiere sind wie die große Stammform für ihre relativ großen, dunkelbraun gefärbten Eier berühmt. Diese wiegen fünfzig Gramm und mehr. Zwerg-Welsumer sind lebhafte Tiere und gar nicht scheu. Wenn die Einfriedung wenigstens 180 cm hoch ist, kann man sie in offenen Gehegen halten.

Da diese Hühner überaus aktiv sind, langweilen sie sich in zu kleinen Gehegen mit wenig Ablenkung rasch: in der Folge kommt es unter Umständen zum Federpicken. Deshalb muss man in kleinen Ausläufen für Beschäftigung sorgen. Hängen Sie Grünfutter in einem Netz oder einer Raufe nicht zu hoch über dem Boden auf, das hält die Tiere auf Trab! Junge Hähne neigen zu Kämpfen; setzen Sie also immer einen alten Hahn dazu, damit er die „Halbstarken" notfalls unter Kontrolle hält.

Eier des Zwerg-Welsumers

Porträt eines Zwerg-Welsumer-Hahns

Zwerg-Wyandotte

HEIMAT
USA.

Zwerg-Wyandotten, columbia

GESCHICHTE
Diese Rasse stammt vom Wyandotte ab. In den USA war die Zwergform schon zu Beginn des zwanzigsten Jahrhundert bekannt; von dort fand sie rasch ihren Weg u.a. in europäische Staaten.

Heute ist sie in allen Ländern, wo man Hühner züchtet und ausstellt, eine der beliebtesten Rassen überhaupt – sozusagen der „Golden Retriever" unter den Hühnern. Nur in England ist ihr Anhang etwas kleiner.

ÄUSSERE MERKMALE
Die Auffassungen zum Idealtyp der Rasse variieren von Land zu Land; so bestehen beträchtliche Unterschiede zwischen weißen deutschen und niederländischen Zwerg-Wyandotten: die „Deutschen" haben einen viel höheren Stand und eine andere Schwanzform, während die „Niederländer" eher dem amerikanischen Typ entsprechen.

Zwerg-Wyandotten sind mittelschwere, insgesamt rundliche Zwerghühner, deren Körper sich in einen Kreis einfügen lässt, aus dem nur Kopf und Füße herausragen. Die Flügel werden dicht angezogen getragen. Die Rückenlinie geht fließend (also ohne erkennbare Zäsur) in den Schwanz über. Die Schwanzfedern selbst sind steif und breit. Von hinten betrachtet sollte der Schwanz eines Zwerg-Wyandotte v-förmig aussehen; dies ist aber längst nicht immer der Fall. Den kurzen, breiten, runden Schädel ziert ein Rosenkamm, dessen Dorn der Hals-

Vier Monate alte Zwerg-Wyandotten: links golden-blaugesäumt, rechts silbern-schwarzgesäumt.

Silbern-schwarzgesäumte Zwerg-Wyandotte-Hennen

perlt. Obwohl es bereits so viele Varianten gibt, bemüht man sich immer noch um neue, zur Zeit beispielsweise etwa um perlgraue.

Am beliebtesten sind weiß, gesäumt und columbia.

EIGENSCHAFTEN

Zwerg-Wyandotten haben ein freundliches, ruhiges Wesen. Wenn man bedächtig mit ihnen umgeht, werden sie schnell zahm und zutraulich, ja handzahm. Die Hähne sind nicht aggressiv. Darum eignen sie sich auch für Leute, die Tiere als Hobby halten und gern mit ihnen umgehen; das Gleiche gilt für Kinder. Zwerg-Wyandotten fliegen wenig, so dass eine nur sechzig Zentimeter hohe Einfriedung völlig ausreicht. Man kann sie auch gut freilaufend halten, da sie sich kaum jemals allzu weit entfernen. Die Hennen legen gut und sind auch verlässliche (oft sogar hartnäckige) Brüter. Als Glucken betreuen sie ihre Küken aufopfernd. Deshalb verwendet man sie oft als Pflegemütter für die Küken weniger verlässlicher Rassen.

BESONDERHEITEN

Zwerg-Wyandotten gehören zu den weltweit beliebtesten Zwerghuhnrassen. Das verdanken

Silbern-schwarzgesäumter Zwerg-Wyandotte-Hahn

kontur folgt. Die Iris ist rotbraun, während die Kinnlappen rot sind. Zwerg-Wyandotten haben gelbe Läufe.

FARBEN

Diese besonders beliebte Rasse wird in sehr vielen unterschiedlichen Farbschlägen gezüchtet, unter anderem in schwarz, weiß, gelb, rot, ungesäumt blau, gesäumt blau, columbia, gelb-columbia, columbia-blaugezeichnet, lachsfarben, porzellan- und rot-porzellanfarben, mehrsäumig wildfarbig und silbern-wildfarbig, gestreift, golden-schwarz- und blaugesäumt, silbern-schwarzgesäumt, gelb-weißgesäumt, goldhalsig, silberhalsig und schwarz-weißge-

Silbern-wildfarbiger Zwerg-Wyandotte-Hahn

Gestreifter Zwerg-Wyandotte-Hahn

Golden-blaugesäumte Zwerg-Wyandotten

Lachsfarbige Zwerg-Wyandotten

Gestreifte Zwerg-Wyandotte-Henne

Gestreifte Zwerg-Wyandotte-Küken

sie nicht nur ihrer gedrungenen Statur, sondern auch ihrer Robustheit, der ruhigen Art
und dem breiten Farbenspektrum.

19 Fleischrassen

Rassenbeschreibungen

Deutsches Zwerg-Lachshuhn (Zwerg-Faverolles)

HEIMAT
Verschiedene Länder.

GESCHICHTE
Die Zwergform des Deutschen Lachshuhns wurde unabhängig voneinander in mehreren Ländern von verschiedenen Züchtern aus unterschiedlichem „Ausgangsmaterial" geschaffen.

In Deutschland und England stimmen diese Zwerghühner auffälligerweise mit der jeweiligen lokalen Zuchtlinie überein, während es in Frankreich – der Wiege des Faverolles-Huhns – bisher noch keine Zwergform dieser Tiere gibt.

Die deutsche Variante der Rasse entstand, als man 1922 einen zu klein geratenen Hahn mit Federfüßigen Zwerghühnern und columbia Zwerg-Brahmas kreuzte.

Lachsfarbige Deutsche Zwerg-Lachshuhn-Hennen

Lachsfarbig-blaugezeichneter Deutscher Zwerg-Lachshuhn-Hahn

ÄUSSERE MERKMALE
Deutsche Zwerg-Lachshühner haben einen schweren, hohen und langen Körper. Ihr Schädel ist breit und rund; er trägt einen recht kleinen Einzelkamm. Der große Bart ist voll befiedert und überdies deutlich dreigeteilt (mit herabhängendem Mittelteil). Die Iris ist orangerot gefärbt. Die Tiere haben einen niedrigen Stand und fleischfarbene, befiederte Läufe. Ein typisches Merkmal von Groß- und Zwergrasse ist die fünfte Zehe.

Wie die großen Hühner werden auch die Zwerge in mehreren Typen gezüchtet, nämlich dem „deutschen" und dem „englischen". Diese unterscheiden sich u.a. in der Schwanzhaltung: der kurze, breite Schwanz wird bei den „Deutschen" fast horizontal getragen, bei den „Engländern" halbhoch. Die englische Variante entstand, indem man bei großen Faverolles stets die kleinsten Nachkommen selektierte; auf echte Zwerghühner griff man nicht zurück. Deshalb sind diese Tiere deutlich größer als die deutschen.

FARBEN
Die Tiere waren ursprünglich lachsfarbig, doch kamen im Laufe der Zeit weitere Farbschläge wie lachsfarbig-blaugezeichnet hinzu: hier sind die schwarzen Zeichnungselemente der „Lachsfärbung" blau. Daneben gibt es auch weiße, schwarze, gelb, gesperberte, columbia und blaugesäumte Tiere. In Deutschland und den Niederlanden gibt es nur die

Lachsfarbige Deutsche Zwerg-Lachshuhn-Henne

beiden lachsfarbigen Varianten. In England besteht stärkeres Interesse an den anderen, vor allem am beliebten „Lachston".

EIGENSCHAFTEN

Deutsche Zwerg-Lachshühner sind hübsche, sanftmütige und außerdem recht ruhige Hühner. Bei guter Pflege und ruhigem Verhalten kann man sie leicht handzahm machen. Da sie nicht gern fliegen oder weit fortstreunen, kann man die Tiere ohne weiteres freilaufend halten. Bedenken Sie jedoch, dass die Fußfedern in diesem Falle stark leiden können. Ausstellungstiere sollte man aus diesem Grunde besser in trockenen, sauberen Gehegen unterbringen.

Wenn man Deutsche Zwerg-Lachshühner in kleinen Ausläufen hält, können sie leicht zuviel Fett ansetzen. Deshalb muss man sie in Bewegung halten: die Tiere sollten bei der Futtersuche immer etwas zu tun haben: hängen Sie also das Grünfutter in einer Raufe so hoch, dass die Hühner springen müssen, um es erreichen zu können – so bleiben sie in gu-

ter Kondition! Zwerg-Faverolles wachsen und entwickeln sich schnell. Die Hennen sind gute Legerinnen, die auch im Winter nicht aussetzen; ihre Eier sind für Zwerghühner recht groß und haben hellbraune Schalen. In Brutstimmung kommt diese Rasse nur selten.

BESONDERHEITEN

Diese Rasse heißt in Deutschland „Deutsches Zwerg-Lachshuhn" – ein deutlicher Hinweis auf die ursprüngliche Färbung dieser Hühner. Die fünfte Zehe – ein weiteres Markenzeichen dieser Rasse – ist nur schwer zu züchten, da diese Zehe dazu neigt, mit der vierten zu verwachsen. Selbst wenn man streng auf dieses Ziel hin selektiert, wird ein gewisser Prozentsatz der Küken stets derart verwachsene Zehen aufweisen. Dieser Erbfaktor sorgt überdies unter Umständen für zusätzliche Krallen und Zehen: zwei Krallen an einer Zehe oder eine „Spaltung" der fünften Zehe kommen gelegentlich vor.

Zwerg-Houdan

HEIMAT
England.

GESCHICHTE

Zwerg-Houdans erinnern auf den ersten Blick an Zwerg-Paduaner, sind aber etwas fülliger und haben einen niedrigeren Stand. Die ziemlich lange Rückenlinie verläuft nahezu waagerecht, genau wie die Flügelhaltung. Der Schwanz wird recht hoch getragen; beim Hahn trägt er reiche Schmuckfedern. Die Läu-

Schwarzbunte Zwerg-Houdan-Henne

Porträt einer schwarzbunten Zwerg-Houdan-Henne

Junge schwarzbunte Zwerg-Houdan-Henne

Porträt eines schwarzbunten Zwerg-Houdan-Hahns

Porträt eines jungen schwarzbunten Zwerg-Houdan-Hahns

fe besitzen je fünf Zehen; die zusätzliche (fünfte) ist deutlich von der vierten getrennt und nach hinten gerichtet. Der bunte (am häufigsten gezüchtete) Farbschlag besitzt fleischfarbige Läufe mit dunklen Flecken. Der mächtige Schädel sitzt auf einem recht kurzen Hals; ihn schmücken eine große Haube und ein voller Bart. Die kugelige Haube entspringt dem „Scheitelknauf", einer Erhöhung des Schädeldachs. Vor ihr befindet sich der aus zwei vertikalen, an der Basis verwachsenen „Blättern" bestehende Kamm. Man spricht von einem „Blätterkamm", da beide Hälften stark gezähnt sind und an Eichenblätter erinnern.

FARBEN

Obwohl man praktisch nur schwarzbunte Tiere antrifft, werden auch andere Farbschläge anerkannt: auf Ausstellungen sind bspw. perlgraue Exemplare zugelassen.

EIGENSCHAFTEN

Zwerg-Houdans sind von ruhigem Wesen; sie lassen sich daher leicht zähmen und sind auch für kleine Kinder geeignet. Wegen der Hauben und Bärte kommen sie eigentlich nur für trockene, überdachte Gehege in Frage. Die große Haube und der volle Bart erfordern spezielle Maßnahmen: die Tiere sind z. B. sehr anfällig für Federläuse. Führen Sie also regelmäßig Kontrollen durch, um das Übel im Keim ersticken zu können.

Die große Haube und der Bart müssen vor Nässe und Schmutz geschützt werden; das erfordert nicht nur trockene, möglichst vollständig überdachte Gehege, sondern auch speziell angepasste Trinknäpfe (bewährt haben sich sogenannte „Rundumtränken"). Zwerg-Houdans legen recht gut; ihre Eier haben weiße Schalen; die Hennen geraten durchgehend problemlos in Brutstimmung.

BESONDERHEITEN

Der Blätterkamm dieser Rasse ist in Wirklichkeit ein Becherkamm, bei dem die Hinterenden der beiden Blätter nicht miteinander verwachsen sind. Diese Kammform entsteht, wenn man Tiere mit Hörnchen- und solche mit Einzelkamm kreuzt. Da Zwerg-Paduaner (mit ihrer Veranlagung für die erstgenannte Kammform) an der Entstehung des Deutschen Zwerg-Lachshuhns beteiligt waren, schlüpfen immer wieder Küken, die Blätter- statt Hörnchenkämmen besitzen. Einige Tiere sind offenbar für diesen Erbfaktor noch nicht zuchtrein.

Zwerg-Breda oder Zwerg-Kraaikop

HEIMAT

Niederlande.

GESCHICHTE

Diese Zwergrasse entstand in den 1930er Jahren und zählt damit zu den ältesten Zwerghuhnrassen der Niederlande. Leider gerieten sie rasch in Vergessenheit. Erst in den achtziger Jahren widmeten sich einige Züchter

Weißer Zwerg-Breda-Hahn

Weiße Zwerg-Breda-Hennen

großer Kraienköppe erneut der Zwergform. Damals war – gelinde gesagt – wenig Zuchtmaterial verfügbar.

Mit einigen Zwerg-Bredas wurde ein Zuchtprogramm aufgelegt, an dem auch Federfüßige Zwerghühner und Niederländer Eulenbart-Hühner beteiligt waren. Heute hat die Rasse einen kleinen, aber festen Freundeskreis.

ÄUSSERE MERKMALE

Die Zwergform des Breda-Huhns ist etwa $2/3$ kleiner als die Großrasse: die Tiere wiegen im Schnitt 800–900 Gramm. Sie zeigen eine aufrechte, energische Haltung mit abfallendem Rücken, sind recht schlank und haben einen ziemlich hohen Stand. Der lange Rücken geht in den hoch und gespreizt getragenen Schwanz über. An den Fersen tragen die Tiere lange, steife, schräg rückwärts gerichtete Federn, die sogenannten „Geierfersen". Die ziemlich langen Läufe sind wie die äußeren

Schwarzer Zwerg-Breda-Hahn

Zwerg-Breda-Küken

Schwarze Zwerg-Breda-Henne

Zehen befiedert. So entsteht eine eher schüttere Fußbefiederung („Bestrumpfung"). Die Flügel weisen bei der Zwergrasse leicht schräg nach unten. Ihren Namen (wörtlich „Krähköppe") verdanken diese Hühner nicht ihrer Stimmgewalt, sondern der Ähnlichkeit mit Krähen. Auffälligerweise besitzen sie keinen Kamm; an seiner Stelle findet sich lediglich eine nackte rote Hauptpartie. Die Kinnlappen sind kurz und rot. Die Tiere besitzen einen kleinen Scheitelknauf, dem steife, haarähnliche, nach hinten geneigte Federn entspringen. Die Nasenlöcher sind erweitert, die Ohrlappen weiß.

FARBEN
Das Zwerg-Breda-Huhn gibt es in schwarz, weiß, blaugesäumt und gesperbert.

EIGENSCHAFTEN
Trotz ihres energischen Habitus sind Zwerg-Bredas keine aggressiven „Kämpfer". Selbst die Hähne begegnen einander freundlich. Die Hennen geraten fast nie in Brutstimmung, so dass man die Eier Leihmüttern oder Brutma-

schinen anvertrauen muss. Die „Produktion" ist beachtlich: eine Henne legt im Schnitt pro Jahr 200 weiße Eier, die jeweils etwa 45 Gramm wiegen. Da ihre Läufe nur spärlich befiedert sind, kann man sie ohne Weiteres freilaufend halten.

BESONDERHEITEN
Der Zwerg-Kraaikopp ist in manchen Ländern unter einem anderen Namen bekannt, der auf Breda, die Heimat der Großrasse, verweist (dt. „Zwerg-Breda").

Noord-Holland-Zwerghuhn (NA)

HEIMAT
Niederlande.

GESCHICHTE
Diese Rasse entstand um 1960 durch Kreuzung von Zwerg-Niederrheinern und verschiedenen Zwergrassen, u.a. Zwerg-Wyandotten, Zwerg-Marans (vom englischen Typ), Zwerg-Sussex und Zwerg-Plymouth-Rocks. Die wichtigste Rolle spielte dabei Herr Meijer, Ehrenmitglied des „Nederlandse Hoener Club".

ÄUSSERE MERKMALE
Zwerg-Nordholländer müssen ihren großen Vettern möglichst weitgehend ähneln; da es sich bei Letzteren um eine stattliche Rasse handelt, sind auch die Zwerge nicht gerade klein geraten: Hähne wiegen ungefähr ein Kilogramm.

Die Ähnlichkeit mit der Großrasse ist weitgehend erreicht, nur die typische Schwanzform

Noord-Holland-Zwerghühner werden leicht zahm.

Porträt einer Noord-Holland-Zwerghenne

Noord-Holland-Zwerghenne

der großen Hühner trifft man in der Regel selten an. Im Idealfall muss der eher kurz geratene Schwanz hoch und leicht gespreizt getragen werden. Bei vielen dieser Zwerghühner ist seine Haltung jedoch zu hoch und zu stark gespreizt. Die Tiere haben eine hohe, kräftig gewölbte Brust. Ihr an sich hoher Stand scheint bei den Hennen infolge des tiefen, fülligen Hinterleibs niedriger zu sein. Die Flügel werden dicht am Körper getragen. Den ziemlich großen Kopf zieren ein mittelgroßer Einzelkamm und rot gefärbte Ohrlappen. Diese

Rasse besitzt orangerote Augen und fleischfarbene Läufe.

FARBEN

Die Rasse wird ausschließlich im Farbschlag „gesperbert" gezüchtet. Bei dieser Variante darf kein allzu starker Kontrast zwischen den hellen und dunklen Federbinden bestehen; statt schwarz-weiß ist eher die Kombination dunkelgrau-hellgrau erwünscht. Aus größerem Abstand wirken die Tiere – vor allem Hennen – daher insgesamt blaugrau angehaucht. Aus diesem Grund nennt man die Rasse in den Niederlanden auch „Noord-Hollandse Blauwe".

EIGENSCHAFTEN

Noord-Holland-Zwerghühner sind wie die meisten Fleischrassen von Natur aus sehr ruhig und friedlich. Zum Fliegen neigen sie kaum. Aus diesem Grund eignet sich die Rasse auch für die Haltung in kleineren Gehegen. Man kann ihr aber auch freien Auslauf im Garten gewähren. Meist bleiben die Tiere dicht beim Haus oder Stall.

Dank ihres angenehmen Wesens vertragen sich die Hühner ausgezeichnet miteinander. Sogar heranwachsende Hähne kann man im gleichen Gehege unterbringen. Gute, bedächtige Halter können diese Hühner schnell handzahm machen.

Die Pflege dieser ruhigen Zwerge darf man sogar ohne weiteres Kindern anvertrauen. Die Hennen legen gut und kommen oft in Brutstimmung; sie sind gute Glucken und Mütter. Die Küken wachsen schnell und sind früh ausgewachsen.

BESONDERHEITEN

Als Rasse ist die Zwergform noch recht jung. Ihre typischen Merkmale sind daher erst schwach in der Erbmasse verankert. Da Zwerg-Niederrheiner bei ihrer Entstehung eine wichtige Rolle spielten, ist deren Einfluss noch gut zu erkennen: an sie erinnert nicht nur die Schwanzhaltung, sondern auch Farbe und Zeichnung sind oft noch nicht typisch „nordholländisch". Der Kontrast zwischen hellen und dunklen Binden nähert sich bei vielen Tieren eher schwarz-weiß.

Zwerg-Sussex

England.

GESCHICHTE

Diese Zwergform des Sussex-Huhnes entstand um 1920 in England. An diesem Prozess waren neben kleinwüchsigen Sussex-Hühnern auch unbekannte Zwerghuhnrassen hilfreich beteiligt. In ihrem Heimatland sind diese Hühner sehr beliebt.

ÄUSSERE MERKMALE

Zwerg-Sussex haben einen halbhohen Stand und einen rechteckigen Körperumriss. Dieser Gesamteindruck wird durch den stets niedrig, nahezu waagerecht getragenen Schwanz noch unterstrichen. Der stark gespreizte Schwanz besteht aus mäßig langen Stoßfedern. Der Hahn besitzt recht kurze Haupt- und Nebensicheln, welche die Stoßfedern fast völlig verdecken. Zwerg-Sussex haben eine breite, hohe Brust. Ihre Läufe sind weiß, werden aber auch als fleischfarbig bezeichnet; die Ohrlappen sind ebenso wie die nackte Gesichtshaut rot gefärbt. Den Kopf ziert ein mittelgroßer Einzelkamm. Die Iris ist rot.

FARBEN

In England wurden diese Tiere zuerst in columbia ausgestellt; später entstanden weitere Farbschläge, z.B. gelb- und rot-columbia, grau-silbern, rot-porzellanfarbig, weiß und columbia-blaugezeichnet.

Zwerg-Sussex-Hahn, grau-silbern

EIGENSCHAFTEN

Diese Hühner haben ein ruhiges Wesen und eine robuste Konstitution. Die Zähmung gelingt leicht, wenn man den einzelnen Tieren täglich einige Leckerbissen in der ausgestreckten Hand anbietet. Auch für Kinder sind diese Zwerge gut geeignet. Wenn genug Platz vorhanden ist, kann man sogar mehrere Hähne halten. Die Tiere sind zutraulich und selten aggressiv. Zwerg-Sussex legen ausgezeichnet, sogar im Winter. Die Hennen geraten regelmäßig in Brutstimmung und sind gute Mütter.

BESONDERHEITEN

Zwerg-Sussex zeichnen sich durch den rassetypischen Farbschlag grau-silbern aus. Von „birkenfarbig" unterscheidet sich dieser dadurch, dass die schwarzen Rückenfedern solcher Tiere einen silberweißen Saum haben. Ferner besitzen die Brust- und Rückenfedern hellere Kiele. Diese Schwarz-Weiß-Zeichnung wirkt besonders apart.

Zwerg-Sussex-Henne, gelb-columbia

Zwerg-Sussex-Henne, rot-columbia

20 Zwierassen

Rassenbeschreibungen

Zwerg-Amrock

HEIMAT

Ostdeutschland (ehem. DDR).

GESCHICHTE

Zwerg-Amrocks entstanden aus der gleichnamigen Großrasse und wurden erstmals 1972 in der damaligen DDR anerkannt. Andere Länder folgten diesem Schritt erst gut zehn Jahre später.

ÄUSSERE MERKMALE

Zwerg-Amrocks sind recht große Zwerghühner. Die Hennen dieser Rasse wiegen ungefähr 900 Gramm. Vom Typ her entspricht dieses Zwerghuhn dem sogenannten „Glockenschema": dieser Vergleich wird gewählt, weil Hals, Rücken und Schwanz der Henne eine Umrisslinie bilden, die entfernt an die bronzenen Glocken auf alten Kirchtürmen erinnert.

Der mäßig lange Rücken geht kurvig in den am Ansatz breiten Schwanz über, der vollständig gespreizt und halbhoch getragen wird. Die Brustlinie ist hoch und stark gewölbt. Zwerg-Amrocks besitzen Einzelkämme und rote Ohrlappen. Die Iris muss orangerot sein. Zwerg-Amrocks haben einen halbhohen Stand und gelbe Läufe.

FARBEN

Diese Rasse gibt es nur in gestreift, wobei Hennen dunkler wirken, da die schwarzen Streifen dort breiter sind.

Zwerg-Amrocks

Zwerg-Amrock-Henne

Zwerg-Amrock-Küken

Zwerg-Amrock-Hahn

EIGENSCHAFTEN
Diese Rasse wächst und entwickelt sich notorisch rasch. Überdies legen die Hennen recht gut, und zwar schon im Alter von fünf Monaten. Die relativ großen Eier haben hellbraune Schalen und wiegen im Schnitt vierzig bis fünfzig Gramm. Nicht alle Hennen brüten gleich gut, so dass man notfalls auf Leihmütter oder Apparate angewiesen ist. Da diese attraktiv ge-

zeichneten Zwerge kaum zum Fliegen neigen und ruhig sind, kann man sie auch in nicht überdachten Gehegen oder freilaufend halten. Bei ruhigem Vorgehen und guter Pflege werden sie schnell zutraulich.

Um schöne gelbe Läufe zu erzielen, muss man zusätzliche Naturfarbstoffe verabreichen: bei freiem Auslauf (etwa auf Wiesen) oder in sehr großen Gehegen werden diese Stoffe automatisch aufgenommen; in kleineren kann man Gras, Grünkohl, Karotten oder La-Plata-Mais beifüttern.

Zwerg-Bielefelder Kennhuhn

HEIMAT
Deutschland.

GESCHICHTE
Diese Zwergform des Bielefelder Kennhuhns schuf der deutsche Züchter Roth Ende der 1980er Jahre. Dazu kreuzte er Bielefelder u. a. mit Zwerg-Amrocks und Zwerg-Welsumern.

ÄUSSERE MERKMALE
Die Zwergform des Bielefelder Kennhuhns gehört zu den größeren Zwerghuhnrassen. Der Körper ist langgestreckt, die Brust hoch und kräftig gerundet, der Körper selbst vom „rechteckigen" Typ. Der Schwanz wird stark ge-

Porträt einer Zwerg-Bielefelder Kennhuhn-Henne

EIGENSCHAFTEN

Wie sein großer Vetter ist dieses Zwerghuhn eine Zwierasse. Das hat u.a. zur Folge, dass es rasch wächst und die Hennen eine beachtliche Legeleistung aufweisen. Meist kann man auch im Winter mit Eiern rechnen. Diese sind recht groß und hellbraun.

Zwerg-Bielefelder Kennhühner haben ein ruhiges, freundliches Wesen. Sie lassen sich leicht handzahm machen. Man kann sie freilaufend oder in Gehegen halten.

BESONDERHEITEN

Bei der Zucht der großen Bielefelder achtete man nicht allein auf gute Legeleistung und reichlichen Fleischansatz, sondern auch darauf, dass die Rasse über eine „spalterbige" Färbung verfügt: das heißt, dass man schon den Küken der gesperbert-rot-wildfarbigen Variante anhand der Daunenfarbe ihr Geschlecht ansehen kann. Dies ist auch bei den Zwergen der Fall. Frisch geschlüpfte Hähnchen haben hellere Daunen und einen größeren weißen Scheitelfleck als die Hennen. Dank dieser Eigenschaft kann man schon direkt nach dem Schlupf Hähne und Hennen unterscheiden.

Zwerg-La Flèche

HEIMAT
Deutschland.

GESCHICHTE
Diese Rasse ist die Zwergform des großen, aus Frankreich stammenden La Flèche-Huhns. Sie wurde in Deutschland mit Hilfe von La Flèches und Zwergrassen wie dem Zwerg-

Zwerg-La Flèche-Hahn

spreizt und nicht besonders hoch getragen. Der Übergang vom Rücken zum Schwanz erfolgt sehr stumpfwinklig. Die Schwanzfedern selbst sind breit. Bielefelder haben im Verhältnis zum Körper sehr kleine Einzelkämme. Die Ohrlappen sind rot, die Augen orangerot, und die Läufe gelb.

FARBEN

Neben dem ursprünglichen Farbschlag gesperbert-rot wildfarbig („Kennfarbe") gibt es auch gesperbert-silbern-wildfarbige Tiere. Bei der erstgenannten Farbkombination werden die schwarzen Federabschnitte des rot-wildfarbigen Musters gesperbert, zeigen also im Wechsel helle und dunkle Bänder. Bei Hennen darf die Brust keinerlei Sperberzeichnung aufweisen (was sich nur schwer herauszüchten lässt).

Zwerg-La Flèche-Henne

Rheinländer gezüchtet. Ihre Anerkennung erfolgte hierzulande 1970.

ÄUSSERE MERKMALE

Diese Zwergrasse ist kräftig, aber dennoch schlank gebaut und hat einen hohen Stand. Der Rumpf ist länglich und recht breit. Die große Schwanzpartie wird stark gespreizt getragen. Hähne besitzen dort gut entwickelte Schmuckfedern. Die Läufe sind bei den meisten Farbschlägen blaugrau oder schiefergrau gefärbt; gesperberte und weiße Tiere hingegen haben helle. Wie ihre großen Vettern besitzen La Flèche-Zwerghühner einen Kamm, der aus zwei vertikalen, symmetrisch angeordneten Hörnchen besteht, hinter denen einige kleine, aufrechte Federn wachsen – der letzte Rest einer Haube. Die Nasenlöcher des Oberschnabels sind einigermaßen erweitert, was auf die Verwandtschaft mit Haubenhühnern hinweist. Die Ohrlappen sind stets weiß gefärbt. Die Iris ist – je nach Farbschlag – rot- bis dunkelbraun. Auch die einzelnen Zuchtrichtungen zeigen Unterschiede: französische Zwerg-La Flèches sind oft gröber und plumper gebaut als die eleganten Tiere, die man beispielsweise in Deutschland antrifft.

FARBEN

Es gibt vier Farbschläge, nämlich schwarz, weiß, blaugesäumt und gesperbert. Die schwarze Variante wird überall, wo man diese Rasse züchtet, anerkannt, während das bei den anderen nur teilweise der Fall ist.

EIGENSCHAFTEN

Zwerg-La Flèches sind lebhafte Hühner, die gern hoch fliegen und auch gut dazu in der Lage sind. Wenn man ihnen freien Auslauf gewährt, verstreuen sie sich über die ganze Umgebung und suchen sich für die Nacht Schlafplätze auf Bäumen. Dem kann man vorbeugen, indem man die Tiere in überdachten Gehegen hält, doch brauchen sie in diesem Falle ausreichend Ablenkung. Zwerg-La-Flèches sind nicht aggressiv, werden aber nur selten wirklich zahm. Infolge ihrer weißen Ohren legen sie auch weiße Eier von stattlicher Größe. La-Flèche-Zwerghühner sind vitale Tiere, die schnell wachsen und früh ausgewachsen sind.

BESONDERHEITEN

Ihrem seltsamen Hörnchenkamm und der ursprünglich schwarzen Farbe verdankt diese Rasse die Beinamen „Teufelskopf" oder „Satanshuhn".
Diese Rasse ist recht selten: in vielen Länder trifft man sie kaum oder gar nicht an.

Zwerg-Orloff

HEIMAT

Deutschland.

GESCHICHTE

Um 1920 versuchte man in Deutschland mit Erfolg, eine Zwergform des Orloff-Huhns zu schaffen. Dazu verwendete man u.a. kleinwüchsige „große" Orloffs und Zwerg-Malaien. Wie bei vielen anderen Rassen war nach dem Zweiten Weltkrieg von der jungen Zwergrasse nicht viel übrig geblieben. Aus dem Restbestand konnte man sie aber mit Hilfe von

Schwarz-weißgeperlte Zwerg-Orloff-Henne

Rot-porzellanfarbiger Zwerg-Orloff-Hahn

Verwandtschaft mit Kampfhühnern ist gut zu erkennen. Ihre aufrechte Haltung mit abfallendem Rücken – stärker jedoch der Kopf – verraten dies deutlich. Die Tiere haben einen hohen Stand und gelbe Läufe. Der lange Rücken fällt flach ab. Die Brust ist breit und kräftig gewölbt. Die Flügel werden dicht am Leib getragen.

Der beim Zwerg-Orloff nicht sehr große Schwanz wird recht hoch getragen. Seine Befiederung ist üppiger als bei echten Kämpfern: das äußert sich beim Hahn in den vielen Haupt- und Nebensicheln. Der lange, aufrecht getragene Hals ist reich befiedert; vor allem der obere Abschnitt wirkt daher recht dick, wozu der volle, dreiteilige Bart beiträgt. Der Schädel ist eher kurz und breit; daher liegen die Augen unter den „Brauen" tief in ihren Höhlen. Der Kamm hat die Form einer halben Walnuss (mit den charakteristischen Furchen).

FARBEN

Der bekannteste Farbschlag ist rot-porzellanfarbig. Außerdem werden bei dieser Rasse rot, weiß und gesperbert anerkannt. Die beiden letzteren Varianten sind allerdings recht selten.

EIGENSCHAFTEN

Zwerg-Orloffs sind von Natur aus robust und kräftig. Wind und Wetter können ihnen nichts

Zwerg-Rhodeländern und -Chabos wieder „aufbauen". 1952 wurde sie in den deutschen Standard aufgenommen.

ÄUSSERE MERKMALE

Zwerg-Orloffs sind recht kräftige Zwerghühner. Die Hennen wiegen etwa ein Kilo. Die

Porträt einer rot-porzellanfarbigen Zwerg-Orloff-Henne

Rot-porzellanfarbiger Zwerg-Orloff-Hahn

anhaben. Deshalb stellen sie auch nur geringe Ansprüche an die Unterbringung und gedeihen freilaufend und in geschlossenen Gehegen gleich gut. Da sie keine großen Flieger sind, braucht man das Gehege nicht zu überdachen. Dem Pfleger gegenüber verhalten sich diese Hühner ruhig und zutraulich; untereinander geben sie jedoch zu erkennen, dass sie Kämpferblut in den Adern haben. Wenn man neue Hennen in die Herde einbringt, kann es zu heftigen Rangstreitigkeiten kommen. Da auch junge Hähne sehr streitlustig sind, zieht man sie am besten in Gesellschaft eines erwachsenen Hahns auf, damit schwere Kämpfe ausbleiben. Wenn das Gehege auch noch ausreichend Flucht- und Deckungsmöglichkeiten bietet, kann man sie sehr lange beieinander lassen. Die Hennen legen recht viele Eier mit hellen Schalen. Das „Glucken" kommt bei dieser Rasse öfters vor, ist aber nicht sonderlich ausgeprägt. Wenn die Hennen aber erst zu brüten anfangen, erweisen sie sich als gute, zuverlässige Mütter.

BESONDERHEITEN
Der häufigste Farbschlag – rot-porzellanfarbig – unterscheidet sich deutlich von der entsprechenden Variante, die man beispielsweise beim Sussex antrifft: Beim Zwerg-Orloff fällt die Zeichnung etwas gröber aus und spielt bei der Ausstellungswürdigkeit der Tiere eine weniger wichtige Rolle. Im Allgemeinen sind die schwarzen Tupfen und weißen Perlen am Federende nicht kreisrund und neigen dazu, ineinander überzugehen.
Neben der hier besprochenen Zwergform gibt es auch große Orloffs, die aber wesentlich seltener sind.

Zwerg-Sulmtaler

HEIMAT
Deutschland.

GESCHICHTE
Zwerg-Sulmtaler sind die Zwergform der großen Sulmtaler-Hühner. Diese wurde vom deutschen Züchter Webers in den 1920er Jahren geschaffen. Er kreuzte zu diesem Zweck

Weizenfarbige Zwerg-Sulmtaler-Henne

Sulmtaler mit verschiedenen Zwergrassen, unter anderem Zwerg-Paduanern, verschiedenen Zwergkämpfern und rasselosen Zwerg-Haubenhühnern. Später kreuzte er noch andere Rassen ein. Zur Zeit ist der Typus gut festgelegt.

ÄUSSERE MERKMALE
Zwerg-Sulmtaler sind recht kräftige Tiere mit langgestrecktem Körper. Ihr Rumpf ist hoch und breit. Der ziemlich lange Rücken wird waagerecht, der eher kurze Schwanz gut gespreizt und halbhoch getragen. Die Läufe sind fleischfarbig. Der mäßig lange Hals ist beim Hahn recht üppig befiedert. Den Kopf ziert ein kleiner Schopf, dessen Form der des Schädels folgt. Vor der Haube befindet sich ein Einzelkamm mit kurzem Körper und nur schwach eingekerbten Zacken. Bei Hennen ist er im vorderen Abschnitt doppelt s-förmig gekrümmt

Weizenfarbige Zwerg-Sulmtaler-Hennen

Weizenfarbige Zwerg-Sulmtaler

("Wickelkamm"). Die Ohrlappen sind weiß, die Augen orangerot gefärbt.

FARBEN

Diese Rasse kommt in zwei Farbschlägen vor: weizenfarbig und blau. Die letztgenannte Variante ist nahezu auf Österreich beschränkt und in anderen Ländern erst wenig „eingebürgert".

EIGENSCHAFTEN

Zwerg-Sulmtaler sind ruhige, friedfertige Tiere. Es erfordert keine große Kunst, sie handzahm zu machen. Sie können gut fliegen und eignen sich daher am besten für überdachte Gehege, die nicht groß sein müssen. Deshalb eignen sich Zwerg-Sulmtaler auch für Leute, die wenig Platz haben. Die Hennen legen kleine, hellschalige Eier, die etwa 35 bis 40 Gramm wiegen. In Brutstimmung geraten sie nur selten; die meisten Züchter greifen daher auf Leihmütter oder Brutapparate zurück. Dies ist aber nicht zwangsläufig: wenn Zwerg-Sulmtaler erst einmal brüten, kann man sich meist auf sie verlassen.

BESONDERHEITEN

Standardgerechte Kämme lassen sich bei Zwerg-Sulmtalern nur schwer züchten: die Hennen müssen „Wickelkämme" haben, deren Größe mit der Haube harmonieren muss, welche einen großen Teil des Scheitels bedeckt. Wenn sie bei Hennen perfekt ausgebildet sind, sind sie meist auch bei ihren Brüdern vorhanden. Seine Struktur ist dort viel steifer, so dass es nicht zur s-förmigen Krümmung kommt. In-

Zwerg-Sulmtaler-Küken

folgedessen kann sich der Kamm seitwärts neigen – fürwahr kein schöner Anblick! Bei den Hähnen sieht man daher lieber etwas kürzere Kämme. Ausstellungswürdige Tiere stammen aus diesem Grund oft von verschiedenen Zuchtstämmen ab, nämlich jeweils von Hennen- und Hahnenstämmen.

Zwerg-Vorwerk

HEIMAT
Deutschland.

GESCHICHTE
Dies ist die Zwergform der bekannten gleichnamigen deutschen Nutzrasse mit ihrer charakteristischen Lakenfelder-Zeichnung (wobei als Grundfarbe gelb statt weiß auftritt). Deutsche Züchter unternahmen schon bald nach Entstehung der Großrasse den Versuch, eine Zwergform zu züchten. Dazu kreuzten sie Vorwerk-Hühner mit verschiedenen Zwergrassen. Allerdings dauerte es noch bis 1963, bevor das Zwerg-Vorwerk in Deutschland Anerkennung erfuhr.

Zwerg-Vorwerk-Küken

ÄUSSERE MERKMALE
Diese Zwergrasse entspricht dem Landhuhntyp mit halbhohem Stand. Ihr Körper ist recht breit und langgestreckt gebaut. Der Rücken fällt beim Hahn leicht nach hinten ab. Ihren Schwanz tragen Zwerg-Vorwerks mäßig gespreizt und halbhoch. Hähne besitzen gut entwickelte Schmuckfedern, vor allem mittellange, schön gekrümmte Haupt- und Nebensicheln. Die Flügel werden dicht am Körper getragen. Den Kopf zieren ein mittelgroßer Einzelkamm und weiße Ohrlappen. Die Iris ist gelbrot.

Zwerg-Vorwerk-Hennen

Zwerg-Vorwerk-Hahn

Die unbefiederten Läufe sind schiefergrau gefärbt.

FARBEN

Diese Rasse gibt es ausschließlich mit „Lakenfelder-Zeichnung", wobei gelb anstelle der weißen Grundfarbe tritt.

EIGENSCHAFTEN

Diese Rasse ist in ihrer Heimat sehr beliebt, hat aber auch andernorts viele Freunde. Zwerg-Vorwerks sind vom Wesen her sehr anziehend. Sie können überaus zahm werden und sind mäßig aktiv. Untereinander vertragen sie sich sehr gut (sogar die Hähne, wenn nur genug Platz vorhanden ist). Die Hennen legen in kurzen Abständen weiße Eier. Wegen der einzigartigen Kombination von Farbe und Zeichnung erfreut sich diese Rasse bei Hobbyzüchtern großer Beliebtheit. Es dauert allerdings recht lange, bis die Färbung gut zu beurteilen ist: sie kommt eigentlich erst nach der ersten Mauser zum Vorschein.

Zwerg-Vorwerk-Henne

21 Zwerg-Kampfhuhnrassen

Rassenbeschreibungen

Zwerg-Asil

HEIMAT
England.

GESCHICHTE
Wie diese Zwergform des Asil zustande kam, ist nicht mehr nachzuvollziehen. Anscheinend wurden die ersten Vertreter schon gegen Ende des neunzehnten Jahrhunderts in England ausgestellt.
Trotz ihrer mehr als hundertjährigen Geschichte haben Zwerg-Asils bis heute nicht allzu viele Freunde gewinnen können. Sie werden nur sporadisch gezüchtet.

ÄUSSERE MERKMALE
Zwerg-Asil-Hähne wiegen gut ein Kilo und zählen daher nicht zu den kleinsten „Zwergen". Ihr Gewicht verrät sich weniger im Körperbau als durch dessen Breite. Hähne nehmen eine herausfordernde, aufrechte Haltung ein. Der Rumpf ist breit, kurz und hoch. Der kurze Rücken fällt stark ab. Die Flügel werden dicht am Leib getragen, wobei die Schultern deutlich hervorstehen. Der stark gefaltete Schwanz wird hängend getragen, jedoch in Verlängerung des Rückens. Die ziemlich kurzen Beine stehen weit auseinander und sind

Wildfarbig-bunter Zwerg-Asil-Hahn

gelb gefärbt. Zwerg-Asils haben einen kleinen, kurzen und breiten Schädel, mit den für Kämpfer kennzeichnenden „Augenbrauen". Diesen ziert ein kleiner, dreireihiger Kamm. Die Rasse besitzt kräftige Sporne und ein knapp anliegendes Gefieder.

FARBEN
Zwerg-Asils werden hauptsächlich auf Form, Kondition und Charakter gezüchtet. Farbe und Zeichnung sind weniger wichtig. Deshalb gibt es nur wenige Farbschläge, u.a. weiß, schwarz, weizen- und bunt-wildfarbig.

EIGENSCHAFTEN
Ein großer Vorteil dieser Rasse besteht darin, dass man sie leicht in kleinen Gehegen halten kann. Außerdem werden die Tiere ihrem Pfleger gegenüber sehr anhänglich und zutraulich. Unter sich sind sie eher Sorgenkinder: die Hähne wollen schon früh wissen, wer der Stärkste ist und an der Spitze der Rangordnung steht. Daher kommt es oft zu lang anhaltenden Kämpfen. Deshalb setzt man am besten einen erwachsenen Hahn zu den „Halbstarken": er wird sich von Natur aus lange Zeit an der Spitze behaupten. Irgendwann müssen die Tiere allerdings unweigerlich getrennt werden. Auch die Hennen sind untereinander nicht besonders verträglich: am besten bildet man nicht allzu große Gruppen. Ihre Legeleistung ist nicht beeindruckend: Eier gibt es reichlich nur im Frühjahr. Die Hennen geraten gut in Brutstimmung und betreuen ihre Küken vorbildlich. Diese abgehärtete, vitale Rasse stellt keine hohen Haltungsanforderungen.

Indischer Zwergkämpfer

HEIMAT
England.

GESCHICHTE
Diese Rasse wurde mit Hilfe von Zwerg-Asils aus großen Indischen Kämpfern gezüchtet. Be-

Doppeltgesäumter Indischer Zwergkämpfer-Hahn

Porträt einer doppeltgesäumten Indischen Zwerg-kämpfer-Henne

reits um 1900 wurden die ersten Tiere auf englischen Ausstellungen präsentiert.

ÄUSSERE MERKMALE

Der Indische Zwergkämpfer ist die „Bulldogge" unter den Zwerghühnern. Er wirkt auffallend breit und gedrungen. Von vorn fällt v.a. die enorm breite Brust auf. Die kurzen, dicken und runden Läufe (von gelber Farbe) stehen praktisch neben dem Körper und sorgen so für eine breite Beinstellung. Von oben wirkt der Körper fast viereckig. Der Typus dieser Rasse wird daher oft als „kubisch" bezeichnet, d.h. der Rumpf ist gleich lang, breit und hoch. Die Flügel werden dicht am Leib getragen, wobei die Schultern über der Rückenlinie liegen. Der kurze Schwanz wird gefaltet und leicht geneigt getragen. Der ebenfalls kurze Hals ist etwas rückwärts gekrümmt. Diese Rasse besitzt einen kurzen, breiten Kopf mit dreireihigem Erbsenkamm. Über den lebhaft dreinblickenden, perlfarbigen Augen befinden sich die „Augenbrauen". Das Gefieder ist fest und knapp anliegend. Die Muskeln sind besonders stark und kräftig entwickelt.

FARBEN

Die Rasse kommt u.a. in doppeltgesäumt, doppeltgesäumt blau, doppeltgesäumt weiß-rot („Jubilee"), gelb, schwarz und weiß vor. Die doppeltgesäumte Variante gehört zu den beliebtesten.

EIGENSCHAFTEN

Der Indische Zwergkämpfer zählt zu den bemerkenswertesten Zwerghuhnrassen. Mit seinem breiten Rumpf, der robusten Konstitution und dem typischen Gesichtsausdruck gibt er sich als Kampfhuhn zu erkennen; so wirkt er auch auf viele Betrachter. Dies bringt indes mit sich, dass die Hähne untereinander sehr aggressiv werden können. Auch die Damen können einander das Leben sauer machen, doch hängt das vom Platz ab, der den Tieren zur Verfügung steht.

Von dieser Rasse sollte man nur ein Paar (oder

Doppeltgesäumte Indische Zwergkämpfer-Henne

Rotweiß-doppeltgesäumte Indische Zwergkämpfer-Henne

allenfalls einen Hahn und zwei Hennen halten, dann lassen sie sich auch leichter zähmen. Dem Pfleger gegenüber verhalten sich diese Hühner (auch die Hähne) meist freundlich und zutraulich.

Die Hennen legen nicht sehr viele Eier. Die Küken wachsen nur langsam und brauchen lange zum Erwachsenwerden. Die feste Federstruktur lässt die Flügel- und Schwanzfedern leicht abbrechen. Indische Zwergkämpfer lassen sich gut in kleineren Gehegen halten. Sie fliegen und springen nicht sehr gut; deshalb sollte man die Sitzstangen nicht zu hoch anbringen; sie müssen auch breit genug sein, um den Tieren genug Halt zu bieten.

BESONDERHEITEN
Diese Rasse wird in den USA „Cornish Bantam" genannt.

Indische Zwergkämpfer sind nicht sehr beliebt, haben aber überall, wo man Hühner züchtet und ausstellt, einen festen Freundeskreis.

Hähnen mit niedrigem Stand fällt die Befruchtung schwer. Mit ihrem breiten, schweren und kurzbeinigen Körper schaffen sie es einfach nicht, die Hennen zu „treten". Verwenden Sie zur Zucht daher besser Hähne mit höherem Stand.

Ko Shamo oder Ko Gunkei

HEIMAT
Japan.

GESCHICHTE
Das japanische Wort „Shamo" bedeutet „Kämpfer". Die Vorsilbe „Ko" ist eine Verkleinerungsformel, so dass „Ko Shamo" „Kleiner Kämpfer" oder „Zwergkämpfer" bedeutet. Wie er in Japan entstand, weiß man nicht. Mit Sicherheit handelt es sich jedoch um eine alte Rasse. In den 1920er Jahren wurden diese urtümlichen Zwerghühner erstmals nach Europa exportiert.

ÄUSSERE MERKMALE
Ko Shamos sind deutlich als Kampfhühner zu erkennen. Das zeigen schon Körperhaltung und Kopf. In Aktion nehmen vor allem die

Rotweiß-doppeltgesäumte Indische Zwergkämpfer-Henne

Die Eier von Ko Shamos sind sehr klein.

Ko Shamo-Henne

Ko Shamo-Küken

Hähne eine fast vertikale Stellung ein. Dabei fällt v. a. die Länge von Hals und Beinen ins Auge. Wenn man diese mit der Rumpflänge

Weizenfarbene Ko Shamos

vergleicht, stellt man fest, dass sie jeweils etwa ein Drittel der Gesamthöhe ausmachen. Das Gefieder dieser Tiere ist knapp und fest, wie man vor allem an der Brust gut erkennen kann. Das nackte Brustbein ist deutlich zu erkennen.

Sehr spärlich befiedert ist auch der Hals: die Schmuckfedern des Hahns reichen hier nicht bis zum Ende. Der Schwanz wird in Verlängerung der Rückenlinie stark gefaltet getragen. Hierbei fällt auf, dass die untersten Schwanzfedern etwas länger geraten und nach oben gekrümmt sind, so dass sie den Schwanz umschließen. Man spricht in diesem Falle von einem „Garnelenschwanz". Die Flügel werden dicht am Körper getragen. Die Schultern stehen etwas vom Rumpf ab, liegen aber stets unterhalb der Rückenlinie. Der kurze, breite Schädel besitzt weit über die Augen ragende „Brauen". Den Scheitel ziert ein kleiner Walnusskamm; die Kehllappen sind nur kurz. Eine dicke, rote Haut schützt die Gesichtspartie. Die Läufe sind rund, gelb und mit kleinen Schuppen bedeckt.

FARBEN

Bei Ko Shamos werden verschiedene Farben anerkannt, u. a. weizenfarbig, silbern-weizenfarbig, weiß, schwarz und rot-porzellanfarbig. Am häufigsten züchtet man die weizenfarbigen Varianten.

EIGENSCHAFTEN

Ko Shamos eignen sich v. a. für Liebhaber, die Hühner mit „Charakter" schätzen. Obwohl man sie in Europa nicht für Hahnenkämpfe züchtet, sind die entsprechenden Eigenschaften felsenfest im Erbgut verankert. Ihrem Pfle-

Ko Shamos sind von Natur aus sehr zahm und zutraulich.

Ko Shamos sind von Natur aus sehr zahm und zutraulich.

Silbern-weizenfarbiger Ko Shamo-Hahn

Weizenfarbiger Ko Shamo-Hahn

ger gegenüber werden diese Tiere bald sehr zutraulich und zahm. Untereinander verhalten sie sich hingegen sehr unverträglich: die Hähne bekämpfen einander bis zum bitteren Ende – eher geben sie nicht auf. Schon im Alter von sechs Wochen beginnen sie miteinander zu streiten. Hier ist nur Einzelhaltung möglich. Auch die Hennen sind in gewissem Maße unverträglich: wenn die Rangordnung in einer Gruppe einmal festgelegt ist, darf man sie nicht durch Hinzufügen oder Entfernen einzelner Tiere stören. Das führt unweigerlich zu Kämpfen, bei denen die Hühner einander u.U. schwer verletzen. Vorteilhaft an dieser Rasse ist, dass sie sich auch für Leute mit wenig Platz eignet. Ihre Legeleistung ist nicht beeindruckend. Die Hennen legen nur während einer kurzen Periode, dies reicht zur Erhaltung der Rasse völlig aus. Wenn Sie gern mit den Tieren umgehen und nur wenig Platz haben, können Sie ohne Weiteres ein Paar anschaffen. Halten Sie aber keine weiteren Hühner – das geht garantiert schief!

BESONDERHEITEN

Aus Japan stammen mehrere Zwergkämpfer, die einander stark ähneln. Dadurch weisen die jeweiligen „Idealbilder" in Europa eine gewisse Variationsbreite auf. Die ursprünglichen Japan-Importe hatten alle ein knappes Gefieder: häufig sind nicht einmal die Schwungfedern vollständig ausgebildet. Den Tieren fehlen einige kleine Schwungfedern, so dass die großen und kleinen nicht mehr lückenlos aneinander schließen.

Zwerg-Malaie

HEIMAT
England.

GESCHICHTE
Der englische Zwerghuhnzüchter Entwistle schuf gegen Ende des 19. Jahrhunderts aus vielen Großrassen jeweils Zwergformen. Angesichts der Tatsache, dass es damals kaum echte Zwergrassen gab, zeugt jedes dieser Ergebnisse von züchterischem Können und Durchhaltevermögen. Die Zwergform des Malaien-Huhns erzielte man u.a. mit Hilfe kleinwüchsiger „großer" Malaien, Neu-Englischer Zwergkämpfer und Zwerg-Asils. Schon 1893 stellte man in England weiße Zwerg-Malaien aus.

ÄUSSERE MERKMALE
Zwerg-Malaien sind kräftige, schwere Zwergkämpfer mit hohem Stand. Hähne wiegen etwa 1400 Gramm und können so nicht gerade als klein gelten. Bei dieser Rasse spricht man vom sogenannten „Dreibogen-Typus": den ersten

Weizenfarbiger Zwerg-Malaien-Hahn

Junge Zwerg-Malaien-Hähne – manchmal klappt's, manchmal nicht ...

Bogen bildet der lange, leicht gekrümmte Hals, den zweiten die hoch angezogenen Flügel, deren Enden auf dem Sattel ruhen, den dritten der niedrig getragene Schwanz, der mit dem Rumpf einen stumpfen Winkel bildet. Die Haltung dieser Kämpfer ist stets aufrecht, mit abfallender Rückenlinie. Die Schultern sind etwas eckig und stehen leicht vom Rumpf ab. Die langen, kräftigen Schenkel bilden mit den gelben Läufen einen stumpfen Winkel. Zwerg-Malaien besitzen einen kurzen, breiten Kopf mit gut entwickelten „Augenbrauen", welche den Augäpfeln guten Schutz bieten. Den Scheitel ziert ein kleiner „Walnusskamm"; die Kehllappen sind sehr kurz und wie Kopfhaut und Ohrlappen hellrot gefärbt. Unter dem Kopf befindet sich ein nackter Hautlappen, die sogenannte Kehlwamme. Die tiefliegenden Augen haben einen wachen Ausdruck und eine meist perlfarbige Iris. Die Tiere besitzen eine feste, gut entwickelte Muskulatur und ein knappes Gefieder.

FARBEN

Zwerg-Malaien kommen in weiß, weizenfarbig, rotschultrig-weiß oder wildfarbig-bunt vor. Bei der Beurteilung auf Ausstellungen spielen Farbe und Zeichnung nur eine untergeordnete Rolle; viel wichtiger sind hier Typ, Stellung, Sporen und Gefieder.

EIGENSCHAFTEN

Zwerg-Malaien brauchen Pfleger, die sich für ihre extremen Eigenschaften interessieren. Um diese auf Ausstellungen optimal zur Geltung zu bringen, müssen die Tiere trainiert werden. Während des Trainings bringt der Pfleger seine Tiere von Hand in eine möglichst vorteilhafte Stellung. Dabei werden die Flügelhaltung und

Weizenfarbige Zwerg-Malaien-Henne

der hohe Stand zusätzlich betont. Der Vorteil dieser Positionierung „von Hand" liegt darin, dass die Tiere sehr zahm werden und sich ihrem Pfleger gegenüber sehr zutraulich gebärden. Untereinander sind sie oft weniger verträglich: der Drang, um die Rangordnung zu kämpfen, führt dazu, dass die Hähne einander nicht aus dem Weg gehen, sondern die Konfrontation suchen. Auch Hennen können gehörig miteinander streiten. Deshalb hält man diese Hühner am besten paarweise oder als Trio. Diese abgehärteten Tiere stellen keine hohen Haltungsanforderungen. Zwerg-Malaien können kaum fliegen und brauchen daher keine überdachten Gehege. Wegen ihres hohen Standes und langen Rumpfes müssen die Fress- und Trinknäpfe jedoch erhöht aufgestellt werden. Sie sind gewiss keine Legerasse, produzieren aber während einiger Monate eine stattliche Anzahl Eier.

Moderner Englischer Zwergkämpfer

HEIMAT
England.

GESCHICHTE
Der Moderne Englische Zwergkämpfer ist eine recht alte Rasse. Er wurde erstmals gegen Ende des neunzehnten Jahrhunderts auf englischen Ausstellungen präsentiert. Sein Name ist von dem seines großen Vetters abgeleitet. Der Moderne Englische Zwergkämpfer ist als Rasse nämlich älter als der Altenglische! Die Rasse wurde vom englischen Zwerghuhnspezialisten Entwistle u. a. mit Hilfe von Indischen Zwergkämpfern und Zwerg-Malaien geschaffen.

ÄUSSERE MERKMALE
Der Neuenglische Zwergkämpfer wird von Laien häufig als „Dachlatte" bezeichnet: dieser Name verweist auf seinen hohen Stand, der oft als übertrieben empfunden wird. Vergleicht man Körperbau und Stand mit denen von Landhühnern, wirken die Tiere in der Tat dünn und zierlich. Ihr Rumpf ist kurz und fällt leicht nach hinten ab. Der Leib ist ziemlich hochgezogen, und die Tiere haben eine aufrechte Haltung. Die Flügel werden dicht am

Moderner Englischer Zwergkämpfer-Hahn, gelb-birkenf.

Birkenfarbige Moderne Englische Zwergkämpfer-Henne

Rumpf getragen; die breiten Schultern stehen leicht vom Rumpf ab. Der recht kurze Schwanz wird stark gefaltet und fast waagerecht getragen. Der Hals dieser Zwergrasse ist lang und dünn. Den langen, schlanken Kopf zieren ein kleiner Einzelkamm und rote Ohrlappen. Die lebhaften Augen sind je nach Gefiederfarbe orangerot bis dunkelbraun. Der sehr hohe Stand ist Folge der langen Schenkel und Läufe. Letztere sind glatt und rund. Ihre Färbung richtet sich nach dem Farbschlag: weiße Tiere haben gelbe Läufe, wildfarbige Exemplare grüne, schwarze bzw. birkenfarbige schwarze. Die kleinen, zierlich gebauten Tiere wirken drahtig und muskulös; insofern verleugnen sie ihre Herkunft von Kampfhühnern nicht. Ihr Gefieder ist kurz und knapp.

FARBEN

Diese Rasse gibt es in vielen Farbschlägen, u.a. weiß, schwarz, gesäumt und ungesäumt blau, birkenfarbig, blau-, gold-, und blau-gold-birkenfarbig, gesperbert, wildfarbig, gesperbert-, silbern-, blau- und blausilbern-wildfarbig, weizenfarbig, perlgrau, goldhalsig, goldhalsig-blau, silberhalsig, silberhalsig-blau, rotschultrig-weiß und rotschultrig-silbern-wildfarbig.

Wildfarbiger Moderner Englischer Zwergkämpfer-Hahn

EIGENSCHAFTEN

Diese vom Gewicht eher zu den leichtesten Rassen zählenden Zwerghühner werden vor allem von Leuten gehalten, die ihre Formen schätzen. Als Ausstellungstiere genießen sie daher große Popularität. Die Hennen legen – anders als ihr Körperbau vermuten lässt – recht viele Eier. Außerdem geraten sie sehr leicht in Brutstimmung. Wegen ihrer langen Beine und des knappen Federkleids eignen sie sich aber nicht sonderlich als Glucken. Dazu sollte man besser Hennen anderer Rassen verwenden. Diese Hühner sind ferner für ihr äußerst friedliches Wesen berühmt und lassen sich sehr einfach zähmen. Aussteller machen sich diesen Umstand zunutze, um den Tieren die vorteilhafteste Position anzutrainieren. Sie können die Hühner leicht selbst „von Hand" in die richtige Stellung bringen. Nach wenigen Wiederholungen wissen die Tiere bereits, worauf es ankommt und richten Beine und Hals bei der kleinsten Andeutung wie gewünscht aus. Diese kleinen, ruhigen Zwerghühner eignen sich auch gut für kleine Gehege mit beschränkter Grundfläche. Die Hähne sind gewiss keine großen Kräher. Deshalb sind Mo-

Rotschultrig-weiße Moderne Englische Zwergkämpfer-Henne

derne Englische Zwergkämpfer auch ideal für kleine Stadtgärten geeignet. Wegen des langen Körpers sollten ihre Fress- und Trinknäpfe aber höher als normal aufgestellt werden. Obwohl diese Hühner zart wirken, ist dies keineswegs der Fall. Sie wachsen rasch und machen bei der Aufzucht kaum Probleme. Untereinander gebärden sich die Tiere recht verträglich. Die Junghähne sind dabei sicher nicht aggressiver als bei den meisten Landhuhnrassen.

Altenglischer Zwergkämpfer

HEIMAT
England.

GESCHICHTE
Trotz des Namens „Kämpfer" haben wir es hier mit Ausstellungstieren zu tun, die gegenwärtig einen festen Freundeskreis besitzen. Wie diese Rasse entstand, weiß man nicht. Zwar stammt sie ganz offenkundig von großen englischen Kampfhühnern ab, doch fehlen dafür einstweilen positive Beweise.

ÄUSSERE MERKMALE
Altenglische Zwergkämpfer sind sehr beliebt. Das verdanken sie wahrscheinlich ihrem typischen Körperbau, der sich mit keiner anderen Rasse vergleichen lässt. Wenn man einen Altenglischen Zwergkämpfer berührt, fallen sofort die enorme Muskelmasse und die Festigkeit des Körpers auf. Auch ist der Vorderkörper der Tiere sehr breit gebaut. Der Rumpf ist ferner nicht nur breit, sondern auch sehr kurz, so

Wildfarbiger Altenglischer Zwergkämpfer-Hahn.

dass das Brustbein deutlich kürzer als bei anderen Hühnern ausfällt. Der vorn sehr breite Rumpf wird zum Sattel hin viel schmaler. So wirkt er von oben fast dreieckig („Bügeleisen-Typ"). Die Rückenlinie fällt ab. Die Flügel werden dicht am Körper getragen, und die kräftig gerundeten Schultern ragen leicht über die Rückenlinie hinaus; sie halten außerdem immer etwas Abstand zum Körper. Der Schwanz wird halbhoch und leicht gefaltet getragen; er geht fließend-kurvig in die Rückenlinie über. Die Schmuckfedern des Hahnes sind – wie bei allen typischen Kampfhuhnrassen – recht knapp geraten. Am Schwanz finden sich nur recht kurze Hauptsicheln, die sich bereits vor dem Ende seiner Stoß- oder Steuerfedern zu krüm-

Gesperbert-wildfarbiger Altenglischer Zwergkämpfer-Hahn

men beginnen. Diese Zwerghühner haben einen halbhohen Stand, und ihre Schenkel bilden mit den Läufen deutlich einen Winkel. Den Kopf zieren ein ziemlich kleiner Einzelkamm, rote Ohrlappen und wache Augen.

FARBEN

Nach der Faustregel „ein guter Kämpfer kann nicht die falsche Farbe haben" achtet man auf Ausstellungen weniger kritisch auf Farbe und Zeichnung als bei anderen Rassen.

Zu den zahlreichen hier anerkannten Farbvarianten zählen schwarz, weiß, schmutzigweiß, ungesäumt blau, wildfarbig, silbern-, blau-, dunkel-, blausilbern-, kuckucks-, bunt-, rotschultrig-silbern- und gelbschultrig-blau-wildfarbig, birkenfarbig, blau-, gold- und blau-goldbirkenfarbig, dreifarbig, braun, weizenfarbig, blau-weizenfarbig, schwarz mit Messing-Rücken („Furness"), blau mit Messing-Rücken („Blue Furness"), gesperbert, rothalsig-blau, -schwarz und -silbern-blau sowie rotschultrigweiß. Die wildfarbigen Varianten sind in den meisten Ländern am beliebtesten. Als typisch englisch können die sogenannten Furness-Farben gelten, schwarze oder blaue Tiere mit Messing-Glanzlichtern.

Silbern-wildfarbiger Altenglischer Zwergkämpfer-Hahn

Die schmutzigweiße „Splashed"-Variante – ein in blauen Zuchtstämmen unvermeidlich auftretender Farbton – dient in fast allen Ländern nur als „Zuchtmaterial"; für sie gibt es noch keinen Standard.

EIGENSCHAFTEN

Altenglische Zwergkämpfer verhalten sich ihrem Pfleger gegenüber sehr zahm. Jungtiere lassen sich binnen kürzester Frist handzahm und zutraulich machen. Deshalb eignet sich die Rasse auch gut für Kinder. Zwar handelt es sich dem Namen nach um Kampfhühner, doch haben sie kaum noch Kämpfereigenschaften: bei der Selektion dieser Rasse wurde von Anfang an nur Wert auf die äußeren Merkmale von Kampfhühnern gelegt, nicht aber auf deren „Charakter". Junge, halbwüchsige Hähne gebärden sich zwar gelegentlich etwas streitlustig, doch unterscheiden sie sich in dieser Hinsicht kaum von den meisten Landhuhnrassen; die Hennen wiederum sind untereinander auffallend verträglich. Wenn man gern auch andere Rassen halten will, kann man ohne weiteres ein paar andere Zwerghennen dazusetzen. Altenglische Zwergkämpfer werden vor allem von Leuten gepflegt, die ihr Wesen zu schätzen wissen. Als Legehennen halten sie keine Rekorde: meist legen sie nur im Frühjahr und Sommer ein paar Eier. Dafür geraten sie regelmäßig in Brutstimmung; man kann sie also ihre Eier selbst ausbrüten lassen. Hennen, die Küken führen, sollte man vom Rest der Gruppe trennen. Sobald die Glucke ihre Aufgabe erfüllt hat, kann man sie vorsichtig wieder integrieren. Diese Zwerge sind robust und vital; sie stellen nur geringe Ansprüche und sind mit wenig zufrieden. Die Hähne krähen nur wenig und recht leise, so dass man sie auch in Wohngegenden halten kann.

BESONDERHEITEN

Altenglische Zwergkämpfer besitzen in der Regel weder Bärte noch Hauben. Allerdings gibt es auch entsprechende Varianten.

Es gibt auch eine (allerdings sehr seltene) Großrasse dieser Kämpfer.

Perlgrau-wachtelfarbiger Grubbe-Bartzwerg

22 Zier- und Langschwanzrassen

Rassenbeschreibungen

Antwerpener Bartzwerg und Grubbe-Bartzwerg

HEIMAT
Belgien.

GESCHICHTE
Der Antwerpener Bartzwerg gehört zu den ältesten echten Zwergrassen. Es gibt also keine Großform dieser Hühner. Zum ersten Mal ist solch ein Zwerghuhn im siebzehnten Jahrhundert bezeugt, und zwar – in der wachtelfarbigen Variante – auf einem Ölgemälde von Aelbert Cuyp. Der erste schriftliche Hinweis findet sich in einem französischen Buch vom Anfang des neunzehnten Jahrhunderts. Als Heimat werden dort „die Niederlande" genannt, doch gilt der flämische Landesteil Belgiens als wahre Urheimat dieser Rasse. Ihren Namen verdankt sie wohl dem Umstand, dass

ernsthafte Versuche zur Zucht dieses Zwerg-Barthuhns v. a. im Raum Antwerpen stattfanden. 1904 schrieb der Belgische Züchter Robert Pauwels, in seiner Züchterei seien spontan schwanzlose Küken geschlüpft. Diese taufte er nach ihrem Heimatort Grubbe (bei Kortenberg/Belgien). Grubbe-Bartzwerge unterscheiden sich nur in einem Punkt von Antwerpenern: sie haben keinen Schwanz und zählen daher zu den schwanzlosen Zwerghühnern.

ÄUSSERE MERKMALE
Antwerpener Bartzwerge – auf Niederländisch kurz „baardjes" genannt – gehören zu den kleinsten Zwerghuhnrassen: auf den ersten Blick wirken sie reichlich empfindlich. Es sind kurze, gedrungene Tiere mit niedrig getragenen Flügeln. Ein Markenzeichen dieser Rasse ist der volle Bart, der im Idealfall aus Kehlbart und Backenbärten besteht. Der Hals des Antwerpener Bartzwergs ist sehr üppig

Wachtelfarbige Grubbe-Bartzwerg-Henne

Porzellanfarbige Grubbe-Bartzwerg-Henne

Ocker-weißgeperlter Grubbe-Bartzwerg-Hahn

farbig, silbern- und blau-wachtelfarbig, schwarz-, blau-, perlgrau- und ocker-weißgeperlt, perlgrau und rotgezeichnet-weiß. Die genannten Varianten werden in ihrem Heimatland und in den Niederlanden anerkannt. Andernorts ist die Farbpalette oft beschränkter, doch gibt es auch zusätzliche Farben. So kennt man in Deutschland gelbe, in England perlgrau-wachtelfarbige und in Dänemark porzellanfarbig-blaugezeichnete Tiere. Typisch für die Rasse sind vor allem die Wachtelfarbe und ihre Spielarten. Merkwürdigerweise ist sie vom Ursprung her typisch belgisch: in keinem anderen Land mutierte die Wildfarbe zu diesem Farbschlag. Es handelt sich um eine schöne Kombination von warmem Goldbraun mit Samtschwarz. Hahn und Henne sind verschieden gezeichnet. Als Küken sind Antwerpener und Grubbe-Bartzwerge auffallende Erscheinungen: die ansonsten fast rein schwarzen Tiere besitzen gelbbraune Bärte.

EIGENSCHAFTEN

Antwerpener Bartzwerge sind sehr beliebt. Die Hennen legen zahlreiche (allerdings auch außergewöhnlich kleine) Eier, die im Schnitt 35 Gramm wiegen. Einige Zuchtstämme bringen verlässliche Brüterinnen hervor, doch kann man normalerweise nicht davon ausgehen. Es sind freundliche, lebhafte Tiere, die sich auch in nicht allzu großen Gehegen gut halten lassen. Bei guter Pflege werden diese Hühner rasch zahm und zutraulich. Ihr nervöses Wesen bringt es mit sich, dass die Hähne in der Paarungszeit bisweilen heftig auf den Pfleger reagieren. Manchmal picken

Wachtelfarbiger Antwerpener Bartzwerg-Hahn

befiedert – bei Hähnen ist das Federkleid dort oft so dick, dass man fast nichts mehr vom Rücken sieht: die Halsfedern reichen beinahe bis zum Schwanz. Die Tiere haben einen Rosenkamm: sein Kammdorn folgt der Halslinie, und der Körper trägt kleine Warzen bzw. Perlen, das sogenannte „Kammwerk". Sehr auffällig sind die tiefbraunen Augen. Der Schwanz wird ziemlich stark gefaltet getragen; beim Hahn sind die Sicheln kaum länger als die Stoßfedern und überdies nur schwach gekrümmt. Der Grubbe-Bartzwerg gleicht dem Antwerpener in buchstäblich allen Punkten – bis auf den fehlenden Schwanz. Dadurch entsteht eine kugelig-abgerundete Sattelpartie. Solche Tiere halten sich meist viel aufrechter als ihre geschwänzten Artgenossen.

FARBEN

Antwerpener und Grubbe-Bartzwerge gibt es in vielen verschiedenen Farbschlägen, unter anderem in schwarz, weiß, ungesäumt und gesäumt blau, gesäumt rot, rot, gesperbert, wildfarbig, silbern-wildfarbig, isabell-porzellanfarbig, columbia, gelb-columbia, wachtel-

Porzellanfarbiger Antwerpener Bartzwerg-Hahn

Wachtelfarbiger Antwerpener Bartzwerg-Hahn

Porzellanfarbige Antwerpener Bartzwerg-Henne

sie dann sogar auf die Hand ein, die sie füttert. Das sollten Sie immer bedenken, wenn Sie Kinder haben. Als „Sänger" haben die Hähne kaum ihresgleichen: sie beginnen sehr früh zu krähen und tun dies oft und laut. Es spricht für sich, dass diese Tiere in der Regel bei Kräh-Wettbewerben siegen ... Um den Nachbarn Belästigungen zu ersparen, sollten Sie daher den Stall gut isolieren. Wegen des üppigen Kopfgefieders benötigen die Tiere spezielle Trinknäpfe, am besten sogenannte „Rundumtränken" mit niedrigem Wasserstand: so verhindert man, dass der Bart nass wird, und das attraktive Äußere der Tiere leidet kaum.

BESONDERHEITEN

Der Antwerpener Bartzwerg ist die „Nationalrasse" von Belgien. Die Belgische Post gab sogar eine Briefmarke heraus, auf der ein wachtelfarbiger Hahn zu sehen war. Was Hühner angeht, war diese Rasse einmal der erfolgreichste Exportartikel des Landes: Antwerpener Bartzwergen begegnet man sogar in Australien und Südafrika.

Wie beliebt diese Rasse überall ist, kann man auch daran ablesen, dass es in den Niederlanden, Deutschland, England und sogar Australien eigene Bartzwerg-Züchterverbände gibt. Obwohl sich alle möglichst nach dem Standard des Heimatlandes richten, gibt es kleine Unterschiede: so sind deutsche Tiere etwas größer als belgische.

Ein Markenzeichen der Rasse sind die fehlenden Sporen der meisten Hähne. Die Abwesenheit dieser Geschlechtsmerkmale wirkt sich nicht negativ auf die Fruchtbarkeit aus. Sie hängt wohl damit zusammen, dass die Hähne wenig Schmuckfedern, kleine Kämme und keine Ohrlappen haben sollen: die Züchter selektieren offenbar bei den Männchen stark auf „weibliche" Merkmale.

Zwerg-Brabanter

HEIMAT
Niederlande.

GESCHICHTE
Diese Zwergrasse entstand durch Kreuzung

Golden-schwarzgetupfter Zwerg-Brabanter-Hahn

Porträt einer silbern-schwarzgetupften Zwerg-Brabanter-Henne

Zwerg-Brabanter sind unter Zwerghühnern eine auffallende Erscheinung: dafür sorgt v. a. ihr typischer Kopf. Ihn ziert eine oft als „Rasierpinsel" bezeichnete Haube. Sie besteht aus aufrecht wachsenden Federn, die als kompakte, seitlich abgeflachte Masse auf dem Scheitel stehen. Anders als Haubenhühner darf diese Rasse keinen Scheitelknauf haben, da ihr Schädel dann zu groß und rund ausfiele. Zwerg-Brabanter besitzen außerdem einen vollen, dreigeteilten Bart (aus Kinn- und Backenbärten). Die Nasenlöcher sind als typisches Haubenhuhnmerkmal auch hier deutlich erweitert. Der Kamm besteht aus zwei etwa v-förmig angeordneten „Hörnchen". Der Rassentyp entspricht dem „Landhuhn" mit etwas gestrecktem Rumpf und aufrechter Haltung. Die langen Flügel werden dicht am Leib getragen, der Schwanz recht hoch und stark gespreizt. Bei den meisten Farbschlägen sind die Läufe schiefergrau. Die Rasse hat weiße Ohrlappen und orangerote Augen.

FARBEN

Die ersten Vertreter dieser Rasse waren vermutlich schwarz. Später züchtete man auch reinweiße, gesäumt blaue, gesperberte, golden-schwarz-, silbern-schwarz- und gelb-weißgetupfte Tiere. Der jüngste Farbschlag ist perlgrau.

EIGENSCHAFTEN

Ein großer Vorteil dieser Rasse ist ihr aufrechter Schopf, der die Augen frei lässt. Er wird

Zwerg-Brabanter-Küken: links ein golden-schwarzgetupftes, rechts ein gelb-weißgetupftes Tier.

von Zwerg-Paduanern und Antwerpener Bartzwergen. Mit den Nachkommen züchtete man weiter, bis durch gezielte Selektion die Zwerg-Brabanter entstanden.

Öffentlich traten sie erstmals 1933 auf einer großen niederländischen Ausstellung in Erscheinung.

Während die Rasse dort einen kleinen, aber festen Freundeskreis hat, ist sie andernorts nur selten anzutreffen.

Gelb-weißgetupfter Zwerg-Brabanter-Hahn

auch nicht so schnell nass und schmutzig und wirkt nicht als Sichtbehinderung. Die Hennen legen nur wenige Eier und geraten selten in Brutstimmung. Dafür sind es hübsche, ruhige Tiere. Sie werden nicht handzahm, sind aber nur selten scheu. Wie alle Landhühner können sie gut fliegen. Um sie an der Flucht zu hindern, sollte das Gehege daher überdacht sein.

BESONDERHEITEN

Zwerg-Brabanter sind eng mit den Zwerg-Eulenbart-Hühnern verwandt. Sie gingen sogar

Gelb-weißgetupfte Zwerg-Brabanter-Henne

aus der gleichen Kreuzung hervor. Bei der Zucht ist darauf zu achten, dass die beiden Rassen nicht zu oft gekreuzt werden, weil sonst v. a. der typische dreigeteilte Bart der Brabanter verloren geht, während der runde Bart der Eulenbärte zur Dreiteilung neigt.

Zwerg-Brahma

HEIMAT
England.

GESCHICHTE
Schon bald nach Einführung der großen Brahmas entstanden in England um 1870 die ersten Zwerg-Brahmas. Zunächst selektierte man kleinwüchsige „große" Brahmas, allerdings ohne Erfolg. Der englische Züchter Entwistle, dem wir viele Zwergrassen verdanken, schuf durch Kreuzung von Zwerg-Asils, -Cochins und Federfüßigen Zwerghühnern das Zwerg-Brahma. Später wurden noch Chabos eingekreuzt. Bereits 1887 verschiffte man die ersten Tiere nach Amerika und Kontinen-

Drei Tage alte columbia Zwerg-Brahma-Küken

taleuropa. Die Rasse wurde rasch in vielen Ländern populär.

ÄUSSERE MERKMALE

Zwerg-Brahmas sind wie ihre großen Brüder wahre Riesen. Hennen wiegen etwa 1200 Gramm – und damit fast soviel wie eine „große" geflockte Hamburger-Henne. Die Tiere haben eine besondere Ausstrahlung: sie sind bei halbhohem Stand kräftig und breit gebaut. Dies wird durch die volle, reiche Befiederung noch unterstrichen. Der eher kurze Rücken geht nahtlos in den kurzen, recht hoch getragenen und stark gespreizten Schwanz über. Die kurzen, breiten Haupt- und Nebensicheln der Hähne bedecken die Stoßfedern fast vollständig. Der Hals wirkt infolge des dichten Federkleides dick und kurz und wird elegant gebogen. Der Kopf ist eher klein, aber rund und breit. Seiner Breite verdanken die Tiere auch ihre „Augenbrauen". Der dreireihige Kamm und die Ohrlappen sind rot, die Augen rotbraun. Zwerg-Brahmas besitzen gelbe, stark befiederte Läufe. Voll befiedert sind auch die Füße.

FARBEN

Die Rasse wird in mehrfachgesäumt wildfarbig, silbern- und blau-wildfarbig, columbia, gelb-columbia, columbia-blaugezeichnet, gelb-columbia-blaugezeichnet, birkenfarbig, gelb und weiß gezüchtet.

EIGENSCHAFTEN

Zwerg-Brahmas sind eine beliebte, auch für Anfänger geeignete Rasse. Die Hennen brüten gut, und die Aufzucht der Küken bereitet keine Probleme. Allerdings kann es länger als bei anderen Rassen dauern, bis die Hennen voll ausgewachsen sind und Eier legen. Zwerg-Brahmas sind äußerst ruhig und können ausgesprochen handzahm werden. Sie neigen nur wenig zum Fliegen und kommen daher ohne Weiteres mit verhältnismäßig niedrigen Umzäunungen aus: diese brauchen nur ungefähr sechzig Zentimeter hoch zu sein. Die

Zwerg-Brahma-Hennen, columbia

Zwerg-Brahma-Hahn, columbia

Hähne sind durchgehend freundlich und wenig aggressiv.

Ausstellungstiere muss man in überdachten, sauberen und trockenen Gehegen halten, damit ihre Fußfedern nicht verschmutzen oder

Mehrfachgesäumt blau-wildfarbiger Zwerg-Brahma-Hahn

Schaden nehmen. Meist brauchen die Tiere vor Ausstellungen dennoch ein Fußbad. Dank ihres ruhigen Wesens und gesunden Appetits können Zwerg-Brahmas leicht Fett ansetzen. Füttern Sie also zurückhaltend; d.h. so, dass nicht den ganzen Tag über Futter verfügbar ist.

BESONDERHEITEN

Der breite Schädel ist bei dieser Rasse oft nur ein Wunschtraum. Eigentlich fehlt er bei den meisten Farbschlägen. Nur bei birken- und columbiafarbigen Tiere kommt dieses Rassemerkmal regelmäßig vor. Die übrigen Varianten haben lange, schmale Köpfe.

Zwerg-Burma oder Zwerg-Sultan

HEIMAT

Asien (Burma bzw. Myanmar).

GESCHICHTE

Zwerg-Burmas sind eine alte Rasse, welche der Überlieferung nach hin und wieder von Seefahrern aus Burma importiert wurde. Wahrscheinlich sind diese Zwerge die Urahnen verschiedener Zwergrassen, bspw. der Federfüßigen Zwerghühner und der Chabos. Bis etwa 1990 gab es in den Niederlanden nur einen vagen Rassestandard. Da man fast fünfzig Jahre nichts von diesen Tieren gehört hatte, wurde die Rasse nicht mehr in den Standard aufgenommen. Auch in England gab es nur noch eine Beschreibung; die Tiere selbst waren ausgestorben. Verschiedene Züchter machten sich daran, sie mit Hilfe bestehender Zwerghühner neu zu schaffen. 1990 hatte ein solcher Versuch schließlich Erfolg: aus Chabos, Zwerg-Cochins, Ukkelschen Bartzwergen und Zwerg-Crève-Cœurs wurde die Rasse rückgezüchtet.

ÄUSSERE MERKMALE

Zwerg-Burmas sind mit den Federfüßigen Zwerghühnern und den Chabos verwandt. Von den Erstgenannten haben sie die Fußbefiederung und die „Geierfersen" geerbt, von den Letzteren den niedrigen Stand. Ihr Körper scheint sich durch die niedrige Beinstel-

lung und das volle Gefieder noch dichter über dem Boden zu befinden. Die Fußbefiederung ist stark entwickelt. Die Oberschenkelfedern sind beiderseits zu „Geierfersen" verlängert, die großteils unter den recht großen, niedrig getragenen Flügeln verschwinden. Der kompakte, kaum mittelgroße Kamm sitzt weit hinten auf dem Kopf. Der volle Bart ist dreigeteilt. Die Tiere besitzen kurze, teilweise vom Bart verdeckte Kinnlappen und Hörnerkämme mit etwa v-förmigen Hörnchen. Die Iris ist rotbraun. Der Schwanz wird hoch getragen und weist gut entwickelte Sicheln sowie zahlreiche Stoßfedern auf. Die Läufe sind gelb; beim schwarzen Farbschlag jedoch so dunkel pigmentiert, dass der gelbe Farbton nur noch an den Sohlen und zwischen den Zehen durchscheint.

FARBEN
Bislang wird nur der Farbschlag „schwarz" anerkannt. Andere Varianten wie weiß, gelbschwarzschwänzig und goldhalsig-schwarz befinden sich noch im Aufbau.

EIGENSCHAFTEN
Zwerg-Burmas eignen sich wegen ihrer geringen Größe auch für kleinere Gehege. Diese müssen im Hinblick auf die Haube, den Bart und die üppige Fußbefiederung jedoch trocken sein. Man kann die Tiere auch frei im Garten halten, da sie wegen der reichen Fußbefiederung keinen großen Schaden anrichten – ein großer Vorteil, wenn man Wert auf einen gepflegten Garten legt. Bei feuchter

Witterung brauchen diese Tiere jedoch trockene Unterstände. Vom Wesen her sind Zwerg-Burmas ruhig und zutraulich. Das gilt besonders für Hennen. Diese legen reichlich verhältnismäßig stattliche, hellbraune Eier. Zwerg-Burmas sind eine vitale, fruchtbare Rasse, deren Küken problemlos aufwachsen.

BESONDERHEITEN
Ursprünglich wurden Zwerg-Burmas mit verschiedenen Kammformen anerkannt. Der Einzelkamm galt dabei als sehr häufige Kammform. Der heutige Standard beruht auf Tieren aus einem einzigen Zuchtbetrieb. Einige Züchter bemühen sich nun, Zwerg-Burmas mit Einzelkamm zu züchten.

Chabo oder Japan-Zwerghuhn

HEIMAT
Japan.

Chabo-Henne, „Weißer Blauschwanz"

GESCHICHTE

Es handelt sich um eine echte Zwerghuhnrasse, also nicht um die Zwergform eines schon vorher bestehenden „Großhuhns". Die Ahnen des Chabo wurden aus China nach Japan eingeführt. Manchmal ist auch von Importen aus Indochina beziehungsweise Vietnam die Rede. Ihre endgültige Form erhielt die Rasse in Japan, wo sie immer noch sehr beliebt ist. Sie ist sehr alt: die ersten Chabos gelangten vermutlich im sechzehnten Jahrhundert nach Europa.

ÄUSSERE MERKMALE

Von dieser Zwerghuhnrasse gibt es verschiedene Varianten: man kennt etwa Chabos mit krausen und seidigen Federn, schwanzlose Tiere und solche mit Bärten. Es gibt auch eine sogenannte großkämmige Spielart. Die Hähne dieser Variante besitzen extrem große Kämme. Außerdem ist noch eine schwarzköpfige Abart bekannt: diese Hühner haben viel dunkler pigmentierte Köpfe; Kopfhaut und Kamm sind hier purpurn. Alle Varianten zeichnen sich durch sehr kurze Läufe aus, so dass die Beine fast ganz zwischen den Federn und Daunen verschwinden. Der große, breite Schwanz muss mit dem Körper einen spitzen Winkel bilden. Hierdurch und dank des hoch getragenen Kopfes wirkt der Körper in der Seitenansicht u-förmig. Die kurzen Beine und die niedrig getragenen Flügel sorgen dafür, dass die Flügelspitzen den Boden streifen. Chabos haben ein üppiges Federkleid und wirken so größer als sie wirklich sind. Die kurzen Läufe sind gelb.

FARBEN

Chabos werden in verschiedenen Farben gezüchtet, u.a. in blaugesäumt, gelb mit blau-

Weißer Chabo-Hahn mit schwarzem Schwanz

Schwarzbunter Chabo-Hahn

em, gelb mit schwarzem, weiß mit blauem und weiß mit schwarzem Schwanz, gesperbert, schwarz, weiß, ungesäumt blau, gelb, weizenfarbig, silber- und gelb-weizenfarbig, gold- und silberhalsig-schwarz, birkenfarbig, blau- und gold-birkenfarbig, gelb-columbia, schwarz-, blau-, rot- und ocker-weißgeperlt, rotschultrig weiß, porzellanfarbig, wildfarbig, silbern, blau-, mehrfach gesäumt und mehrfachgesäumt silbern-wildfarbig, perlgrau, blaubunt und hellgelb.

EIGENSCHAFTEN

Chabos sind *die* idealen Zwerghühner für Kinder: dank ihrer geringen Größe können diese gut mit ihnen hantieren, und außerdem haben die Hühner eine ruhige, zutrauliche Art. Wegen ihrer kurzen Beine können sie nicht schnell laufen. Diese Zwerge legen nur sehr wenige kleine Eier, geraten aber leicht in Brutstimmung. Hähne und Hennen kümmern sich gemeinsam um die Küken. Man kann sogar eine Glucke mit Küken bei anderen Chabos lassen; untereinander sind die Tiere verträglich. Die Hähne krähen wohltönend und leise. Platz brauchen diese Tiere nur wenig, weshalb sie sich für kleine Grundstücke eignen. Wenn für einen gut isolierten Stall gesorgt ist, kann man sie auch in Innenstadtgärten pflegen. Von dieser Sorte sollte man stets auch einen Hahn halten – schon wegen seines ungewöhnlichen Äußeren. Wenn ihre Kinder (als Pfleger) schon älter sind, stellt diese Rasse eine ausgezeichnete Wahl dar.

Schwarzbunte Chabo-Henne

Schwanzlose schwarze Chabo-Henne

Einen Tag altes weißes Chabo-Küken

Silbern-weizenfarbene Chabo-Henne mit Seidenfedern

BESONDERHEITEN

Hauptkennzeichen der Chabos sind ihre kurzen Beine. Ihnen verdanken diese Tiere auch den Spitznamen „Clowns unter den Hühnern". Ihr Gang wirkt daher leicht watschelnd. Die kurzen Beinchen erfordern auch besondere Pflegemaßnahmen: so dürfen die Sitzstangen im Stall nicht zu hoch angebracht sein, und die Fress- und Trinknäpfe müssen entsprechend postiert werden. Der Stalleingang darf ebenfalls nicht zu hoch liegen – am besten direkt auf Fußbodenniveau. Man kann diese Hühner auch frei im Garten laufen lassen. Da sie kaum scharren oder wühlen, dürfte Ihr Rasen dabei kaum Schaden leiden. Bei feuchter Witterung brauchen die Tiere einen trockenen Unterstand, da ihr Brustgefieder fast bis zum Boden reicht und leicht nass wird. Weil auch die Flügelspitzen fast die Erde berühren, muss der Stall stets sauber gehalten werden. Die großen Kämme und Kinnlappen der Chabos brauchen bei Frost besondere Pflege: fetten Sie diese Partien mit säurefreier Vaseline ein. Die Veranlagung für kurze Beine beruht auf einem letalen Erbfaktor; dieser sorgt dafür, dass niemals reinrassi-

ge Küken schlüpfen. Aus hundert befruchteten Eiern kurzbeiniger Eltern schlüpfen etwa fünfzig kurzbeinige und fünfundzwanzig „normale" Tiere, während der Rest abstirbt. Ein vorzeitiges Absterben lässt sich aber verhindern, indem man kurzbeinige Tiere mit „normalen" Partnern paart. In diesem Falle schlüpfen jeweils 50 % kurz- und normalbeinige Küken.

Zwerg-Cochin

HEIMAT
China.

GESCHICHTE
Obwohl der Rassenname auf eine Zwergform der großen Cochins zu verweisen scheint, haben die Tiere mit diesen Hühnern zu wenig Ähnlichkeit. Die Rasse wurde bereits im neunzehnten Jahrhundert in England gehal-

ten und gezüchtet, existierte aber schon viel länger in China, von wo viele Tiere importiert wurden.

Zwerg-Cochins (Abbildung von ca. 1900)

ÄUSSERE MERKMALE

Auf den ersten Blick wirkt dieses Huhn wie ein „Federball auf Füßen". Die Tiere sind kurz, breit und haben einen sehr niedrigen Stand. Ihr üppiges Gefieder verfügt über ein dickes Daunenpolster. Auch die Läufe sind dicht befiedert, so dass man von den Beinen fast nichts mehr sieht. Der Schwanz ist ein weicher, runder Federbusch, den beim Hahn kurze, biegsame Schmuckfedern bedecken. Da auch der Sattel breit und üppig befiedert ist, scheint der Schwanz schon am Ende des Halsbehangs zu beginnen. Die Rückenlinie ist

Rot-porzellanfarbiger Zwerg-Cochin-Hahn

fast unsichtbar. Der höchste Punkt des Schwanzes liegt nicht am Ende, sondern eher zum Sattel hin. Ihre niedrige Stellung betonen diese Hühner noch dadurch, dass sie einen „Diener" machen. Wenn man vom Kopf eine horizontale Linie zöge, würde sie den höchsten Punkt des Schwanzes berühren. Die Brust ist voll und hoch. Zwerg-Cochins haben Einzelkämme, rote Ohrlappen, rotbraune Augen und gelbe Läufe. Bei dieser Rasse kommen Tiere mit normalen und krausen Federn vor.

FARBEN

Die Rasse wird in vielen Farben und Zeichnungen gezüchtet, unter anderem in schwarz, ungesäumt blau, weiß, gelb, rot, birken- und gold-birkenfarbig, columbia, gelb-columbia, gesperbert und golden-gesperbert, weizen- und silbern-weizenfarbig, perlgrau, porzellanfarbig, schwarz- und blauweiß-geperlt, mehrfachgesäumt und silbern-wildfarbig, lachsfarbig und blaugesäumt.

EIGENSCHAFTEN

Zwerg-Cochins sind sehr beliebt, nicht nur

Rot-porzellanfarbige Zwerg-Cochin-Hennen

Schwarzer Zwerg-Cochin-Hahn mit krausen Federn

Weiße Zwerg-Cochin-Henne

Zwerg-Cochins legen sehr kleine Eier

wegen ihres ruhigen und angenehmen Charakters, sondern auch wegen ihres sympathischen, kugelrunden Aussehens. Diese Zwerghühner gehören eigentlich in ein überdachtes Gehege, da sie wegen der reichen Bauch- und Fußbefiederung sowie des niedrigen Standes sehr schnell nass und schmutzig werden. Angesichts ihrer geringen Fluglust wäre eine Überdachung nicht erforderlich. Weil die Tiere nur wenig Platz brauchen und sehr zahm sind, eignen sie sich perfekt für Kleingartenbesitzer. Die Hennen legen nur wenige, überdies sehr kleine Eier mit hellbeiger Schale. Nachteilig ist, dass die Hennen leicht und dauerhaft in Brutstimmung geraten: selbst ohne Legeboxen setzen sie es sich plötzlich in den Kopf, mit dem Brüten zu beginnen. Als Glucken sind sie zuverlässig: man kann ihnen die verschiedensten Küken anvertrauen, sogar solche von Enten oder Fasanen. Untereinander gebärden sich diese sonst ruhigen und zahmen Hühner weniger friedlich: wenn man fremde Tiere zueinander setzt, kommt es manchmal sogar unter den Hennen zu Kämpfen. Junghähne gehen einem heftigen Streit niemals aus dem Weg. Manchmal reagieren

sie sogar auf ihren Pfleger aggressiv, doch ist das nicht bei allen Zuchtstämmen der Fall. Vorteilhaft ist ferner, dass die meisten Hähne nur recht leise krähen.

BESONDERHEITEN

Die in vielen kontinentaleuropäischen Ländern anzutreffenden Cochins vertreten den amerikanischen Typ. In England nennt man diese (dort viel kleinere und weniger breite) Rasse „Peking-Zwerghühner". Sie ist dort auch weniger üppig befiedert.

Schwarzer Zwerg-Cochin-Hahn

Doorniker Zwerghuhn (NA)

HEIMAT
Belgien.

GESCHICHTE
Im 19. Jahrhundert entstand aus im franzö-
sisch-belgischen Grenzgebiet verbreiteten
Bauernhühnern eine regionale Rasse, die man
„Mille fleurs du Tournaisis" taufte. Außerdem
war sie unter der Bezeichnung „Naine du
Tournaisis" (deutsch: „Tournaier Zwerghuhn") bekannt, die sich dann durchsetzte.
Der genaue Ursprung dieser Rasse ist unbekannt, doch zählt vermutlich das altfranzösi-
sche, schwarzbunte Mantes-Huhn zu ihren
Ahnen (umso wahrscheinlicher, als dieses im
gleichen Landstrich gehalten wird).
Erstmals erwähnt wird die Rasse 1923 in der
Zeitschrift „Chasse et pêche" („Jagd und
Fischfang"). Schon vor dem Ersten Weltkrieg
hatte man mit der Festlegung der Rassemerkmale begonnen, doch musste dies kriegsbe-
dingt abgebrochen werden. Danach erfolgte
die Rückzüchtung mit Hilfe des Restbestan-
des und wildfarbig-bunter Alt-Englischer
Zwergkämpfer.

Doorniker Zwerghuhn-Henne

Doorniker Zwerghuhn-Hahn

Doorniker Zwerghühner

ÄUSSERE MERKMALE
Doorniker Zwerghühner sind eine urtümliche
Rasse mit kleinem Körper. Der hoch getragene Schwanz und die niedrig getragenen Flügel
entsprechen dem Landhuhn-Typus. Die Flügel nehmen zwar eine schräge Haltung ein,
dürfen aber nicht hängen. Den stark gespreizt
getragenen Schwanz zieren beim Hahn lange,
stark gekrümmte Hauptsicheln. Die Ohrlappen sind rot, und der Einzelkamm ist recht
klein. Die Augen sind orangerot, die Läufe
fleischfarbig.

FARBEN
Bei dieser Rasse gibt es nur den Farbschlag
dreifarbig-bunt.

EIGENSCHAFTEN
Diese im Schnitt siebenhundert Gramm
schweren Zwerghühner haben in Belgien und
den Nachbarländern einen kleinen, aber festen Freundeskreis. Ansonsten begegnet man
ihnen kaum. Doorniker Zwerghühner sind
eine lebhafte, robuste Rasse. Wenn man sie

frei laufen lässt und ihnen Gelegenheit dazu bietet, übernachten sie lieber auf Bäumen als im Stallinneren. Trotz ihres Freiheitsdranges kann man sie jedoch auch in kleineren, überdachten Gehegen halten. Es handelt sich um zutrauliche Zwerghühner von lebhafter Art. Für eine Zwerghuhnrasse legen die Hennen recht gut, und die Eier haben ein stattliches Format.

Doorniker Zwerghühner sind gute und verlässliche Glucken, weshalb man sie früher auch zum Ausbrüten von Fasanen- und Rebhuhneiern einsetzte.

BESONDERHEITEN

Wegen ihres ruhigen Charakters und der geringen Größe hielt man diese Hühner zu Anfang des zwanzigsten Jahrhunderts auch auf Binnenschiffen, die auf der Schelde verkehrten. Deshalb nannte man diese Zwerge dort früher auch „Schifferhühnchen".

Farbe und Zeichnung machen das Doorniker Zwerghuhn zu einem einzigartigen Phänomen. Während man bei allen anderen Rassen normalerweise eine möglichst regelmäßige Zeichnung schätzt, wird beim Doorniker Zwerghuhn das genaue Gegenteil gefordert: die Federn dieser Rasse dürfen deshalb sowohl drei- als auch einfarbig sein. Leider ist man im Heimatland dieser eigenartigen Rasse hinsichtlich der Farbe geteilter Meinung. Im wallonischen Landesteil Belgiens bevorzugt man eine gelbbraune Grundfarbe, im flämischen hingegen eine kastanienbraune.

Zwerg-Hamburger

HEIMAT
Niederlande.

GESCHICHTE

Die Zwerg-Hamburger stammen von einem kleinen Zwerghuhn des Landhuhn-Typs ab, das von alters her in Westeuropa vorkam. Es handelt sich also um eine echte Zwergrasse und nicht um die Zwergform einer großen Rasse. Später kreuzte man weitere Rassen ein, um neue Farbschläge zu erhalten. In den Niederlanden wurde diese Zwergrasse 1906 aner-

Perlgrauer Zwerg-Hamburger-Hahn

kannt und dabei zur „nationalen Zwerghuhnrasse" des Landes ausgerufen.

Ursprünglich gab es neben Tieren mit Einzel- auch solche mit Rosenkamm. Das ist nicht mehr der Fall. Eine 1997 vorgenommene Genuntersuchung ergab, dass Zwerg-Hamburger eng mit Altholländer Landhühnern verwandt sind.

ÄUSSERE MERKMALE

Zwerg-Hamburger sind die kleinste bekannte Zwerghuhnrasse: Hähne wiegen im Schnitt nur 500 Gramm, Hennen nicht mehr als 450 Gramm. Ihr Typ ist – wie man am recht hoch getragenen Schwanz erkennt – vom Landhuhn abgeleitet. Der kurze, „hohle" Rücken geht fließend in den gespreizten Schwanz über. Die Brust wird weit nach vorn gereckt und ist stark gewölbt. Der Stand ist recht

Gelb-wildfarbige Zwerg-Hamburger-Henne

Silbern-wildfarbige Zwerg-Hamburger-Henne

Schwarze Zwerg-Hamburger-Henne

Weißer Zwerg-Hamburger-Hahn

niedrig, und die Läufe sind schiefergrau. Zwerg-Hamburger tragen ihre Flügel recht niedrig. Ihre Haltung ist sehr schräg, doch dürfen sie nicht bis zum Boden reichen. Den kleinen, zierlichen Kopf schmückt ein kleiner Einzelkamm. Die Ohrlappen sind weiß, die Augen orange- bis braunrot. Hähne besitzen reiche Schmuckfedern: ihr Sattel trägt recht lange „Sattelfedern". Der Schwanz mit den breiten, langen und stark gekrümmten Haupt- und Nebensicheln ist ein wahres Prunkstück.

FARBEN

Zur Zeit gibt es viele Farben und Zeichnungen, u. a. schwarz, ungesäumt blau, weiß, wildfarbig, blau-, blausilbern-, gelbsilbern, rotschultrig blausilbern-, rotschultrig silbern- und gesperbert-wildfarbig, gesperbert, perlgrau-gesperbert, gelb-columbia und gelb-columbia-blaugezeichnet, weizenfarbig, lachsfarbig, perlgrau, rotschultrig-weiß, wachtel- und silbern-wachtelfarbig – und es kommen immer wieder neue hinzu ... So züchtet man in England columbia Tiere, und in den USA entstand zufällig eine geflockte Variante.

EIGENSCHAFTEN

Zwerg-Hamburger sind aktive Tiere, die dank ihrer geringen Größe nur wenig Platz brauchen. Man kann sie gut in sogenannten „Etagenkäfigen" halten und sogar in kleinen Gärten mit der Zucht beginnen. Die Hennen legen weiße Eier, geraten leicht in Brutstimmung und sind mit ihren winzigen Küken ein wirklich putziger Anblick. Wenn erst einmal Küken da sind, muss man ausreichend feine Gaze verwenden, da sie sonst leicht hindurchschlüpfen. Für Ihre Kinder sind diese Zwerge ideale Spielkameraden: dank ihrer geringen Größe kann man leicht mit ihnen hantieren; außerdem werden sie ungewöhnlich zahm. Untereinander verhalten sich die Hühner sehr friedlich.

BESONDERHEITEN

Zwerg-Hamburger sind in aller Welt ungewöhnlich beliebt, in vielen Ländern gibt es spezielle Züchterverbände. Sogar in den USA besteht die „Dutch Bantam Association".

Zwerg-Holländer Haubenhuhn

HEIMAT

Niederlande und England.

GESCHICHTE

Diese Zwergform des Holländer Haubenhuhns entstand unabhängig voneinander in England und den Niederlanden. Der englische Zwerghuhn-Spezialist Entwistle kreuzte gegen Ende des 19. Jahrhunderts kleinwüchsige Haubenhühner mit Bantams. Daraus entstand eine noch viel zu große Zwergrasse. In

sind weiß, die Augen rotbraun. Innerhalb der Rasse werden zwei Varianten anerkannt: Tiere mit weißem Schopf und solche, wo Haube und Körper gleichfarbig sind. Am häufigsten – und kontrastreichsten – sind die echten „Weißhauben": ihre Haube ist bis auf ein paar Federn über der Stirn schneeweiß; letztere sind wie der Körper gefärbt.

FARBEN

Es gibt folgende Farbschläge: schwarz, weiß, gesäumt blau, gesperbert, schwarzbunt und gelb. Seit Ende des 20. Jahrhunderts arbeitet man auch an weißen Tieren mit schwarzer Haube.

EIGENSCHAFTEN

Zwerg-Holländer Haubenhühner sind sehr ruhige Tiere, die besondere Fürsorge verlangen. Ihre „Haube" ist eine ideale Brutstätte für Läuse und erfordert daher regelmäßige Kontrollen und Prophylaxen. Wenn sie nass wird, ist es nicht nur um das schöne Äußere getan; die nassen, strähnigen Kopffedern be-

Zwerg-Holländer Haubenhuhn-Henne

den Niederlanden unternahm man im Hühnerpark „de Nijverheid" in Vlaardingen einen erfolgreichen Versuch, doch sind die dabei verwendeten Rassen leider nicht mehr verfügbar. Die heutigen Zwerg-Weißhauben stammen von dieser „Kreation" ab. In den Niederlanden wurden sie erstmals 1915 ausgestellt.

ÄUSSERE MERKMALE

Zwerg-Holländer Haubenhühner gehören zum Landhuhn-Typus. Es sind recht schlanke Hühner mit langgestrecktem Körper. Der Schwanz wird hoch und stark gespreizt getragen. Beim Hahn zieren ihn breite, lange, stark gekrümmte Sichelfedern. Die ziemlich langen Flügel ruhen in schräger Haltung dicht am Körper. Die Läufe sind schiefergrau. Markenzeichen dieser Rasse ist die große, volle, runde „Haube". Sie entspringt einer Erhöhung des Schädeldaches, dem sogenannten Haubenknauf. Bei Hennen sind die Haubenfedern kurz und rundlich, so dass ein kugeliges Gebilde entsteht. Hähne besitzen hingegen etwas längere, schmalere Federn, so dass ihre Haube einen „Strich" nach hinten bekommt. Diese Hühner sind kammlos. Die Ohrlappen

hindern die Tiere auch erheblich. Sie brauchen daher unbedingt ein trockenes, überdachtes Gehege.

Wenn man ruhig mit seinen Tieren umgeht, lassen sich diese ruhigen Zwerghühner recht rasch zähmen. Ihr Schopf behindert die Sicht der Tiere nach oben und seitwärts: fassen Sie diese Hühner deshalb niemals unversehens von oben an – das würde sie zu sehr erschrecken. Die Hennen legen eine stattliche Menge weißschalige Eier. Sie geraten zwar in Brutstimmung, doch ist diese Anlage bei Hennen dieser Rasse nicht sehr ausgeprägt. Schon bei Küken ist die unterschiedliche Färbung von Haube und Körper deutlich zu erkennen (und auch der noch deutlich sichtbare Scheitelknauf).

BESONDERHEITEN

Die Größe der Haube wird intermediär vererbt, d.h. die Küken von Elterntieren mit mittelgroßen Hauben können sowohl größere als auch deutlich kleinere haben. Werden diese zu groß, behindern sie die Sicht erheblich. Die Züchter berücksichtigen das, indem sie zur Zucht auch Tiere mit kleineren Hauben verwenden. Außerdem achten sie darauf, dass

die Struktur der Haube nicht zu locker gerät. Wenn trotz alledem einige Küken mit (späterer) „Sichtbehinderung" schlüpfen, muss man die Federn über den Augen hin und wieder leicht stutzen.

Bantam

HEIMAT

Möglicherweise Indonesien (Java).

GESCHICHTE

Es lässt sich nicht mehr genau ermitteln, woher diese beliebten Hühner ursprünglich stammen. Viele glauben, dass sie aus Java nach Europa importiert wurden, aber damals noch nicht dem heutigen Einheitstyp entsprachen. Der erste Spezialclub für diese Rasse wurde 1909 in Deutschland gegründet. In England nennt man sie kurzerhand „rosecombs" (Rosenkämme). Das deutet darauf hin, dass die Rasse sehr alt ist und zu den ältesten jemals importierten „Rosenkämmen" gehört.

ÄUSSERE MERKMALE

Bantams haben mehrere auffallende Merkmale: ihr Typus ist kurz und aufrecht; die Federn

Gesperberte Bantam-Henne

Gesperberter Bantam-Hahn

Gesperberter Bantam-Hahn

Schwarze Bantam-Henne

Schwarze Bantam-Henne

Schwarzer Bantam-Hahn

Schwarzer Bantam-Hahn

sind breit und an der Spitze abgerundet, was v. a. an den langen, breiten Hauptsicheln ins Auge fällt: diese sind stark gekrümmt und haben abgerundete Spitzen. Ein weiteres Markenzeichen der Rasse ist der kleine, kurze und breite Kopf. Ihn ziert ein mit feinen Warzen („Perlen") besetzter Rosenkamm, der in einem waagerecht nach hinten weisenden Kammdorn endet. Die Irisfarbe richtet sich nach dem jeweiligen Farbschlag und ist bei dunklen Varianten dunkelbraun. Sehr auffällig sind die großen, dicken, runden weißen Ohren. Bantams tragen die Flügel schräg am Körper. Ihre Brust ist kräftig gewölbt und wird leicht vorgereckt. Der Rücken ist kurz und „hohl". Die Farbe der Läufe variiert je nach Farbschlag und ist bei den (am häufigsten vertretenen) dunklen Varianten schiefergrau. Diese kleinen Zwerghühner sind nicht sonderlich schwer: Hähne wiegen etwa 650 Gramm, Hennen ungefähr 550.

FARBEN

Bantams werden in vielen verschiedenen Farben gezüchtet, u. a. in schwarz, weiß, gelb, ungesäumt und gesäumt blau, wildfarbig, blau-, silbern-, gelb- und gesperbert-wildfarbig, perlgrau, columbia, gelb-columbia, ge-

sperbert, porzellanfarbig, zitronen-porzellanfarben, schwarz- und blau-weißgeperlt sowie birkenfarben. Am häufigsten ist der schwarze Farbschlag.

EIGENSCHAFTEN

Diese Rasse ist recht ruhig und lässt sich leicht zähmen. Bantams eignen sich auch für kleinere Grundstücke wie Innenstadtgärten. Leider sind die Hähne sehr temperamentvoll und stimmgewaltig. Das qualifiziert sie für Krähwettkämpfe, nicht aber für „gute Nachbarschaft". Deshalb brauchen sie unbedingt einen schalldicht isolierten Stall. Untereinander sind sie sehr aggressiv: bei ihren Kämpfen können die schönen weißen „Ohren" leicht beschädigt werden. Das lässt sich nur verhindern, indem man die Junghähne einzeln aufzieht. Die Hennen legen mäßig viele Eier mit weißer Schale.

BESONDERHEITEN

Ein schwarzer Bantam-Hahn mit grünen Glanzlichtern auf den breiten Federn ist ein wahres Schmuckstück. Dazu müssen die Federn allerdings wirklich breit ausfallen, was bereits sehr eiweißreiches Aufzuchtfutter erfordert. Selbstverständlich wird man auch später tierisches Eiweiß (etwa in Form von Mehlwürmern) beifüttern.

Zwerg-Nackthalshuhn

HEIMAT
Deutschland.

GESCHICHTE
Schon gegen Ende des neunzehnten Jahrhunderts versuchte man erstmals, eine Zwergform des Nackthalshuhns zu züchten – allerdings erfolglos. Weitere Versuche nach der Jahrhundertwende „versandeten" gleichfalls völlig wegen des Ersten Weltkriegs.

Um 1935 unternahm man den dritten Anlauf – diesmal mit Erfolg: große Nackthalshühner wurden mit verschiedenen Zwergrassen vom Landhuhntypus gekreuzt, was schließlich zur Anerkennung des Zwerg-Nackthalshuhns führte.

ÄUSSERE MERKMALE
Sehr viele Menschen hegen beim Anblick die-

ser sonderbaren Rasse Vorurteile: der nackte, rote Hals wird als unnatürlich oder gar „empfindlich" empfunden.

Dabei sind Zwerg-Nackthalshühner nichts weniger als empfindlich: man findet sie vielmehr schon seit Jahrhunderten in den kältesten Zonen Europas, ohne dass sie Probleme mit ihrem nackten Hals haben. Eine fehlende Befiederung ist sicher nichts Unnatürliches: Kampfhühner besitzen meist ein sehr knappes Federkleid, und es gibt sogar Wildvogelarten mit nackten Hälsen (unter anderem bestimmte Geierarten).

Vom Typus her entsprechen die Tiere dem Landhuhn. Ihr langgestreckter Rumpf besitzt einen leicht abfallenden Rücken, der in den stark gespreizten, halbhoch getragenen Schwanz übergeht. Die Flügel werden dicht am Körper getragen. Der vollständig kahle Hals ist beim Hahn tiefrot gefärbt, bei den Hennen aber viel heller. Mangels der Federn wirkt er sehr lang. Er geht in den ebenfalls weitgehend kahlen Schädel über, der nur auf dem Scheitel Federn aufweist. Die Tiere besitzen mittelgroße Einzelkämme und rote Ohrlappen. Ihre Iris ist orangerot gefärbt.

Porträt eines Zwerg-Nackthals-Hahns

Schwarzer Zwerg-Nackthals-Hahn

Anerkannt werden die Farbschläge weiß, schwarz, gesäumt blau und gesperbert.

EIGENSCHAFTEN

Anders als der erste Eindruck vermuten lassen könnte, sind Zwerg-Nackthälse eine kräftige, abgehärtete Rasse, die keine besonderen Ansprüche an die Unterbringung stellt. Sie fühlen sich selbst bei scharfem Frost „pudelwohl". Auch im Umgang sind sie sehr ange-

Eine Woche altes Zwerg-Nackthals-Küken

nehm: für Landhühner können sie ausgesprochen zahm werden. Da sie recht klein sind, brauchen sie keinen besonders großen Stall. Die Hennen legen im Allgemeinen recht gut und geraten leicht in Brutstimmung. Wegen der knappen Befiederung fällt es ihnen aber schwer, die Eier warm zu halten. Wenn Nackthalshennen als Glucken dienen sollen, darf man ihnen höchstens fünf Eier anvertrauen.

BESONDERHEITEN

In Europa gibt es zwei Arten von Nackthalshühnern: die siebenbürgische – dessen Zwergform die hier beschriebene Rasse ist –

Schwarze Zwerg-Nackthals-Henne

und die französische Variante. Beide unterscheiden sich vornehmlich durch den Hals: er muss bei Siebenbürgern völlig nackt sein, während bei den Franzosen an seiner Vorderseite ein kleiner Federbusch sitzt, das sogenannte „Lätzchen".

Der genetische Faktor für Nackthalsigkeit wird dominant vererbt: aus Kreuzungen von Nackthalshühnern mit anderen Rassen gehen also unmittelbar Küken mit kahlen Hälsen hervor. Allerdings neigt der Erbfaktor dazu, sich auf das gesamte Gefieder auszuwirken: wenn man nur mit nackthalsigen Tieren züchtet, schlüpfen auch Küken mit teilweise kahler Brust. Das ist unerwünscht, weshalb Züchter in ihre Zuchtstämme stets auch Tiere aufnehmen, die nicht genau dem Idealtyp entsprechen, aber durchaus die gewünschten Küken liefern.

Zwerg-Paduaner

HEIMAT

England.

GESCHICHTE

Um 1870 unternahm der englische Züchter Entwistle die ersten Versuche zur Zucht von Zwerg-Paduaner. Dazu kreuzte dieser erfolgreiche Mann recht kleinwüchsige große Paduaner mit Sebrights und Bantams. Durch Inzucht mit den Kreuzungsprodukten gelangte er ans Ziel.

ÄUSSERE MERKMALE

Diese Tiere entsprechen wie andere Zwerg-

Verschiedene Farbschläge des Zwerg-Paduaners

Silbern-weißgesäumter Zwerg-Paduaner-Hahn

Gelb-weißgesäumter Zwerg-Paduaner-Hahn

Golden-schwarzgesäumter Zwerg-Paduaner-Hahn

Porträt eines Zwerg-Paduaner-Hahns

Haubenhühner dem Landhuhn-Typus. Ihr Körperbau wirkt indes etwas gedrungener und kürzer als bei jenen. Zu diesem Gesamteindruck tragen auch das üppige Gefieder und der viel dickere Hals bei.

Der Rumpf ist breit und hat eine kräftig gerundete, recht hohe Brust, die stets leicht vorgereckt wird. Der Schwanz wird halbhoch und stark gespreizt getragen. Die Hähne besitzen breite, lange, stark gekrümmte Sichelfedern. Die Flügel werden leicht schräg dicht am Körper getragen. Die Läufe sind schiefergrau.

Der Kopf ist ein Prunkstück: bei Hennen ziert ihn ein großer, voller, kugeliger, kompakter Schopf. Dieser fällt bei Hähnen infolge der etwas längeren, schmaleren Federn weniger kugelig aus und scheint einen „Strich" nach hinten zu haben. Unter dem Kopf sitzt ein voller, dreigeteilter „Bart", der sich deutlich in Kehl- und Backenbärte gliedert. Der volle Bart drückt die übrigen Halsfedern nach hinten, so dass der Hals sehr dick wirkt. Diese Hühner dürfen weder Kämme noch Kehllappen haben. Wenn dies doch der Fall ist, sind sie meist sehr klein und müssen völlig zwischen den Federn verschwinden. Außer „normalen" Tieren gibt es auch solche mit krausen Federn.

Golden-schwarzgesäumtes Zwerg-Paduaner-Huhn

Gelb-weißgesäumte Zwerg-Paduaner-Henne

FARBEN

Diese Rasse wird in golden- und silbern-schwarzgesäumt, gelb-weißgesäumt, schwarz, weiß, gesäumt blau und gesperbert gezüchtet.

EIGENSCHAFTEN

Dieses Zwerghuhn ist nicht nur äußerlich anziehend, sondern hat auch ein sehr angenehmes Wesen. Manche – aber keineswegs alle – Hähne verhalten sich ihrem Pfleger gegenüber bisweilen etwas „ungezogen", die Hennen jedoch sind zutraulich, zahm und ruhig. Infolge der sehr üppigen Kopfbefiederung können sie allerdings schreckhaft reagieren, wenn man sich ihnen unvermittelt von oben nähert: sie bekommen das oft schlichtweg nicht mit. Nähern Sie sich diesen Tieren daher stets in Augenhöhe. Wegen der bewussten Federn brauchen die Hühner auch spezielle Fress- und Trinknäpfe: diese verhindern, dass Bart und Haube übermäßig beschädigt, nass oder schmutzig werden. Selbstverständlich muss man diese üppig befiederten Zwerge in trockenen, überdachten Gehegen halten. Die Hennen dieser Zierrasse legen recht viele weiße Eier, sind aber selten brutwillig.

BESONDERHEITEN

Bei allen großen und Zwerg-Haubenhühnern war es lange Zeit Mode, immer größere Hauben zu züchten. Das ging natürlich auf Kosten des Wohlbefindens der Hühner, da die Tiere jetzt zuwenig sehen konnten. In den letzten Jahrzehnten hat sich das deutlich verändert: die Züchter wollen die Rasse gern erhalten, aber auch dafür sorgen, dass sie ein natürliches Blickfeld behält. Dazu selektierten sie die Tiere streng auf feste, kompakte Hauben hin: je steifer die Federn sind, desto eher stehen sie aufrecht, statt den Tieren in die Augen zu hängen. Ferner begnügt man sich nun mit kleineren Hauben. Wenn man selbst Küken bekommen will, sollte man einen erfahrenen Züchter um Rat fragen.

Es gibt auch eine Großform des Zwerg-Paduaners. Sie wird hier nicht behandelt, hat aber in mehreren Ländern einen festen Freundeskreis und unterscheidet sich nur in der Größe von der Zwergrasse.

Federfüßiges Zwerghuhn

HEIMAT

Niederlande/Europa.

GESCHICHTE

Diese Rasse lebt schon seit Jahrhunderten in Europa – allerdings nicht in der heutigen rein-

Porzellanfarbig-blaugezeichneter Federfüßiger Zwerghuhn-Hahn

rassigen Form. Woher diese kleinen Tiere mit den befiederten Läufen stammen, weiß man nicht genau, vermutlich aus Asien. Ihren jetzigen Namen erhielt die Rasse 1902 in den Niederlanden, doch ist der Zusatz „Niederländer" nur im flämischen Landesteil Belgiens gebräuchlich.

ÄUSSERE MERKMALE

Federfüßige Zwerghühner sind sehr urtümli-che, klein bleibende Tiere. Die Hähne wiegen etwa 750 Gramm, die Hennen ungefähr 650. Es sind gedrungene Zwerghühner mit aufrechter Haltung. Der kurze Rücken geht spitzwinklig in den hoch und gespreizt getragenen Schwanz über, welchen beim Hahn steife, gerade Schmuckfedern zieren (letztere überragen die Stoßfedern). Die Flügelhaltung ist ziemlich schräg. Diese Zwerge besitzen ein steifes Federkleid, was sich besonders in der

*Porzellan-blaugezeichnete Federfüßige
Zwerghuhn-Henne*

Porträt eines Federfüßigen Zwerghuhn-Hahns

Fersenbefiederung zeigt: dort finden sich lange, steife, stracks nach hinten gerichtete Federn. Die „Geierfersen" oder „Säbel" haben dieser Zwerghuhnrasse zu ihrem niederländischen Namen verholfen.

Die Läufe sind schiefergrau gefärbt, und auch die Zehen tragen eine üppige Befiederung. Das Federfüßige Zwerghuhn hat einen Einzelkamm und rote Ohrlappen. Seine Iris ist orangerot.

Diese Rasse gibt es in vielen Farbschlägen, doch werden – wie bei so mancher anderen Rasse – nicht alle in allen Ländern anerkannt. Dazu gehören u.a. porzellanfarbig und isabell-, silbern-, blau- und zitronen-porzellanfarbig, wildfarbig, silbern- und rotschultrig-silbern-wildfarbig, schwarz, weiß, ungesäumt blau, gelb, birkenfarbig, gelb-columbia, schwarz-, blau- und ocker-weißgeperlt, gestreift und perlgrau.

EIGENSCHAFTEN

Das Federfüßige Zwerghuhn zählt zu den bekanntesten Zwergrassen und ist daher auch sehr beliebt. Diese abgehärtete Rasse kann auch von Anfängern gut gehalten werden. Da sie üppig befiederte Füße besitzt, kann sie im Allgemeinen nur wenig Schaden anrichten, wenn man sie frei im Garten laufen lässt. Falls Ihre Tiere jedoch auf Ausstellungen glänzen sollen, empfiehlt es sich, sie in trockenen, sauberen, überdachten Gehegen zu halten, da ihre Fußbefiederung ansonsten sehr schnell stark leidet.

Federfüßige Zwerghühner sind klein und brauchen daher wenig Platz; außerdem lassen sie sich leicht zähmen. Die Hennen legen recht viele Eier, die im Schnitt 38 Gramm

Schwarze Federfüßige Zwerghuhn-Henne

Porträt einer perlgrauen Federfüßigen Zwerghuhn-Henne

wiegen. Sie sind auch verlässliche Brüterinnen und ziehen ihre Küken meist problemlos groß.

BESONDERHEITEN

In Europa trifft man diese Rasse (und verschiedene Verwandte) schon seit Jahrhunderten an: so gibt es in England „Booted bantams", in Deutschland „Federfüßige Zwerghühner" und in Belgien „Ukkelse baardkrielen". Die Stammform ist u. a. mit den Chabos und Zwerg-Burmas verwandt. Anders als ihre asiatischen Ahnen haben Federfüßige Zwerghühner blaue Läufe, wahrscheinlich infolge der Einkreuzung lokaler Rassen. Die für Asiaten typische gelbe Lauffarbe kam bei dieser Rasse noch gegen Ende des 19. Jahrhunderts vor.

Niederländer Zwerg-Eulenbart-Huhn

HEIMAT
Niederlande.

Niederländer Zwerg-Eulenbart-Hahn, silberlack

GESCHICHTE

An der Wiege dieser Zwergrasse standen neben (großen) Niederländer Eulenbart-Hühnern vermutlich Antwerpener Bartzwerge und Zwerg-Paduaner. In den Niederlanden wurde sie 1935 anerkannt.

ÄUSSERE MERKMALE

Niederländer Zwerg-Eulenbart-Hühner sind etwa zwei Drittel kleiner als ihre großen Vettern: sie wiegen circa 700 Gramm. Das Kennzeichen, dem sie ihren Namen verdanken, ist der Kopf bzw. dessen Bart und Kamm. Der volle Bart und der aufrechte Hörnchenkamm verschaffen diesem viel Ähnlichkeit mit dem einer Eule. Wie andere Haubenhühner (und verwandte Rassen) besitzen auch diese Tiere stark erweiterte Nasenlöcher, die etwas oberhalb der Schnabelkante liegen. Hinter dem Kamm sitzt die rudimentäre Haube, welche aus einigen strubbeligen Federn besteht. Die Augen dieser Zwerge sind rotbraun, die Ohrlappen weiß. Sie entsprechen deutlich dem Landhuhntyp, besitzen also einen langgestreckten Körper mit recht hoch und gespreizt getragenem Schwanz, den beim Hahn zahlreiche Schmuckfedern zieren. Die Brust ist kräftig gewölbt, und legende Hennen besitzen einen recht tiefen, daunenreichen Hinterleib. Die Läufe sind bei den meisten Farbschlägen schiefergrau.

FARBEN

Schwarz, weiß, gesäumt blau, gesperbert,

Niederländer Zwerg-Eulenbart-Hühner

goldlack, silberlack und gelb-weißgetupft, golden und silbern geflockt sowie mohrenköpfig-goldgelb und -weiß. Erst 2000 wurde die relativ junge Variante silbern-perlgrau anerkannt. Dort ist die schwarze Lackung, die man vom Farbschlag „silberlack" her kennt, durch eine perlgraue ersetzt.

„Mohrenköpfe" unterscheiden sich von anderen Varianten durch die Farbe des Kopfes, der – wie der oberste Teil des Halses – schwarz ist. Diese attraktive Variante ist ein Charakteristikum der Rasse, aber leider praktisch so gut wie verschwunden.

EIGENSCHAFTEN

Wie ihre großen Vettern sind Zwerg-Eulenbart-Hühner ziemlich selten. Das ist schade, denn die Hennen dieser kräftigen, vitalen Rasse legen ausgezeichnet, und die Tiere können – sofern man ruhig mit ihnen umgeht – sehr zahm werden. Ihre Eier sind weiß. Trotz ihres lebhaften Wesens kann man sie erfolgreich auch in kleineren Gehegen halten, wenn für ausreichende Ablenkung gesorgt ist. Dank ihrer Vitalität lassen sich die Tiere leicht vermehren, doch die Zucht wirklich schöner Exemplare gestaltet sich nichtsdestoweniger erheblich schwieriger. Vor allem die kennzeichnende Kammform, an die hohe Anforderungen gestellt werden, fällt bei den Nachkommen recht variabel aus.

Zwerg-Phönix

HEIMAT
Deutschland.

GESCHICHTE
Zu Anfang des 20. Jahrhunderts – schon bald nach Einführung der ersten großen Phönix-Hühner aus Japan – versuchte man in Deutschland eine Zwergform zu züchten. Als Grundlage dienten Kreuzungen von Phönix-Hühnern mit Alt-Englischen Zwergkämpfern und anderen Zwergrassen vom Landhuhn-Typ. Obwohl die Rasse noch nicht sehr populär ist, wird sie schon häufiger als ihre großen Vettern gezüchtet.

ÄUSSERE MERKMALE
Zwerg-Phönixe sind lang, rank und schlank gebaut. Zum Gesamteindruck trägt auch die

Niederländer Zwerg-Eulenbart-Henne, goldlack

Silbern-wildfarbiger Zwerg-Phönix-Hahn

lange, in Verlängerung des Rückens recht niedrig getragene Schwanzpartie bei. Die volle Brust ist kräftig gewölbt. Die Flügelhaltung weist leicht schräg nach unten. Hennen besitzen einen langen, stark gespreizten Schwanz, dessen oberste Federn stark gekrümmt sind. Sattel und Schwanz des Hahnes tragen ungewöhnlich viele lange, schmale Federn. Erstere sind so lang, dass sie auf dem Boden schleifen. Auch die Sicheln haben eine stattli-

che Länge und streifen die Erde. Im Gegensatz zu anderen Hühnerrassen werden sie nicht alljährlich bei der Mauser gewechselt, sondern wachsen mehrere Jahre lang. Deshalb können sie bei guter Pflege sehr lang werden. Den Kopf des Zwerg-Phönix ziert ein kleiner Einzelkamm. Die Ohrlappen sind weiß, die Augen orangerot. Die mäßig langen Läufe sind schiefergrau oder olivgrün.

FARBEN

Beim Zwerg-Phönix werden die Farbschläge wildfarbig, silbern-wildfarbig und weiß anerkannt.

EIGENSCHAFTEN

Diese echten Zierhühner verlangen ihrem Besitzer vor allem eines ab: Hingabe. Die Reinhaltung des Stalles erfordert viel Einsatz: er muss unbedingt trocken und blitzsauber sein. Nur dann bleibt der lange Schwanz in optimaler Form. Die Sitzstangen muss man so hoch anbringen, dass der Schwanz stets ohne Wandkontakt frei herabhängen kann.

Da die Pflege von Zwerg-Phönixen viel mehr Mühe macht als die von Durchschnittshühnern, bekommt man diese Rasse nur selten zu

Silbern-wildfarbige Zwerg-Phönix-Henne

Weißer Zwerg-Phönix-Hahn

Wildfarbiger Zwerg-Phönix-Hahn

Schwarze Zwerg-Phönix-Henne

sehen. Ein Vorteil der intensiven Betreuung ist jedoch, dass die Tiere sehr ruhig und besonders zahm werden. Um das starke Wachstum des Schwanzes zu stimulieren, muss das Futter reich an tierischem Eiweiß sein. Die Hennen legen eine stattliche Menge weißer Eier.

Wildfarbige Zwerg-Phönix-Henne

Portrat eines schwarzen Zwerg-Phönix-Hahns

BESONDERHEITEN
Die große Stammform des Zwerg-Phönix ist viel seltener als die hier besprochenen Zwerge.

Sebright

HEIMAT
Großbritannien.

GESCHICHTE
Während die meisten Zwerghühner lediglich kleinere Varianten von viel größeren Rassen sind, handelt es sich bei den Sebrights um

Sebrights (Abbildung von etwa 1900)

„echte" Zwerge. Der Engländer Sir John Sebright schuf diese Rasse um 1800. Sein Ziel war eine Zwerghuhnrasse mit gesäumter Zeichnung – und das gelang ihm perfekt. Leider weiß man nicht genau, welche Rassen zu den Ahnen der Sebrights zählen.

ÄUSSERE MERKMALE
Typisch für diese Rasse ist die große Ähnlichkeit zwischen Hähnen und Hennen – ein Geniestreich ihres ersten Züchters, dem es darauf ankam, „hennenfiedrige" Tiere zu erhalten, d.h. den Hähnen sollten die geschlechtsspezifischen Schmuckfedern fehlen. Infolgedessen sind die Federn der Hähne am ganzen Körper schön gesäumt.

Sebrights gehören zu den kleinsten bekannten Zwerghühnern: sie wiegen im Schnitt circa 500 Gramm, also nur gut halb soviel wie die meisten anderen Zwergrassen. Sie haben einen sehr kurzen Rücken und wirken zerbrechlich. Die Brust wird stark vorgereckt, der Schwanz hoch und stark gespreizt getragen. Sebrights haben breite, rundliche Federn. Der Hals wird leicht rückwärts gekrümmt. Den ziemlich kurzen Kopf ziert ein purpurroter Rosenkamm, dessen Dorn stracks nach hinten weist. Seine Farbe ist purpurn. Bei Hennen ist er weniger auffällig gefärbt. Die Iris ist dunkel- bis schwarzbraun.

FARBEN

Die ersten Sebrights waren golden- und silbern-schwarzgesäumt. Lange Zeit gab es nur diese beiden Farbschläge, doch zu Anfang des 20. Jahrhunderts kamen außerhalb ihrer Heimat weitere hinzu, u.a. gelb-weißgesäumt und zitrone-schwarzgesäumt. Dennoch sind die ursprünglichen Varianten am beliebtesten.

Silbern-schwarzgesäumte Sebrights

Golden-schwarzgesäumte Sebright-Henne

EIGENSCHAFTEN

Sebrights sind lebhafte, putzige Tiere, die sich sehr leicht zähmen lassen. Es sind echte Zierhühner. Die Hennen legen nicht besonders gut; ihre Eier sind überdies sehr klein. Ihre geringe Größe hat indes den Vorteil, dass man die Tiere sehr gut auch in kleinen Gehegen halten kann: in jedem Kleingarten haben ein paar Sebrights Platz. Untereinander sind diese Hühner sehr verträglich. Vorteilhaft ist auch, dass die Hähne nicht schrill oder laut krähen; wenn man ein paar Vorsorgemaßnahmen trifft, kann man sie sogar in Wohngegenden pflegen. Die Hennen geraten nur in Maßen in Brutstimmung. Zur Fortpflanzung brauchen sie auffällig viel Wärme: im zeitigen Frühjahr sind die Eier deshalb meist unbefruchtet. Die Hähne werden erst bei warmer Witterung aktiv. Die beste Zeit zur Zucht ist daher der Zeitraum zwischen April und Juni.

BESONDERHEITEN

Fast alle Sebrights sind sehr anfällig für die „Mareksche Lähme". Diese Krankheit lässt sich leider nicht behandeln und führt unwei-

Golden-schwarzgesäumter Sebright-Hahn

Sebright-Küken: links ein golden-schwarzgesäumtes Tier, rechts ein silbern-schwarzgesäumtes.

gerlich zum Tode. Sie bricht meist bei erwachsenen Tieren bzw. Hennen aus, die ihre ersten Eier legen. Als einzige vorbeugende Maßnahme kommen hier Impfungen in Frage. Beim Kauf von Küken sollte man sich immer erkundigen, ob sie geimpft sind.

Zwerg-Spanier

HEIMAT
England.

GESCHICHTE
Diese Zwergform des Spanischen Huhns wur-

Porträt eines Zwerg-Spanier-Hahns

de erstmals gegen Ende des 19. Jahrhunderts in London ausgestellt. Die Tiere wirkten damals weniger auffällig und erregten kaum Aufsehen.

Die Rasse war jahrelang sehr selten und geriet beinahe in Vergessenheit, bevor sie zu Anfang der 90er Jahre des letzten Jahrhunderts stärker ins Rampenlicht rückte. Auf Spanische Weißwangen spezialisierte Züchter in England und Deutschland hatten ein Jahrzehnt lang Werbung für sie gemacht. Dadurch hat sich das Interesse an diesen Hühnern etwas verstärkt.

ÄUSSERE MERKMALE
Auffälligste Merkmale dieser Rasse sind die großen Ohrlappen und die Gesichtshaut (beide weiß). Spanische Zwerg-Weißwangen besitzen Einzelkämme (im Idealfall mit fünf Zacken). Die Augen sind dunkelbraun bis schwarz. Die Rückenlinie des langgestreckten Körpers fällt beim Hahn leicht ab. Der Schwanz wird hoch und bei der Henne leicht gefaltet getragen. Die Läufe sind schiefergrau.

FARBEN
Diese Rasse gibt es nur in schwarz.

EIGENSCHAFTEN
Die Zwerg-Spanier wurden ursprünglich als Legerasse gehalten. Das hat sich mit der gezielten Selektion auf die weiße Gesichtshaut geändert: sie sind heute eher eine Zierrasse. Die Hennen legen recht große weiße Eier. In Brutstimmung kommen sie selten oder nie. Zumindest für eine ursprüngliche Legerasse haben diese Hühner ein ruhiges, zutrauliches

Zwerg-Spanier-Küken

Wesen. Die großen weißen Ohren und die weiße Gesichtshaut sind schon beim Schlupf ansatzweise erkennbar. Letztere wird mit zunehmendem Alter immer weißer und dicker. Erst bei über einjährigen Tieren ist sie voll ausgeprägt. Die weißen Hautpartien bedürfen guter Pflege und regelmäßiger Reinigung. Im Winter fettet man sie am besten mit säurefreier Vaseline ein. Falls man die Rasse züchtet, müssen die Junghähne unbedingt getrennt werden, sobald sie zu kämpfen beginnen: wenn sie einander die weißen Hautpartien beschädigen, bleiben die braunen Narben dauerhaft sichtbar.

BESONDERHEITEN
Es gibt auch eine Großform des Zwerg-Spaniers. Sie unterscheidet sich von der Zwergrasse nur durch ihre Maße und die (noch größere) Seltenheit.

Watermaalscher Bartzwerg

HEIMAT
Belgien.

GESCHICHTE
Watermaal-Bosvorde ist ein Vorort von Brüssel. Hier hatte zu Anfang des 20. Jahrhunderts die Züchterei „Les Fougères" von M. Antoine Dresse ihren Standort. Dieser schuf unter strengster Geheimhaltung durch Kreuzung einer unbekannten Rassenauswahl den Water-

Zwerg-Spanier-Hahn

Zwerg-Spanier-Henne

Schwarz-weißgeperlter Watermaalscher Bartzwerg-Hahn

maalschen Bartzwerg. Über die genauen Ahnen dieser Hühner wahrte Antoine Dresse stets Stillschweigen. Auf jeden Fall zählten dazu auch Antwerpener Bartzwerge. Diese Tiere gehören zu den wirklich seltenen Zwerghuhnrassen: außerhalb Belgiens und der Niederlande kennt man sie nur in England, Frankreich und Deutschland, während sie im übrigen Europa kaum vorkommen.

ÄUSSERE MERKMALE

Watermaalsche Bartzwerge sind kleine, bärtige Zwerghühner, die auf den ersten Blick an die Antwerpener Bartzwerge erinnern. Allerdings gibt es mehrere deutliche Unterschiede: die Watermaalsche Variante ist im Allgemeinen schlanker, zierlicher und eleganter gebaut. Ihre Haltung ist aufrecht, und die Tiere tragen ihre Flügel leicht schräg. Der Körper ist schlank und üppig befiedert (allerdings weniger reich als beim Antwerpener Bartzwerg). Der Rücken ist kurz und geht kurvig in den recht hoch getragenen Schwanz über. Dieser

ist an der Basis breiter als am Ende und wirkt daher dreieckig. Seine Schmuckfedern sind beim Hahn knapp ausgefallen: die Hauptsicheln sind kaum länger als die Stoßfedern und nur schwach oder gar nicht gekrümmt. Am kurzen, runden Schädel sitzt ein kurzer, leicht gebogener Schnabel. Diese Rasse besitzt einen dreigeteilten Bart, der sich deutlich in den Kehl- und den paarigen Backenbart gliedert. Ferner besitzen sie einen Rosenkamm, der statt eines einzigen drei dünne, nebeneinander angeordnete Kammdorne aufweist. Der Kamm selbst ist kurz und breit. Auf dem Kopf sitzt eine Haube, die schmaler als der Scheitel ist: sie beginnt hinter dem Kamm, der sie teilweise verdeckt und folgt der Scheitelkrümmung. Die Iris ist bei den meisten Farbschlägen dunkelbraun.

Schwarzer Watermaalscher Bartzwerg-Hahn

Schwarz-weißgeperlte Watermaalsche Bartzwerg-Henne

Gesperberte Watermaalsche Bartzwerg-Henne

Ungesäumt blaue Watermaalsche Bartzwerg-Henne

FARBEN

Wer Wert auf mannigfaltige Farben legt, ist mit dieser Rasse gut bedient: bei diesen Hühnern werden mehr als dreißig Farbschläge anerkannt; zu den häufigsten zählen schwarz, weiß, gesperbert, wachtelfarbig, weiß-, weiß-zitrone- und silbern-wachtelfarbig, gelb-columbia sowie goldhalsig-schwarz.

EIGENSCHAFTEN

Watermaalsche Bartzwerge gehören zu den Zierrassen. Die Hennen legen nicht sonderlich gut, und ihre Eier wiegen im Schnitt etwa 35 Gramm. Sie brüten zwar gut, doch darf man ihnen nicht zu viele Eier anvertrauen: sieben sind das Maximum. Ihre geringe Größe hat den Vorteil, dass man diese Hühner auch in kleinen Gehegen halten kann. Allerdings lassen sie sich auch gut freilaufend halten; sie fliegen wegen ihres geringen Gewichts zwar gut, machen aber kaum Gebrauch davon, weil sie meist sehr zahm sind. Manchmal erheben sie sich allerdings aus purer Neugier in die Lüfte; wundern Sie sich also nicht, wenn sie die Tiere eines Tages auf dem Stall- oder Schuppendach antreffen. Winken Sie ihnen nur mit dem Fressnapf, und sie landen punktgenau wie Brieftauben zu Ihren Füßen!

Da sie sehr zahm und anhänglich sind, eignen sie sich auch gut als Haustiere für Kinder. Die Hähne haben ein recht lebhaftes Temperament und können bisweilen ihren Pfleger bedrohen oder attackieren. Passen Sie also gut auf, wenn Sie die Tiere Kindern anvertrauen. Die Hähne haben noch einen weiteren Nachteil: sie krähen auch bei Tage ausdauernd und durchdringend. Isolieren Sie

deshalb den Stall gut, damit die Nachbarn nicht darunter leiden.

BESONDERHEITEN

Wegen des vollen Barts und der kleinen Haube brauchen die Tiere spezielle Trinknäpfe. Dazu bieten sich „Rundumtränken" an, deren niedriger Wasserstand verhindert, dass Bart und Haube nass werden.

Den Farbschlag weiß-zitrone-wachtelfarbig gibt es nur bei dieser Rasse. Er entstand mehr zufällig in den Niederlanden: die anfangs weißen Küken bleiben nicht so, sondern werden eher gelblich (mit weißen Federpartien). Die Zeichnung entspricht der „Wachtelfarbe", doch tritt Weiß an die Stelle von Schwarz, und Goldbraun wird durch Zitronengelb ersetzt. Die Zeichnung ist dermaßen hell und zart, dass man sie bei Tageslicht aus der Nähe kaum erkennt.

Zwerg-Seidenhuhn

HEIMAT
Niederlande.

GESCHICHTE

Das Seidenhuhn ist für eine Großrasse winzig und wird daher in manchen Ländern nicht zu den Großrassen, sondern zu den Zwerghühnern gerechnet. In den Niederlanden kam man in der zweiten Hälfte des zwanzigsten

Wildfarbiges Zwerg-Seidenhuhn mit „Bart"

Weiße Zwerg-Seidenhuhn-Henne mit Bart

Weiße Zwerg-Seidenhuhn-Henne

Jahrhunderts auf die Idee, aus Seidenhühnern und Waatermaalschen Bartzwergen eine sehr kleine Rasse zu züchten. Bis das gelang, gingen viele Jahre ins Land. Zunächst entstand der weiße Farbschlag.

ÄUSSERE MERKMALE

Zwerg-Seidenhühner wiegen nur ungefähr 600 Gramm: sie sind also kaum halb so schwer wie ihre großen Vettern. Aus der Entfernung wirken diese Hühner wie ein Ball aus Haaren. Das verdanken sie der Eigenschaft, welche dieser Rasse ihren Namen gab: der eigenartig seidigen Struktur ihrer Federn, die aus einigem Abstand wie Haare anmuten. Diese Zwerge haben einen rundlichen Körper und einen niedrigen Stand. Den ziemlich kurzen Schwanz zieren bei den Hähnen seidige Sicheln.

Typisch für die Rasse sind die blauviolette Haut und die fünfte Zehe. Zwerg-Seidenhühner haben sogenannte Erdbeerkämme. Ihre Ohrlappen sind hellblau. Die kurzen Läufe sind wie die äußeren Zehen dicht befiedert. Außer den „normalen" Tiere gibt es auch solche mit Bärten und Hauben.

FARBEN

Diese Rasse wird u. a. in weiß, mehrfachgesäumt wildfarbig, perlgrau, rot, gelb und ungesäumt blau gezüchtet. Allerdings werden nicht alle Farbschläge in jedem Land anerkannt.

EIGENSCHAFTEN

Zwerg-Seidenhühner sind hübsche, ruhige und zutrauliche Tiere, die leicht zahm werden. Wenn man sie freilaufend hält, suchen sie kaum je das Weite. Dank ihrer eigenartigen Federstruktur können sie nicht fliegen, so dass niedrige Hecken als Einfriedung ausreichen. Allerdings muss man auch die Sitzstangen niedrig genug anbringen (viele Tiere nächtigen übrigens direkt auf dem Boden). Diese putzigen Zwerge eignen sich auch für Leute, die wenig Platz haben: kleine Gehege und sogar Balkons mit einem „Etagenstall" reichen für ein paar Tiere völlig aus. Die Hennen legen nicht übermäßig viel: knapp hundert Eier, und das überwiegend im Frühjahr und Sommer. Dafür „glucken" sie regelmäßig und sehr verlässlich. Da sie sich als Bruthennen voll bewährt haben, setzt man sie nach wie vor gern als „Pflegemütter" für die Eier und Küken von minder zuverlässigen Zwerghuhnrassen ein. Zwerg-Seidenhühner sind für ihre Vitalität bekannt und erfordern keine besonderen Pflegemaßnahmen. Obwohl man sie wegen ihrer eigenartigen Federstruktur für kälteempfindlich halten könnte, kann davon praktisch keine Rede sein.

BESONDERHEITEN

Wenn eine Henne dieser Zwergrasse erst einmal zu brüten beginnt, lässt sie sich nicht mehr davon abbringen. Sie bleibt sogar auf dem Nest hocken, wenn man ihr alle Eier wegnimmt. Sorgen Sie aber dafür, dass die brütende Henne genug zu fressen und zu trinken bekommt; dazu können Sie das Tier regelmäßig vom Nest heben, um es zum Essen und zum Trinken anzuspornen.

Die eigenartige Federstruktur beruht darauf, dass die Federstrahlen keine Häkchen besitzen und daher unverbunden sind. Dieses Merkmal wird rezessiv vererbt: aus Kreuzungen mit „normalen" Tieren gehen daher „normale" Küken hervor.

Bei Zwerg-Seidenhühnern sind nicht nur die Haut, sondern auch Fleisch und Skelett stark blau pigmentiert. Die Chinesen schreiben allem starke Heilkraft zu. Die Farbe beeinflusst allerdings nicht den Geschmack des Fleisches, der sich nicht von „normalem" unterscheidet.

Zwerg-Seidenhuhn-Küken

Wildfarbiger Zwerg-Seidenhuhn-Hahn

Weißer Zwerg-Seidenhuhn-Hahn mit Bart

Weißer Zwerg-Seidenhuhn-Hahn

Register

Abstammung	96
Aggressivität	25, 32
Akklimatisierung	34
Alt-Englischer Kämpfer	291
Amrock (-Huhn)	189
Ancona (-Huhn)	125
Antwerpener Bartzwerg	295
Anzahl von Hennen und Hähnen	21
Araucana (-Huhn)	127
Ardenner (-Huhn)	129
Asil (-Kämpfer)	12, 201
Assendelfter (-Huhn)	131
Aufheben und Tragen	52
Aufzuchtfutter	60, 62, 94
Außengehege	23, 34, 47, 51
Ausstellungen	13, 29, 117, 118, 119, 120
Australorp (-Huhn)	132
Bakterie(n)	34, 47
Bankiva-Huhn	11
Bantam (-Zwerghuhn)	312
Barnevelder (-Huhn)	133
Bart, Backen-	105
Bartrassen	105
Bassette (-Zwerghuhn)	240
Baugenehmigung	39
Becherkamm	103
Beenden des „Gluckens"	88
Befiederung	47
Befiederungstypen	103
Befruchtete Eier	68
Befruchtung	87, 88
Beläge	49
Beleuchtung	41
Besetzungsgrad	51
Bewertung	118, 119
Bielefelder Kennhuhn	191
Blätterkamm	103
Blutströpfchen	68
Brabanter Huhn	135
Brabanter (-Bauernhuhn)	212
Brahma (-Huhn)	214
Brakel (er-Huhn)	138
Breda (-Huhn), Kraaikop	180
Brustbein	99
Bruteier	89, 90, 92
Brutmaschinen	96
Brutnest	91
Bruttrieb	18, 88, 90, 124
Bunt-Faktor	115
Chabo (-Zwerghuhn)	302
Charaktereigenschaften	18, 32
Cochin (-Zwerghuhn)	216
Columbia (Zeichnung)	109
Cornish Bantam	285
Crève-Coeur (-Huhn)	172
Deutsches Lachshuhn (Faverolles)	175
Deutsches Langschan	193
Diarrhoe	74
Diphtherie	83
Doorniker Zwerghuhn (NA)	308
Doppeldotter	90
Dreireihiger Kamm	102
Drenther (-Huhn) (NA)	140
Dunkelhäutige Rassen	101
Dunkelstrahler	94
Durchlegen im Winter	66
Durchlüftung	33, 40, 51, 74
Eiablage	67
Eidotter	67
Eierfarbe	66
Eiergröße	66
Eierpicken	69
Eierproduktion	61, 66, 123
Eierwettbewerbe	120
Eileitervorfall	70
Einjährige Tiere	23
Einzelkamm	101
Eiweiß	67
Eiweiß, tierisches	60
Eizahn	93
Erfrierungen der Kopfanhängsel	74
Erkältung	80
Exkremente	17, 32, 34, 47, 74, 82, 92
Fachzeitschriften	29
Fallnester	69
Farbschläge	107
Färbung	115
Fasanen	25
Faverolles (Deutsches Lachshuhn)	175
Federfahnen	103
Federfüßiges Zwerghuhn	317
Federlaus	76

Federmilbe	76
Federn	103, 115
Federstruktur	103
Flockung	111
Flöhe	78
Fluchtmöglichkeiten	35
Flügelband	104
Freier Auslauf	34, 48
Friesen (-Huhn)	141
Fünfte Zehe	100, 226, 231
Fußbefiederung	100
Fußring	30
Futternäpfe	44
Fütterung aus der Hand	36
Fütterung	27, 57
Futterzusammenstellung	33, 59
Gallus gallus (Bankiva-Huhn)	11
Garnelenschwanz	286
Gebrauchsfertige Gehege	40
Gebrauchsfertiges Hühnerfutter	57
Geflockt	111
Geflügelausstellungen	29
Geflügelmehl	64
Geflügelzüchterverbände	29
Geierfersen	100
Gelb	114, 115
Gelb-columbia	110
Gelbhäutige Rassen	101
Gene	31
Gesäumte Farbschläge	108
Geschlechtsdimorphismus bei Küken	95
Geschlechtsdimorphismus	191
Gesperbert	112
Gestreift	112
Getupft	110, 111
Glasfrontstall	41
Glucken, unerwünschtes	68
Groninger Möwe	144
Grubbe-Bartzwerg	295
Grundnahrung	62
Hackverhalten	25, 81
Hagelschnüre	67
Hähne	19, 20, 22
Hahnenkämpfe	11, 100
Halsmauser	62
Hamburger (oder Holländer-Huhn)	146
Hauptsicheln	104
Hautfarbe	101
Heizlampe	94
Heizplatte	94
Heizung	41
Hennenfiedrig	323
Hennenfiedrigkeit	225
Herbstmauser	115
Holländer Haubenhuhn	218
Hörnchenkamm	102
Houdan (-Huhn)	177
Hühnerställe	40
Hunde	25
Hybriden	13, 23
Hygiene	51
Indischer Kämpfer	202
Indischer Zwergkämpfer	283
Infektiöse Bronchitis	80
Inzucht	31
Inzuchtprobleme	31
Jersey Giant	179
Jugendmauser	15
Kalkbeine	79
Kalkmangel	70
Kammdorn	102
Kammformen	101
Kammzähne	101
Kampfhuhnrassen	199
Kaninchen	25
Kapaune	182
Katzen	24
Kokzidienbefall	74, 81
Kondition	68,,87
Kopfanhängsel, Kopfschmuck	101
Körnerfutter	60
Ko Gunkei (Ko Shamo)	285
Ko Shamo (Ko Gunkei)	285
Kraaikop (Breda-Huhn)	180
Kraienkopp (Twenter-Huhn)	180
Krallen	53
Krankheiten und Missbildungen	74
Krankheiten	23, 30, 51, 73
Krankheitserreger	34
Krankheitssymptome	73
Kreuzkamm	103
Küken	85
Kükensaat	60, 94
Künstliche Inkubation	96
La Flèche (-Huhn)	192
Lachshuhn, Deutsches (Faverolles)	175
Lackung, gelackt	110
Lakenfelder (-Huhn)	148
Lakenfelder-Zeichnung	109
Langschan, Deutsches	193

Lärmbelästigung	20, 42, 85	Peking-Zwerghuhn	307
Läufe	100	Perle	11
Läuse	51, 53, 91	Pfefferung	107
Lebenserwartung	23, 24	Pflege künstlich erbrüteter Küken	97
Legedarm-Vorfall	70	Pflege von jungen Küken	94
Legehühner	65, 66, 124	Pigmentierung	114
Legehybriden	65,66	Plaudern	65
Legemehl	57	Plymouth Rock (-Huhn)	159
Legenester	44, 69, 89, 91	Pocken	83
Legenot	71	Porzellanzeichnung	110
Legepellets	66	Preisrichter	117
Legeprobleme	70	Pseudo-Vogelpest	83
Legerassen	124	Quarantäne	34
Legesaison	65	Rangordnung	95, 100
Legestimulation	66	Rassehühner	16, 32
Leghorn	149	Rasselose Hühner	16
Magenkiesel	61	Rassemerkmal	16, 32
Malaie (Malaien-Kämpfer)	205	Rasseninformation	29
Mantes (-Huhn)	208	Rassestandard	13, 117, 118
Marans (-Huhn)	152	Rassevereinigungen	29, 117, 118
Mareksche Lähme oder Krankheit	82	Raufe	45
Märkte und Jahrmärkte	29	Raumbedarf	22
Mäuse	57	Reinigung	51
Mauser	54, 62, 115	Rheinländer (-Huhn)	163
Mausern	32	Rhodeländer (-Huhn)	161
Meerschweinchen	25	Ringe	96
Mehlwürmer	60	Rosenkamm	101
Mindestmengen	22	Rote Blutmilbe	75
Mistplanke	43	Sandbad	48
Mohrenkopf-Eulenbart	221	Schalenaufbau	67
Mohrenkopf-Zeichnung	224	Scharmützel	35
Mutation	100, 104	Scheitelknauf	100
Nachbarn	21	Schlafstall	23, 34, 39, 42, 49, 51, 59, 74
Nackthalshuhn	221	Schlupfloch	42
Nahrungsaufnahme	61	Schmuckfedern	104, 115
Naine du Tournaisis		Schnabel	53
(Doorniker Zwerghuhn, NA)	308	Schnupfen (akute Coryza)	83
Nebensicheln	104	Schönheitsfehler	32
Neu-Englischer Kämpfer	206	Schüsselwärmer	41
Neu-Englischer Zwergkämpfer	289	Sebright (-Zwerghuhn)	323
New Hampshire (-Huhn)	154	Seidenfeder-Hühner	103
Niederländer Eulenbart (-Huhn)	22	Seidenhuhn	229
Niederländer Zwerg-Eulenbart (-Huhn)	320	Sekundäre Geschlechtsmerkmale	95
Niederrheiner (Huhn)	182	Shamo (-Kampfhuhn)	208
Noord-Holland-Huhn (NA)	184	Sicheln, Sichelfedern	115
Orpington (-Huhn)	156	Silberhals(ig)	110
Ostfriesische Möwe	144	Sitzstangen	43
Paar	23	Soziale Rangordnung	35
Parasiten	32, 51, 53, 73, 75	Spezialklubs	29, 31
Pawlowa-Huhn	218	Sporen	53, 100

Streifenzeichnung	114	Zuchtgruppenbildung	30
Stress	33, 70, 73, 91	Zugluft	40, 54
Sulmtaler (-Huhn)	195	Zwerg-Amrock	273
Sultan-Huhn	225	Zwerg-Ancona (NA)	235
Sumatra (-Huhn)	226	Zwerg-Ardenner	236
Sussex (-Huhn)	226	Zwerg-Asil	283
Tageslichtdauer	66	Zwerg-Barnevelder	239
Tierärzte	73	Zwerg-Bielefelder Kennhuhn	274
Tierkämpfe	199	Zwerg-Brabanter	297
Tragvermögen (der Flügel)	99	Zwerg-Brahma	299
Transport	33	Zwerg-Brakel	241
Transportmonat	33	Zwerg-Breda (Zwerg-Kraaikop)	268
Treten	85, 86	Zwerg-Burma (Zwerg-Sultan)	301
Trinkgefäße	44	Zwerg-Cochin	305
Trinkwasser	61	Zwerg-Drenther (NA)	242
Tröge	45	Zwerg-Faverolles	
Twenter (oder Kraienkopp-Huhn)	164	(Deutsches Zwerg-Lachshuhn)	265
Übergewicht	63	Zwerg-Friesenhuhn	244
Überversorgung	23	Zwerg-Hamburger	246
Umgebungstemperatur	59, 62, 66, 97	Zwerg-Holländer Haubenhuhn	310
Unfruchtbarkeit	87	Zwerg-Houdan	266
Ungewöhnlich geformte Eier	70	Zwerg-Japaner (Chabo)	302
Ungewöhnliches Verhalten	73	Zwerg-Kraaikop (Zwerg-Breda)	268
Vermeidung von Überversorgung	20	Zwerg-La Flèche	275
Verschleiß	115	Zwerg-Lakenfelder	247
Versorgungsmängel	32	Zwerg-Leghorn	249
Vogelordnung	99	Zwerg-Malaie	288
Vorwerk (-Huhn)	197	Zwerg-Marans	250
Wachsschicht	53	Zwerg-Minorka	251
Wachtelfarbe	108	Zwerg-Nackthalshuhn	313
Walnusskamm	102	Zwerg-New Hampshire	253
Wassernäpfe	45	Zwerg-Noord-Holland-Huhn (NA)	269
Watermaalscher Bartzwerg	326	Zwerg-Orloff	276
Weiß mit schwarzem Schwanz		Zwerg-Orpington	254
(Farbschlag)	109	Zwerg-Paduaner	315
Weißhäutige Rassen	101	Zwerg-Phönix	321
Welsumer (-Huhn)	166	Zwerg-Plymouth Rock	255
Wildfarbige Schläge (Rebhuhnfarbe)	107	Zwerg-Rheinländer	257
Windei	70	Zwerg-Rhodeländer	256
Witterungseinflüsse	115	Zwerg-Seidenhuhn	328
Würmer	74	Zwerg-Spanier	325
Wurminfektion	63	Zwerg-Sulmtaler	278
Wyandotte (-Huhn)	167	Zwerg-Sussex	271
Yokohama (-Huhn)	228	Zwerg-Twenter (Zwerg-Kraienkopp)	258
Zähmung	1107, 115	Zwerg-Vorwerk	280
Zeichnungsmuster	107	Zwerg-Welsumer	260
Zucht ohne Hahn	90	Zwerg-Wyandotte	261
Zucht	22, 85	Zwierassen	189
Züchter	29, 30, 32, 73, 118, 119, 120		
Zuchtgruppe	29, 60, 85, 95		

Nützliche Adressen & Fachzeitschriften

Deutsche Geflügelzeitung: Erscheint im Deutschen Bauernverlag GmbH, Berlin
Internetadresse: http://www.gefluegelzeitung.de

Gefiederte Welt: Erscheint monatlich im Eugen Ulmer Verlag, Stuttgart.
Internetadresse: http://www.gefiederte-welt.de

Geflügel-Börse (Organ des Bundes Deutscher Rassegeflügelzüchter e. V.): Erscheint alle zwei Wochen im Verlag Jürgens GmbH, Germering.
Internetadresse: http://www.gefluegel-boerse.de

Internetadressen von Züchterverbänden u. ä.
Bund Deutscher Rassegeflügelzüchter e.V. (mit Adressen zahlreicher Deutscher Spezialvereine)
URL: http://www.bdrg.de

Geflügel Online: Umgangreiche Informationen zu Rassengeflügel (Hühner, Gänse, Enten, Tauben), mit vielen hilfreichen Links
URL: http://www.gefluegel-online.de

Bildnachweise & Danksagung

Bildnachweis

Von Esther Verhoef stammen sämtliche Fotos mit folgenden Ausnahmen:

S. 58 (alle), 59 (alle) und 66 (links) stellte die Fa. Teurlings in Waalwijk zur Verfügung;

S. 11, 15, 33 (unten), 39 (oben), 40 (oben) 42 (r. oben) 48 (oben)(, 68 (r. oben), 70, 81, 89 (r. oben) 97 (oben), 118 (unten), 119 (unten), 120 (oben), 140 (unten) und 276 (oben) stammen von Aad Rijs;

Die Schwarzweißfotos und -zeichnungen wurden dem Buch Hoenderrassen in hunne vormen und kleuren, Teil 1 u. 2 von R. Houwink (1909) entnommen.

Die Farbzeichnungen fertigte Angelique van Voorst an.

Danksagung

Am Zustandekommen der Fotografien haben folgende Personen beigetragen:

R. van As, A.F.G.J. Bardoel, J. Beukers sr., Comb Boerebach, Jaap Boeve, J. Bonte, R. van de Boogaard, P. Bouw, A.A.J. Broers, E. Burgers, G. de Bruin, Christ Chabot, J.A. De Dooij, J.J. De Dooij, J. van Dijck, C.G. van Dijk, Willem Doesburg, H. Don, B.H. van Drunen, Comb. De Eenselaar, R. Gatti, M. van de Goor, I. de Graaf, Carin v/d Griendt, J. van Haaren, W.G.M. Haverkate, H. van Heerde, A. Heerkens, M. Hermans, J. v/d Heuvel, Jurgen van Hevelingen, S. Hulleman, C. Jansen, Comb. Joco, D. de Jong, C. Joosten, Fam. Keijnemans, A de Laat, C. J. Lamers, C. Maas, Dhr. Mastenbroek, Comb. v/d Mel, Dhr. de Mik, Fam. van Mil, B. Mimpen, Corné Monshouwer, W. Monshouwer, C.J. de Nekker, Jac. Netten, T. Nillesen, A. v/d Nobelen, C.G. Noorloos, S. Oegema, Dhr. van Oenen, A. v/d Oetelaar, D. van Oord, A. Oudshoorn, C. Overeem, Fam. v/d Pas, J.M. Puttenstein, L. Reedijk, Aad Rijs, Ineke Rijs, P. Roelofsen, Fam. van Rooij, Willem van Rooijen, C. van Ruissen, W. van Ruissen, Jan Schaareman, P. van Schijndel, Dhr. Schouwenaar, W. Schretzmeijer, Chr. Sentel, W.F. Seybel, L. Smits, D.P. Spek, Rick Spek, J. Stappenbelt, Mw. H. Steegs, Gradus Stein, P. Stokkermans Jr., M. Straver, M.W. Struyken, G. Stuij, J. van Suylekom, A. Tollenaar, A.G.W. Ueberbach, G. de Vaen, H. de Veer, Mark Verbaas, H. Verhees, L.A. de Vries, H. van Weelden, H. Wezendonk, H. Wiehink, H. Witlox, Comb. Wyhorn.